国家“863”高科技计划项目及
华北水利水电学院重点学科建设基金资助

北方山丘区集雨节灌综合技术研究与应用

徐建新　陈南祥　编著

黄 河 水 利 出 版 社

内 容 提 要

本书系统地论述和介绍了集雨节灌综合技术及其应用。主要内容包括灌区(区域)水资源评价及优化分配、雨水集蓄利用工程技术、集雨节灌工程规划设计、基于GIS的灌区水资源评价与实时灌溉决策支持系统、集雨补灌工程综合效益评价指标体系及模型等。全书以理论方法与工程实例相结合,配以先进的GIS技术,内容翔实,层次分明,具有较强的实用性和可操作性。本书主要供从事集雨节灌工程规划、设计、施工和管理工作的人员及基层水利技术人员使用,亦可供有关院校师生参考。

图书在版编目(CIP)数据

北方山丘区集雨节灌综合技术研究与应用/徐建新,陈南祥编著. —郑州:黄河水利出版社,2006.7
ISBN 7-80734-060-6

Ⅰ.北… Ⅱ.①徐…②陈… Ⅲ.①山区-农田灌溉-降水-蓄水-研究-中国 ②山区-农田灌溉-节约用水-研究-中国 Ⅳ.S275

中国版本图书馆CIP数据核字(2006)第022462号

出 版 社:黄河水利出版社
地址:河南省郑州市金水路11号 邮政编码:450003
发行单位:黄河水利出版社
发行部电话:0371-66026940 传真:0371-66022620
E-mail:hhslcbs@126.com
承印单位:黄河水利委员会印刷厂
开本:787mm×1 092mm 1/16
印张:10.75
字数:248千字 印数:1—1 000
版次:2006年7月第1版 印次:2006年7月第1次印刷

书号:ISBN 7-80734-060-6/S·80 定价:25.00元

前　言

水是生命之源，是人类赖以生存和发展的命脉。随着世界范围内的干旱加剧及水资源的日益短缺，解决好水资源问题已成为21世纪人类社会面临的战略重点。我国是一个水资源十分短缺的国家，被联合国列为世界13个贫水国家之一，按1997年人口统计，我国人均水资源量为2 200m^3，不足世界平均水平的1/4。水资源紧缺，已成为我国经济社会可持续发展的重要制约因素。

解决水资源短缺，一是节水，二是开源。我国农业缺水问题要靠节水和集雨来解决。尤其在干旱、半干旱以及半湿润地区，发展现代农业节水和集雨利用等高新技术是保障我国食物安全、生态安全及国家安全的重大战略。近20年来，在科技部及有关部门的领导和组织下，通过节水农业技术的攻关研究与推广应用，有力地推进了我国节水农业的健康发展和科技进步。但与世界发达国家相比，在节水农业方面我国还存在相当大的差距，任务还十分艰巨。雨水集蓄节灌技术在农业上的运用是节水农业的发展趋势，而且发展集雨补灌节水农业具有实现降水资源的合理调配与高效利用、提高单位耕地产出效益和产品品质、促进农村经济发展和农业结构调整、改善农业生态环境等多种功能。为此，国家“863”高科技计划安排了“北方半干旱集雨补灌旱作区节水农业综合技术体系集成与示范(河南豫北示范区)”项目，着重研究通过集雨、多水源优化配置与节灌综合技术研究与示范，建立健全适合我国北方旱地的集雨补灌旱作区节水农业综合技术体系，提高水资源利用效率，实现降水利用与生态环境改善的有机整合。本书为该项目研究中水利部分研究的总结，其成果已通过河南省科学技术厅组织的鉴定。

本书绪论、第2章、第3章由徐建新、张运凤撰写，第1章、第4章由陈南祥、徐建新撰写，第5章、第6章由徐建新、陈南祥、张运凤撰写。全书由徐建新统稿。由于编者水平所限，书中难免存在不妥之处，敬请读者批评指正。

参加本专题研究的主要人员还有曹玉升、陈卫宾、徐贵新等。本研究得到科技部及河南省科技厅的大力支持和帮助，也得到河南省辉县市政府的大力支持；本书的出版还得到了华北水利水电学院重点学科建设基金的资助。在此一并表示感谢。

编著者

2006年3月20日

前言

目　　录

绪　论

0.1　研究意义

水资源紧缺,已成为我国国民经济和社会可持续发展的重要制约因素。江泽民同志强调指出“各级领导都要有一种强烈的意识,就是十分注意节约用地、节约用水,这两件事涉及农业的根本、人类生存的根本,在我国尤其意义重大”。但目前我国农业用水的状况,一边是水资源紧张,一边是浪费严重。据统计,农业用水的利用率为40%,仅为发达国家的一半左右;1m^3水的粮食生产能力仅有0.85kg左右,远低于世界发达国家2kg以上的水平。发展集雨补灌节水农业,创建高效节水型的农业可持续发展模式是解决水资源短缺的重要措施之一。

河南省的水资源形势严峻。第一,水资源短缺。目前全省人均水资源仅414m^3,不足全国人均水平的1/6,居全国第22位;耕地水资源拥有量不足400m^3/亩[1],居全国第24位,属联合国划定的贫水区。第二,水资源区域分布不均。如豫南信阳、驻马店、南阳等市占全省人口的28.7%,水资源量却占全省的50.6%,人均922m^3;而占全省人口57%的豫北、豫西和豫东等11个市的水资源却不足全省的1/3,人均仅322m^3。其中豫西和豫北一些县(市)人均水资源不足250m^3,仅为世界人均水量的1/40。第三,水资源利用率低,浪费严重。河南省工业用水重复利用率(除电力工业)均低于30%,不足全国先进水平的一半;全省多数灌区渠系水利用系数仅0.4~0.5,每立方米水粮食生产率0.8~1.2kg/m^3,达不到全国平均水平。同时,受工业、乡镇企业发展和化肥施用等因素的影响,地表水被严重污染,至2000年有54.3%的河流全年期丧失供水能力。第四,地下水超采严重。全省地下水漏斗面积由1982年的2 230km^2扩大到1万多km^2,年均增加534km^2,如以地下水为主要供水源的濮(阳)、清(丰)、南(乐)漏斗区已连成一片,中心地下水埋深由9.2m降至17.4m,年均下降0.82m。第五,旱地面积大。据统计,全省旱地占总耕地面积的60%以上。第六,旱灾面积日趋递增。据统计,20世纪80年代受旱面积达2 568万亩,比70年代增加1.45倍,90年代增至3 500万亩,2001年增加到约4 500万亩。

全球性的水资源危机,促使各国都在致力于发展各具特色的节水农业,以解决农业灌溉用水供应不足的问题。世界节水农业发达国家在生产实践中始终把灌溉水利用率和水分生产效率作为重点,并在水资源开发利用技术、田间节水灌溉技术、农艺节水技术、用水管理技术以及农业节水技术集成与产业化等方面取得领先优势。水资源多层次开发水平不断提高,在有效提高降水利用的同时,将劣质水优化利用也已成为许多国家减轻环境负担、缓解水资源矛盾的有效方法之一。目前以色列污水利用率达70%以上,其中1/3

---

[1] 1亩=1/15hm^2,下同。

用于灌溉，约占总灌水量的1/5。高效节水灌溉技术日趋精细，喷、微灌技术是现代农业节水技术的重要特征。美、英、法等国都相继大力推行了喷灌、滴灌、微灌、渗灌等先进节水灌溉技术，将先进的节水技术与优良的灌溉设备、自动化信息管理系统等有机地结合起来，是高效节水灌溉技术发展的总趋势。近年来，在墒情监测预报上大量采用了空间信息技术和计算机模拟技术，美、以等国已进入生产应用阶段。同时大力发展了补充灌溉、定量灌溉，非充分灌溉和调亏灌溉等先进节水理论支持的新型节灌技术也得到了充分重视。未来综合运用GIS技术，结合数据收集与计算机技术、智能化技术已成为现代农业的重要发展趋势。它推动了农业高效节水管理一体化建设，从而达到良好的节水、增产、增效的目的。

近20年来，在科技部及有关部门的领导下，通过节水农业技术的攻关研究与推广应用，有力地推进了我国节水农业的健康发展和科技进步。据统计，20世纪90年代节灌面积已达2.13亿亩，约占全国灌溉面积的28.0%，其中喷灌1 600多万亩，微灌90万亩。但与世界发达国家相比，在节水农业方面我国还存在相当大的差距，任务还十分艰巨。雨水集蓄节灌技术在农业上的运用是国际节水农业的发展趋势，而且发展集雨补灌节水农业具有解决人畜饮水问题、实现降水资源的合理调配与高效利用、提高单位耕地产出效益和产品品质、促进农村经济发展和农业结构调整、改善农业生态环境等多种功能。因此，通过集雨、多水源优化配置与节灌综合技术研究与示范，建立健全适合我国北方旱地的集雨补灌旱作节水农业综合技术体系，提高水资源利用效率，实现降水利用与生态环境改善的有机整合，是国家“863”高科技计划项目“北方半干旱集雨补灌旱作区节水农业综合技术体系集成与示范(河南豫北示范区)”的重要研究内容。在其研究中，既有针对性较强的特点，同时又考虑了成果(例如GIS为平台的软件系统、评价体系等)普遍应用性，推动了我国北方旱地集雨补灌节水农业的高效、持续发展。

0.2 示范区基本情况

0.2.1 中心示范区概况

0.2.1.1 自然地理

中心示范区位于河南省辉县市豫北示范区东部，地势北高南低，属丘陵半山区。面积104km^2，其中耕地面积51 160亩。中心示范区内有28个行政村，35个自然村，总人口32 836人。区域内地貌较为复杂，西北、北部为山区、丘陵区，东南部为山前倾斜平原，山丘区地形西北高东南低，平原区是南、北、西三面高，东面低，高程在170～250m之间，地面坡度1/1 000～1/5 000。

土壤分布在山区多为灰棕色森林土和砾砂土，土层极薄，分布不均。山麓梯田多为红棕色壤土，冲积层一般厚为1～2m。平原地带土壤岩性呈砂壤土或黄土亚砂土，含有机质较多，干时较为疏松，透水性能较强，土层较厚，土地肥沃，宜于农业生产。

0.2.1.2 水文气候特征

中心示范区位于亚热带向暖温带过渡地带，属大陆性季风半湿润半干旱气候，受季风影响较大，四季分明。冬季在蒙古高压控制下，盛行西北风，气候干燥，天气寒冷；夏季受西太平洋副热带高压控制，多东南风，降水较为集中。多年平均降水量为505.8mm，降水年际间差异很大，年最大降水量874.8mm（1995年），年最小降水量318.8mm（1984年），最大年为最小年的2.7倍；年内分配也极不均匀，一般6～9月降水量约占全年降水量的70%。

区内平均气温14.2℃，最低气温在1月份，1月平均 -5.7℃；最高气温在6月份，6月平均32.5℃。极端最高气温为43℃，极端最低气温为-18.3℃。多年平均水面蒸发量1 671.7mm。平均年内无霜期为212天，冰冻期112天左右。

0.2.1.3 社会经济状况

区内粮食生产以小麦、玉米为主，间种谷子和红薯等杂粮，经济作物以中药材、花生为主，间种棉花、蔬菜及瓜类等，复种指数为1.71。土特产品有山楂、紫皮大蒜、粳米、松花皮蛋、核桃等。

区内矿产资源有煤、铜、锌、银等十几种，在发展乡镇企业上，坚持立足当地，强化管理，依靠科技，提高效益，初步形成以水泥、红砖、运输、医药、煤炭为主的基础产业，采石、印刷、化工、爆竹等工业行业并存的工业体系。

0.2.2 核心示范区概况

核心示范区位于豫北中心示范区东南部，主要粮食作物为冬小麦和玉米，经济作物主要以药材和红薯、黑豆等为主，果树主要是核桃树和柿子树等。核心示范区总人口800多人。该区域是河南省省级贫困地区，农业以种植业为主，经济收入以个体耐火砖原料生产为主，人均年收入不足1 000元。畜牧业仅限于家庭饲养，以猪、牛、羊和鸡为主。

核心示范区气候条件与中心示范区大气候基本一致，其降水量多年平均比中心示范区少20mm左右。由于位于丘陵区，其降雨中，暴雨所占全年降水量的比例大于全乡平均情况。

0.2.2.1 核心示范区土壤、地下水情况

核心示范区为山地丘陵区，地势起伏较大。土壤以黏土为主，土壤干容重1.41 g/cm^3，田间持水率为25.47%（占干土重量百分数）。

灌区浅层地下水矿化度一般为0.5～1.5g/L，pH值7.2左右，属弱碱性淡水。地下水动态属“入渗补给—蒸发开采”型，水平运动较滞缓，垂向交替运动频繁，接受大气降水和其他地表水体补给，消耗于蒸发和开采。由于本示范区位于喀斯特地区，地下水渗漏严重，故难以开采利用。

0.2.2.2 核心示范区作物种植情况

核心示范区是以粮棉为主的旱作农业区，适种作物主要为冬小麦、夏玉米、棉花、大豆和花生等。耕作制度为：冬小麦—夏玉米（或夏播棉、夏大豆）一年两熟制；春播棉一年一熟制；冬小麦—夏玉米—春播棉（或者春大豆）二年三熟制。代表作物生育阶段见表0-1。

根据区域现状种植结构和农业区划及各种作物的需水规律，确定区内代表作物和种植比例为：冬小麦70%，春播棉30%，夏玉米35%，夏播棉35%。复种指数1.7。典型示范区总的灌溉面积约为350亩，根据各种作物的种植比例，求出各作物的种植面积为：冬小麦245亩，夏玉米122.5亩，夏播棉122.5亩，春播棉105亩。

表 0-1 核心示范区代表作物生育阶段表

作物名称	种植比例	生育阶段	起止日期(月·日)	生育期天数
冬小麦	70%	播种—越冬	10.22~12.20	60
		越冬—返青	12.21~3.10	80
		返青—拔节	3.11~4.10	31
		抽穗	4.11~4.30	20
		乳熟	5.1~5.20	20
		成熟	5.21~6.10	21
夏玉米	35%	播种—拔节	6.20~7.22	33
		拔节—抽穗	7.23~8.14	23
		抽穗—灌浆	8.15~8.31	17
		灌浆—成熟	9.1~9.29	29
春播棉	30%	苗期	4.26~6.10	46
		蕾期	6.11~7.13	33
		花铃期	7.14~9.9	58
		吐絮期	9.10~10.10	31
夏播棉	35%	苗期	6.10~7.19	40
		蕾期	7.20~8.19	31
		花铃期	8.20~9.17	29
		吐絮期	9.18~10.13	26

0.2.2.3 核心示范区水利工程状况

核心示范区内进行建设前没有任何可以用于灌溉的水利工程措施。虽然有一水井可作为灌溉用水的水源,但是由于水井距离耕作区较远,同时没有供水设施,因此该水井不能提供灌溉用水。示范区建设完成后建有容积分别为 1 500m^3 和 500m^3 的两座水池,以及 58 个容积为 35m^3 的水窖,同时铺设供水管道连接水窖、水池、水井,实现地表水以及地下水的联合调用。

0.3 主要研究内容

课题的主要研究内容如下:

(1)以 GIS 为平台,研制区域水资源评价管理信息数据库,建立水资源评价模型库,利用 GIS 的空间数据管理、空间数据分析、时域数据分析,以及可视化技术、集成数据库和模型库,在山丘区水资源评价中,使软件具有更强的实用性。

(2)雨水集蓄与综合水资源调控工程技术研究。

(3)典型示范区集雨节灌工程规划设计研究。

(4)以灌区实时优化灌溉理论研究为基础,研制基于 GIS 的作物土壤水分信息管理与实时灌溉决策支持系统软件。

(5)在建立集雨补灌工程综合效益评价指标体系基础上,创立了集雨补灌工程综合效益评价模型,分析本课题典型示范区集雨补灌工程的综合效益。

第1章 灌区水资源评价及优化分配

1.1 灌区水资源评价的基本理论与方法

1.1.1 水资源组成及水资源评价的内容

水资源主要由地表水资源、土壤水资源和地下水资源三者共同组成。大气降水是水资源的总补给来源。地表水主要表现形式是河流水、湖泊水、水库水等,由大气降水、高山冰雪融水和地下水补给,以河川径流、水面蒸发、土壤入渗等形式排泄,其动态水量为河川径流量,因此通常地表水资源量以河川径流量表示。土壤水是联系地表水与地下水的纽带。地下水是指存在于地表以下岩(土)层空隙中各种形式的水体。以大气降水和地表水的入渗补给为主,排泄一方面是以地下渗流方式补给河流、湖泊等地表水体,另一方面又以蒸散发的形式回归大自然。

按照水资源评价相关技术标准和技术规程,水资源评价包括水资源数量评价和水资源质量评价。水资源数量评价包括降水量、蒸发量、地表水资源量、地下水资源量和总水资源量;水资源质量评价主要包括矿化度、污染程度等及其可利用价值。

1.1.2 水资源量及其计算

水资源量是指地表水资源量与地下水资源量的总和,再扣除重复计算量部分。

1.1.2.1 降水量的计算

1.1.2.1.1 降水资料的审查

对于确定的研究区来说,观测该研究区的降水站可能会有多个。由于各个观测站点的设置年份、观测模式、管理水平等主观和客观因素的影响,同一研究区不同观测站点具有不同步的降水观测资料,为了达到计算精度以及保证计算结果的合理性,就需要对资料进行审查。

1.1.2.1.2 降水资料的插补、延长

从诸多降水观测站点中,找出一个或者几个观测资料比较齐全、系列比较完整的站点作为参证站,以参证站为基础,对其他资料不完整的站通过适当的途径、方法进行插补或延长,从而使同一流域的所有观测站点具有同步系列的降水观测资料。

资料插补、延长的基本方法:对于需要插补、延长的某一站点来说,在对参证站的降水资料代表性、一致性、连续性分析的基础上,把其与参证站资料进行相关分析,进而建立相关方程。对于有多个参证站的流域,将建立多个相关方程,并需要对多个相关方程进行分析。根据最优性原理,采用相关系数最好的相关方程作为资料插补、延长的方程。

对资料进行插补、延长的常用方法有以下两种:

(1)比值法。比值法的基本计算公式为:

$$P_i = P_{i站} \frac{P}{P_{站}} \tag{1-1}$$

式中 P_i——需要插补延长站的年降水量,mm;

$P_{i站}$——参证站的年降水量,mm;

P——需要插补延长站已有的多年平均年降水量,mm;

$P_{站}$——与需要插补延长站同步系列的参证站多年平均年降水量,mm。

(2)相关法。在相关法中,最常应用的方法是最小二乘法。相关法的基本计算式为:

$$P_i = aP_{站} + b \tag{1-2}$$

式中 P_i——需要插补延长站的年降水量,mm;

$P_{站}$——参证站年降水量,mm;

a、b——待定系数,可以由最小二乘法计算得到。

此外,还要对相关方程进行检验,检查相关分析是否满足精度要求。

1.1.2.2 蒸发量的计算

1.1.2.2.1 水面蒸发量

水面蒸发是在充分供水条件下的蒸发现象,水面蒸发量又称为蒸发能力。

$$E = \alpha E_0 \tag{1-3}$$

式中 E——计算的水面蒸发量,mm;

E_0——蒸发皿观测的水面蒸发量,mm;

α——水面蒸发折算系数。

1.1.2.2.2 陆面蒸发量

依据水量平衡原理,可以计算研究区的陆面蒸发量,其计算式为:

$$\begin{aligned} E_{陆蒸总} &= P_{降总} + Q_{来总} - Q_{出总} \\ E_{陆蒸} &= \frac{E_{陆蒸总}}{F} \times 1\,000 \end{aligned} \tag{1-4}$$

式中 $E_{陆蒸总}$——研究区陆面蒸发总量,m^3;

$P_{降总}$——研究区降水总量,m^3;

$Q_{来总}$——流入研究区的径流总量,m^3;

$Q_{出总}$——流出研究区的径流总量,m^3;

$E_{陆蒸}$——研究区平均陆面蒸发量,mm;

F——计算区总面积,m^2。

1.1.2.2.3 干旱指数

干旱指数是指年蒸发能力与年降水量之比,通常以此作为区别各地区气候干湿程度的指标。

$$\gamma = \frac{E}{P} \tag{1-5}$$

式中 E——研究区年水面蒸发量,mm;

P——研究区年降水量，mm；

γ——研究区干旱指数。

1.1.2.3 **地表水资源量**

地表水资源量 R 常用多年平均河川径流量来表示。其计算方法有代表站法、等值线法、年降水—径流函数关系法等。

1.1.2.3.1 代表站法

地表水资源量就等于控制性水文站还原得到的天然径流量加上根据代表站计算得到的非控制区天然径流量，即

$$R = \sum R_{Con} + \sum R_{Other} \tag{1-6}$$

式中 $\sum R_{Con}$——控制性水文站还原得到的天然径流量，万 m^3；

$\sum R_{Other}$——根据代表站计算得到的非控制区天然径流量，万 m^3。

根据代表站的径流量计算非控制区天然径流量方法如下：

在计算区域内，如果能够选择一个或几个基本能控制本区域大部分面积、实测径流资料系列较长、精度满足要求的代表性水文站，且区域内上、下游自然地理条件比较一致，可用代表性水文站年径流量按面积比的方法，推算区域多年平均年径流量。

假如区域仅有一个控制站，且上、下游的降水量差别较大，自然地理条件也不太一致，但下垫面却相差不大，这样，可以用降水量作为权重来计算区域多年平均年径流量，即

$$R = R_a\left(1 + \frac{P_b f_b}{P_a f_a}\right) \tag{1-7}$$

式中 R——区域多年平均年径流量，万 m^3；

R_a——控制站以上面积的实测年径流量，万 m^3；

P_a、f_a——控制站以上面积的平均年降水量、集水面积；

P_b、f_b——控制站控制面积以外的平均年降水量、集水面积。

1.1.2.3.2 等值线法

等值线法的具体做法是将流域内测量的雨量绘出的等值线，用求积仪求出各相邻等雨量线间的面积，然后乘上各相邻等雨量线雨深的平均值，得出该面积的降水总量，再将各面积上的降水总量相加，即得全流域的降水总量。

1.1.2.3.3 年降水—径流函数关系法

根据降雨历时及降雨强度，分析径流深和径流系数，即

$$R = \alpha P \tag{1-8}$$

式中 R——区域多年平均年径流深，mm；

α——径流系数；

P——控制站以上面积的平均年降水量，mm。

以径流深乘以控制站面积得出径流量。

1.1.2.4 **地下水资源量**

地下水资源量是指某时段内地下含水层接收降水、地表水体、侧向径流及人工回灌等项渗透补给量的总和。

计算参数是地下水资源量计算的重要基础,也是各补给项、排泄项实际计算的依据。计算参数选用是否合理,考虑的因素是否全面,都直接影响到地下水资源量的计算精度。在地下水资源计算中,计算参数主要包括降水入渗补给系数(α)、河流入渗补给系数(M)、渠系入渗补给系数(m)、田间灌溉入渗补给系数(β)、水库入渗补给系数($\alpha_{库}$)、潜水蒸发系数(C)等。

1.1.2.4.1 山前侧渗补给量

山前侧渗补给量是指山区地下水径流中直接补给平原区的水量。山前侧渗补给量的计算是利用地下水径流模数资料,分别计算地下水的径流量,并根据实测泉水流量,计算地下水山前侧渗补给量。计算公式为:

$$Q_{侧渗} = Q_{地下径} - Q_{山泉溢} \tag{1-9}$$

式中 $Q_{地下径}$——地下水径流量,m^3;

$Q_{山泉溢}$——山区泉水溢出量,m^3;

$Q_{侧渗}$——山前侧渗补给量,m^3。

1.1.2.4.2 降水入渗补给量

降水入渗补给量的计算可采用如下公式:

$$Q_{降渗} = \alpha P \tag{1-10}$$

式中 $Q_{降渗}$——降水产生的入渗补给量,m^3(或者 mm);

α——降水入渗补给系数;

P——产生入渗补给量的降水,由经验可以得到大于 10mm 的降水才有可能产生入渗补给,m^3(或者 mm)。

1.1.2.4.3 河流入渗补给量

采用河流入渗补给系数计算河流入渗补给量:

$$Q_{河渗} = MQ_{河径} \tag{1-11}$$

式中 $Q_{河径}$——河流径流量,m^3;

M——河流入渗补给系数。

若由水量平衡方程 $Q_{入} - Q_{出} = \Delta Q_{蓄变}$ 计算河流入渗补给量,其计算式如下:

$$Q_{河渗} = Q_{河入径} + Q_{降} - Q_{河蒸} - Q_{河出径} - Q_{河引} \pm Q_{河蓄变} \tag{1-12}$$

式中 $Q_{河入径}$——入河流径流量,m^3;

$Q_{河出径}$——出河流径流量,m^3;

$Q_{降}$——降水产生的水量,m^3;

$Q_{河蒸}$——河流水面蒸发量,m^3;

$Q_{河引}$——自河道的引水量,m^3;

$Q_{河蓄变}$——河流蓄变量,多年平均为零,m^3。

1.1.2.4.4 渠系入渗量

渠系入渗量计算公式为:

$$Q_{入} = mQ_{引} = \gamma(1 - \eta)Q_{引} \tag{1-13}$$

式中　$Q_{入}$——渠系入渗补给量,m^3;

$Q_{引}$——渠系引水量,m^3;

m——渠道入渗补给系数,$m=\gamma(1-\eta)$;

γ——修正系数;

η——渠系水有效利用系数,对于防渗渠系来说,依据渠道防渗材料及结构型式的不同而不同。

1.1.2.4.5　田间灌溉入渗补给量

田间灌溉入渗补给量的计算如下式:

$$Q_{灌渗} = Q_{引}\eta\beta \tag{1-14}$$

式中　$Q_{灌渗}$——田间灌溉入渗补给量,m^3;

$Q_{引}$——河道渠首引水量,m^3;

η——渠系综合利用系数;

β——田间灌溉入渗补给系数。

1.1.2.4.6　潜水蒸发量

潜水蒸发量按下式计算:

$$Q_{潜} = CE_0F = EF \tag{1-15}$$

式中　$Q_{潜}$——潜水蒸发量,m^3;

F——计算面积,km^2;

C——潜水蒸发系数,$C=\frac{E}{E_0}$;

E——潜水蒸发量;

E_0——水面蒸发量,用$E_{20}\mu=E_{601}$换算,μ为E_{20}与E_{601}的换算系数。

地下水资源量一般可分为山丘区地下水资源量和平原区地下水资源量。山丘区的降水由于其所处山坡较陡,水流较急速,再者,在山区下垫面一般不易形成地表水下渗,因此对于山区地下水资源量,多数情况下可以忽略不计。而在平原区,地下水资源量的形成与转化具有多种形式(诸如降水补给量、水库补给量等)。

1.1.2.5　**水资源总量**

按照上述方法,分别计算地表水资源量和地下水资源量,再汇总,其值往往大于水资源总量。原因是,在计算地表水资源量和地下水资源量时,有一部分水量是重复的。因此,需要把重复量从二者之和中扣除,这样才真正得到水资源总量。针对一个特定的区域,计算重复水量 C,只需把重复部分的水量计算项找出来,再汇总即可。

区域水资源总量可用下式计算:

$$W = P - E_s = R_s + U_p \tag{1-16}$$

$$W = R + E_g + U_g \tag{1-17}$$

式中　W——水资源总量,m^3;

P——区域降水总量,m^3;

E_s——区域地表蒸散发量,m^3;

R_s——地表径流量,m^3;

U_p——降水入渗对地下水的补给量,m^3;

R——河川径流量,m^3;

E_g——潜水蒸发量,m^3;

U_g——地下潜流量,m^3。

式(1-16)、式(1-17)剔除了地表水和地下水互相转化的重复水量,原则上适用于山地、丘陵、平原等各种类型区的水资源总量计算,可根据研究评价区域的水文、地质特性和资料条件加以选用。例如,在半干旱半湿润地带的平原区,降水入渗补给量占产水量的比例较大,且有地下水位动态资料作为计算依据,通常采用式(1-16)来计算水资源总量。在山区和丘陵区,河川径流是产水量的主要组成部分,有水文站的流量观测资料作为计算依据,则宜采用式(1-17)来计算水资源总量。在分区进行大流域水资源评价时,除了知道流域内各种类型区的三水转化关系外,还要分析上、下游相邻区之间的水量转化关系,以便计算全流域水资源总量。山区和平原之间的水量转化关系表现为:山区地下水潜流补给平原地下水,或以泉水形式溢出流入平原河流;山区河川径流在流经平原的过程中渗漏补给地下水;平原利用山区来水灌溉,通过渠系渗漏和田间回归补给地下水。由此可见,平原区地下水除了当地降水入渗补给外,还有山前侧渗、河渠渗漏、田间回归等项补给,但这些补给量来源于上游山区产水量,在计算全流域水资源总量时,应作为重复水量予以扣除。

1.2 灌区水资源要素预测模型研究

1.2.1 灰色 Verhulst 模型

灰色系统预测模型用于中长期预测是一种有效的方法。但是,当需水量按照 S 型曲线增长或增长处于饱和阶段时,采用灰色 GM(1,1)模型进行预测的误差较大,预测精度不能满足实际要求。将灰色 Verhulst 模型引入到需水量预测中,可以很好地解决这个问题。

1.2.1.1 灰色 GM(1,1)模型

设有 n 个原始数据构成一维时间序列 $\{X_i^{(0)}, i=1,2,\cdots,n\}$,对此序列进行一阶累加(1-AGO)生成,得新数据序列为:

$$x_i^{(1)} = \sum_{k=1}^{i} x_k^{(0)}, i = 1,2,3,\cdots,n \tag{1-18}$$

建立灰色 GM(1,1)模型的一级白化微分方程为:

$$\frac{\mathrm{d}x^{(1)}(t)}{\mathrm{d}t} + ax^{(1)}(t) = b \tag{1-19}$$

式中 a、b——待定参数。

灰色 GM(1,1)模型参数 $A=[a,b]^{\mathrm{T}}$ 的最小二乘估计为:

$$A = [a,b]^{\mathrm{T}} = (B^{\mathrm{T}}B)^{-1}B^{\mathrm{T}}Y \tag{1-20}$$

式中

$$B = \begin{bmatrix} -z^{(1)}(2) & 1 \\ -z^{(1)}(3) & 1 \\ \vdots & \vdots \\ -z^{(1)}(n) & 1 \end{bmatrix}, Y = \begin{bmatrix} x^{(0)}(2) \\ x^{(0)}(3) \\ \vdots \\ x^{(0)}(n) \end{bmatrix}$$

$$z^{(1)}(k) = 0.5x^{(1)}(k) + 0.5x^{(1)}(k-1), k = 2,3,\cdots,n$$

将计算求得的参数 a、b 代入式(1-19),并求解,取 $x^{(1)}(0) = x^{(0)}(1)$,即得灰色GM(1,1)预测模型:

$$\hat{x}^{(1)}(k+1) = [x^{(0)}(1) - \frac{b}{a}]e^{-ak} + \frac{b}{a} \quad (k = 0,1,\cdots) \tag{1-21}$$

灰色 GM(1,1)模型比较适用于具有较强指数规律的序列,只能描述序列的单调变化过程,而对于一些特殊的序列增长公式,例如当序列按照 S 型曲线增长或增长处于饱和阶段时,采用灰色 GM(1,1)模型将产生较大的预测误差,精度不能满足实际要求,将灰色 Verhulst 模型引入到需水量预测中,很好地解决了这个问题,同时保留了灰色预测方法的优势和特点。

1.2.1.2 灰色 Verhulst 模型

1.2.1.2.1 Verhulst 模型

1937 年,德国生物学家 Verhulst 从生物繁殖过程中数量变化特征将 Malthurian 模型作了修正,加入了一个限制发展项,得到了如下的 Verhulst 模型:

$$\frac{dp(t)}{dt} = ap(t) - bp^2(t) \tag{1-22}$$

这是一个非线性微分方程,其解为:

$$p(t) = \frac{ap_0}{bp_0 + (a - bp_0)e^{-a(t-t_0)}} \tag{1-23}$$

式中 t_0——起始时刻;

p_0——$p(t)$在 t_0 时的值,即初始值。

1.2.1.2.2 灰色 Verhulst 模型的建立

Verhulst 模型主要用于描述具有饱和状态的过程,即 S 型过程,常用于人口预测、生物繁殖预测和产品经济寿命预测等。

在实际问题中,常遇到原始数据本身呈 S 型,这时我们可以取原始数据为 X_1,而认为 X_0 为 X_1 的 1 − AGO 序列,建立 Verhulst 模型直接对 X_1 进行模拟。

与灰色 GM(1,1)模型的建立方法类似,取原始数据为 X_1,而把 X_1 的一次累减(1 − IAGO)记为 X_0,即 $x^{(1)}(k) = \sum_{i=1}^{k} x^{(0)}(i)$,建立灰色 Verhulst 模型的白化微分方程为:

$$\frac{dx^{(1)}(t)}{dt} + ax^{(1)}(t) = b[x^{(1)}(t)]^2 \tag{1-24}$$

式中,a、b 为参数项,其最小二乘估计为:

$$A = [a,b]^T = (B^T B)^{-1} B^T Y \tag{1-25}$$

式中

$$B = \begin{bmatrix} -z^{(1)}(2) & (z^{(1)}(2))^2 \\ -z^{(1)}(3) & (z^{(1)}(3))^2 \\ \vdots & \vdots \\ -z^{(1)}(n) & (z^{(1)}(n))^2 \end{bmatrix}, Y = \begin{bmatrix} x^{(0)}(2) \\ x^{(0)}(3) \\ \vdots \\ x^{(0)}(n) \end{bmatrix}$$

$$z^{(1)}(k) = 0.5x^{(1)}(k) + 0.5x^{(1)}(k-1), k = 2,3,\cdots,n$$

取 $x^{(1)}(0) = x^{(0)}(1)$，求解微分方程可得到灰色 Verhulst 模型的时间响应式为：

$$\hat{x}^{(1)}(k+1) = \frac{ax^{(1)}(0)}{bx^{(1)}(0) + [a - bx^{(1)}(0)]e^{ak}} \tag{1-26}$$

对 $\hat{x}^{(1)}(k+1)$ 做 1－IAGO 累减还原，得到原始序列 X_1 的灰色 Verhulst 预测模型为：

$$\hat{x}^{(0)}(k+1) = \hat{x}^{(1)}(k+1) - \hat{x}^{(1)}(k) \tag{1-27}$$

1.2.1.3 灰色 Verhulst 模型的改进

预测模型通常随着预测步长的增加，预测精度随之降低，灰色 Verhulst 模型也不例外，真正具有较高预测精度和实际意义的预测值仅仅为第 1、第 2 步预测值，而其他预测值只是反映未来发展趋势。为提高灰色 Verhulst 模型的预测精度，可采用等维灰数递补（新陈代谢）数据处理技术来对灰色 Verhulst 模型进行改进。具体做法为：当预测出一个新值时，把它按时序加入到样本序列中，同时去掉样本序列中最早的一个数据，保证样本序列维数不变，然后据此样本序列重新率定灰色 Verhulst 模型参数，这样周而复始直到完成预测目标为止。

1.2.1.4 应用实例

通过对中心示范区 1991～2003 年生活综合用水量的统计资料分析，其数据序列基本符合 Verhulst 模型所刻画的特征，因而采用灰色 Verhulst 模型对中心示范区生活综合用水量进行预测建模。选取 1991～2000 年共计 10 年的数据建模，2001～2003 年的 3 年数据作预报检验。

首先取 $x^{(1)}(0) = x^{(0)}(1) = 83.74$，可得灰色 Verhulst 的时间响应式如下：

$$\hat{x}^{(1)}(k+1) = \frac{ax^{(1)}(0)}{bx^{(1)}(0) + [a - bx^{(1)}(0)]e^{ak}} = \frac{606.1098}{0.110034 + 0.1449558 \cdot e^{-0.254989 \cdot k}}$$

上述模型对中心示范区生活需水量的模拟结果见表 1-1。

经检验，最大相对误差 0.23%，可见所建灰色 Verhulst 模型满足模拟精度的要求。应用已建立的灰色 Verhulst 模型进行预测，结果如表 1-2 所示，最大预测的相对误差仅 0.24%，表明本模型有很高的预测精度。检验表明，灰色 Verhulst 模型可以用于生活需水量的模拟预测。计算结果表明，在中长期用水量预测中采用此模型，可以很好地解决趋势呈 S 型或处于饱和阶段的预测问题，且具有较高的预测精度。

1.2.2 偏最小二乘长自回归模型

地下水位变化与含水层及隔水层厚度、断层导水性、裂隙网络发育程度、岩溶等众多因素有关，是一个十分复杂的水文地质系统输出表现。由于该系统的复杂性和不确定性，要建立确定性预报模型困难很大。实践证明，避开系统内部各种因素的变化机理，研究其最终作用结果，建立长自回归模型是一种行之有效的地下水位预报方法。

表 1-1　模拟及误差检验表

年份	实际数据（万 m^3）	模拟数据（万 m^3）	残差（万 m^3）	相对误差（%）
1991	83.74	—	—	—
1992	84.15	84.10	0.05	0.06
1993	84.26	84.45	-0.19	0.23
1994	84.67	84.80	-0.13	0.15
1995	85.14	85.13	0.01	0.01
1996	85.30	85.46	-0.16	0.18
1997	86.08	85.78	0.30	0.35
1998	86.13	86.09	0.04	0.05
1999	86.52	86.39	0.13	0.15
2000	86.68	86.68	0	0

表 1-2　预测结果精度表

年份	实际数据（万 m^3）	预测数据（万 m^3）	残差（万 m^3）	相对误差（%）
2001	86.76	86.97	-0.21	0.24
2002	87.32	87.25	0.07	0.08
2003	87.35	87.52	-0.17	0.19

偏最小二乘回归是一种新型的多元统计数据分析方法，它集多元线性回归分析、典型相关分析和主成分分析的基本功能于一体，将建模预测类型的数据分析方法与非模式的数据认识性分析方法有机地结合在一起，能够在自变量存在严重相关性的条件下进行回归建模。较之最小二乘回归，偏最小二乘回归模型更易于辨识系统信息与噪声，每一个自变量的回归系数更容易解释。总之，用偏最小二乘回归进行回归模型建模分析，其结果更加稳定可靠。

1.2.2.1　地下水动态预报的数学模型

动态数据建模的一种常用方法是时间序列法，即当我们所关心的影响因素错综复杂或不易得到时，我们直接采用时间作为变量综合地代替这些因素来加以研究，时间变量反映的是决定因变量变化因素的联合影响。最典型的时序时域模型是自回归滑动平均模型（ARMA 模型）：

$$x_t - \varphi_1 x_{t-1} - \cdots - \varphi_p x_{t-p} = \alpha_t - \theta_1 \alpha_{t-1} - \cdots - \theta_q \alpha_{t-q} \tag{1-28}$$

其中：p、q 分别称为模型的自回归阶数和滑动平均阶数；$\varphi_1,\cdots,\varphi_p$ 为自回归系数；$\theta_1,\cdots,\theta_q$为滑动平均系数；$\{\alpha_t\}$为白噪声序列。当 $q=0$ 时，式(1-28)成为自回归模型（AR 模型）。

ARMA 模型具有广泛的适应性,凡具有连续谱的平稳零均值,随机序列均可用 ARMA 模型去近似拟合。基于下述三个理由,我们用一个充分高阶的 AR 模型来近似替代 ARMA 模型,即采用当前较为流行的长自回归方法来建立地下水动态预报模型:

(1)在平稳性条件下,任一 ARMA 序列可以看做是一个无穷阶 AR 序列,从而具有一列有限阶 AR 序列的逼近。并且可以证明,当 $p_N \to +\infty, p_N \sqrt{(\lg N/N)} \to 0$ 时,AR(P_N)的谱与序列的真实谱之间能一致地接近到很好的程度。

(2)ARMA 模型是一个非线性模型,通常需要非线性方法求解,而这些迭代方法计算量都较大,不适合于实时处理过程。而 AR 模型有非常简便的递推估计方法,计算量较小,适应实时处理的需要。

(3)AR 模型的参数估计精度较高。

1.2.2.2　**参数识别**

AR(P)模型中阶数 P 的确定与系数 $\phi_1, \cdots, \phi_p$ 的估计是两个互相关联的问题。为此,我们首先假设已得到$\{\phi\}$的某种估计$\{\hat{\phi}\}$来确定 P,即模型定阶;然后再给出系数$\{\phi\}$的估计方法。关于阶数的确定,目前尚没有一个非常有效的方法,通常需要多个因素同时考虑。有经验定阶公式:

$$p_N = CN^{0.3} \qquad (2 \leqslant C \leqslant 4) \tag{1-29}$$

例如,当 $N = 1\,416$ 时,P_N 在 16~32 之间。

AR(P)模型的系数估计方法有多种,如矩估计、极大似然估计、最大熵谱估计等。但这些方法或过粗,无法满足精度要求;或过繁,无法满足实时处理的速度要求。最小二乘估值方法(LS 估计)既具有较高的估值精度,又具有较小的计算量,故一般采用此种方法。但最小二乘估计对自变量之间具备较高相关性的情况,会大大降低建模精度。采用偏最小二乘回归方法,进行 AR(P)模型参数的估计建模,探索提高建模精度。

1.2.2.3　**偏最小二乘回归方法**

当因变量个数只有一个时,偏最小二乘回归模型就是单因变量的(记为 PLS1)。模型求解过程可概述如下:

(1)数据标准化处理。标准化处理是指对数据同时进行中心化——压缩处理,中心化使样本点的重心与坐标系的原点重合,便于计算;而压缩处理可以消除变量的量纲效应,使变量都具有同等表现力,即

$$x_{ij}^* = (x_{ij} - \bar{x}_j)/s_j \qquad (i = 1,2,\cdots,n; j = 1,2,\cdots,p) \tag{1-30}$$

其中:x_{ij} 为矩阵 X 的第 i 行第 j 列元素的值;s_j、$\bar{x}_j$ 分别为矩阵 X 的第 j 个自变量的标准差和平均值。矩阵 X 经标准化处理后的数据矩阵记为 $E_0 = (E_{01}, E_{02}, \cdots, E_{0p})_{n \times p}$,矩阵 Y 经标准化处理后的数据矩阵记为 $F_0 = (F_{01}, F_{02}, \cdots, F_{0q})_{n \times q}$。

(2)提取成分 t_k,并求出回归系数 r_k,方法如下:

提取 E_0 的第一成分 t_1:$t_1 = E_0 W_1$,W_1 是 E_0 的第一个轴,它是一个单位向量,即 $\| W_1 \| = 1$;记 u_1 是 E_0 的第一个成分,$u_1 = F_0 c_1$,c_1 是 F_0 的第一个轴,并且 $\| c_1 \| = 1$;根据下面的公式求出 W_1、t_1、p_1、r_1、E_1、F_1。

$$W_1 = \frac{E_0'F_0}{\| E_0'F_0 \|}; t_1 = E_0 W_1; p_1 = \frac{E_0't_1}{\| t_1 \|^2};$$

$$r_1 = \frac{F_0't_1}{\| t_1 \|^2}; E_1 = E_0 - t_1 p_1'; F_1 = F_0 - t_1 r_1$$

其中 W_1 为矩阵 $E_0'F_0F_0'E_0$ 最大特征值所对应的特征向量，p_1 为回归系数向量，r_1 为回归系数。

进行交叉有效性验证：若 $Q_1^2 \geqslant 0.0975$，继续计算；否则，只提取一个成分 t_1。至第 h 步（$h=2,3,\cdots$），已知数据 E_{k-1}，F_0，有：

$$W_h = \frac{E_{h-1}'F_0}{\| E_{h-1}'F_0 \|}; t_h = E_{h-1} W_h; p_h = \frac{E_{h-1}'t_h}{\| t_h \|^2};$$

$$r_h = \frac{F_{h-1}'t_h}{\| t_h \|^2}; E_h = E_{h-1} - t_h p_h'; F_h = F_{h-1} - t_h r_h$$

检验交叉有效性，若 $Q_k^2 \geqslant 0.0975$，继续计算第 h 步；否则，若 $Q_k^2 \leqslant 0.0975$，则停止求成分的计算。

(3)推求偏最小二乘回归模型。这时，得到 m 个成分 t_1、t_2、$\cdots$、t_m，实施 F_0 在 t_1、t_2、$\cdots$、t_m 上的回归，得：

$$\hat{F}_0 = r_1 t_1 + \cdots + r_m t_m \tag{1-31}$$

由于 t_1、t_2、$\cdots$、t_m 均是E_0 的线性组合，即

$$\begin{aligned} t_h &= E_{h-1} W_h = E_0 W_h^* \\ W_h^* &= \prod_{j=1}^{h-1} (I - W_j p_j') W_h \end{aligned} \tag{1-32}$$

所以 $\hat{F}$可写成E_0 的线性组合形式，即

$$\hat{F}_0 = r_1 E_0 W_1^* + \cdots + r_m E_0 W_m^* = E_0 (r_1 W_1^* + \cdots + r_m W_m^*) = E_0 (\sum_{h=1}^{m} r_h W_h^*) \tag{1-33}$$

记 $y^* = F_0, x_j^* = E_{0j}, \beta_j = \sum_{h=1}^{m} r_h W_{hj}^* (j = 1,2,\cdots,p)$，其中 W_{hj}^* 是W_h^* 的第j 个分量，则式(1-33) 可还原成标准化变量的回归方程：

$$\hat{y}^* = \beta_1 x_1^* + \cdots + \beta_p x_p^* \tag{1-34}$$

进而得到原始变量的偏最小二乘回归方程：

$$\hat{y} = \alpha_0 + \alpha_1 x_1 + \cdots + \alpha_p x_p \tag{1-35}$$

$$\alpha_0 = [E(y) - \sum_{j=1}^{p} \beta_j \frac{s_y}{s_{xj}} E(x_j)], \alpha_j = \beta_j \frac{s_y}{s_{xj}}$$

其中 t_k 是主成分，W_k 是特征向量，p_k 是回归系数向量，r_k 是回归系数。

(4)交叉有效性判别。在许多情形下，偏最小二乘回归方程并不需要选用全部的成分 t_1、t_2、$\cdots$、t_n 进行回归建模，可以选择前 m 个成分($m < A$，$A=$秩(X))，仅用这 m 个成分 t_1、t_2、$\cdots$、t_m 就可以得到一个预测性能较好的模型。事实上，如果后续的成分已经不

能为解释 F_0 提供更有意义的信息，采用过多的成分只会破坏对统计趋势的认识，引导错误的预测结论。

- 在偏最小二乘回归建模中，究竟应该选取多少个成分为宜，这可通过考察增加一个新的成分后，能否对模型的预测功能有明显的改进来考虑。在单因变量的偏最小二乘回归中，记 y_i 为原始数据，t_1、t_2、…、t_m 是在偏最小二乘回归过程中提取的成分。$\hat{y}_{hi}$ 是使用全部样本点并取 $t_1 \sim t_k$ 个成分回归建模后，第 i 个样本点的拟和值。$\hat{y}_{h(-i)}$ 是在建模时删去样本点 i，取 $t_1 \sim t_k$ 个成分回归建模后，再用此模型计算的 y_i 的拟和值。记：

$$SS_h = \sum_{i=1}^{n}(y_i - \hat{y}_{hi})^2; PRESS_h = \sum_{i=1}^{n}(y_i - \hat{y}_{h(-i)})^2$$

则交叉有效性可以定义为：

$$Q_h^2 = 1 - \frac{PRESS_h}{SS_{h-1}} \tag{1-36}$$

当 $Q_h^2 \geqslant 0.0975$ 时，表明加入成分 t_k 能改善模型质量，否则不能。

1.2.2.4 应用实例

(1)建立基于 PLS1 的长自回归模型。以中心示范区 08 号地下水长期观测孔为例，取 1982～2003 年的地下水位长观资料，其中以 1982～2001 年的 1 416 个数据资料建立预报模型，2002～2003 年资料留作精度检验与评价。建立的地下水位动态模型：时间序列(长自回归)预报模型，取 $p=24$。

$$x_t = \alpha_t + \varphi_1 x_{t-1} + \cdots + \varphi_p x_{t-24} \tag{1-37}$$

在进行交叉有效性检查时，以 $Q_K^2 \geqslant 0.0975$ 作为是否显著的标志，由交叉有效性结果(表 1-3)可知，采用 t_1、t_2、t_3 三个成分作偏最小二乘回归模型，预测效果最好，得到回归方程如下：

$$\begin{aligned}\hat{y} =\ & 0.1676 + 0.3364x_1 + 0.2759x_2 + 0.2176x_3 + 0.1625x_4 + 0.1130x_5 \\ & + 0.0701x_6 + 0.0345x_7 + 0.0056x_8 - 0.0173x_9 - 0.0333x_{10} \\ & - 0.0437x_{11} - 0.0493x_{12} - 0.0506x_{13} - 0.0483x_{14} - 0.0427x_{15} \\ & - 0.0353x_{16} - 0.0253x_{17} + 0.0143x_{18} - 0.0031x_{19} + 0.0078x_{20} \\ & + 0.0181x_{21} + 0.0274x_{22} + 0.0362x_{23} + 0.0439x_{24}\end{aligned} \tag{1-38}$$

表 1-3 偏最小二乘的交叉有效性判别

成分个数	1	2	3
Q_h^2	0.751 3	0.232 6	0.047 1
临界值	0.097 5	0.097 5	0.097 5

(2)利用式(1-37)的回归方程，预报 2002～2003 年的地下水位，与真实数据比较(图 1-1)，由 144 个观测数据的比较可以看出，预测效果相当好。

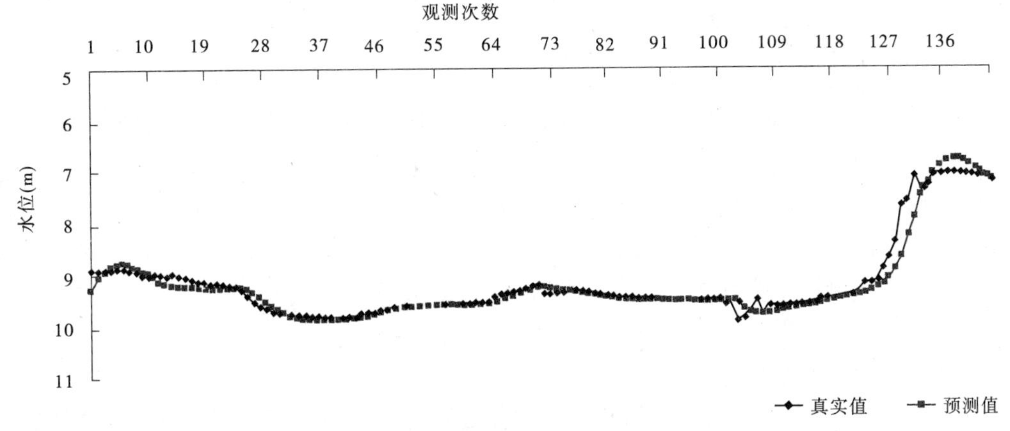

图 1-1　观测井水位预测值与真实值比较

1.3　灌区水资源优化分配

水分是作物生长发育的主要生态与环境因素。作物水分主要来自于土壤水。传统的灌溉目标主要是向作物提供适宜水分以获得较高的单位面积产量。当今水资源的紧缺，灌溉费用的增加，给灌溉科学提出了新的目标，即不但要获得高额的单位面积产量，而且要获得最优的经济效益。在有些情况下，灌溉的最大经济效益来自于对作物进行的非充分灌溉。这个结论已得到了经济学和以往一系列研究工作的证实。当水量有限时，便会产生灌溉水量在作物不同生育阶段或对不同作物如何分配以获得灌溉最大经济效益的问题。现代灌溉科学已经开始采用灌溉经济学和系统工程学原理来评价灌溉行为。作物产量与水分的微观揭示和宏观量化分析乃是农业水管理的理论和应用基础。无论对节水灌溉的区域规划和系统评估，或是非充分灌溉的推广应用均具有广泛用途。节水灌溉条件下灌溉水量最优分配，是指如何在整个灌溉季节将有限的灌溉水量在时、空上进行合理的分配，使全灌区总的灌溉净增产最大或减产值最小。其内容包括节水灌溉条件下农作物的最优灌溉制度、农作物的最优种植比例、农作物间灌溉水量优化分配、灌溉渠系最优水量分配及地区间灌溉水量最优调配等。本书的主要研究内容是如何在干旱半干旱地区进行集雨补灌。在这些地区基本没有外来水，主要靠雨水和本区域内降雨所补给的地下水来满足作物生长对水分的要求。而且在本书的示范点河南豫北核心示范区就属于没有外来水全部靠雨水和当地地下水满足作物生长所需要水分的典型地区。结合项目要求同时限于总结分析的时间及能力，本节只对在一定设计保证率下如何将有限的降雨和地下水进行联合调度等内容进行了分析并研制了相应的应用软件程序。

1.3.1　水分生产函数的建立及参数推求

为了进行水资源优化分配，达到最高效益的目的，首先必须建立各种作物全生育期耗水量—产量函数，然后针对不同频率年在耗水量中扣除作物全生育阶段的有效降雨量和土壤计划湿润层内的土壤水变化量，即可获得作物对应频率年的灌水量—作物产量函数，再利用作物耗水量—灌水量—产量(效益)之间的间接关系,即可得到灌水量与净效益函数。

1.3.1.1 作物生产函数

1.3.1.1.1 定义

从投入与产出的观点认为,描述作物产量(干物质或籽粒产量)与其主要影响因素(或投入资源)之间的数学关系称为生产函数,其几何关系称为作物产量特征曲线。虽然影响产量(Y)的主要因素比较多,如气候、水分、养分、盐分(溶质浓度)、品种的遗传特性和管理水平等,它们构成复杂的函数关系,但在一定的生产条件下,总有其自身发展的一般规律,经研究揭示可用于指导生产,生产函数的一般公式为:

$$Y = f(x) \qquad (x = x_1, x_2, \cdots, x_n) \tag{1-39}$$

1.3.1.1.2 影响因素

作物生活的五大基本要素:光、热、水分、养分和空气,具有同等重要性和不可替代性。每一要素都是作物生命活动新陈代谢所必需的,虽然需要量各有不同,但缺一不可。

作物基本要素之间存在着相互联系和相互制约关系,它们的交互作用促成作物高产。某一要素的数量不足将会限制其他要素发挥作用,进而影响产量。因此,在一定的生产环境条件下,产量是由相对数量最低因素所决定的,即作物的产出水平不会超过作物基本生活因素中处于最低限制数量的因素所允许的程度。对于干旱和半干旱地区的作物生产,虽然温度、光照和肥力条件良好,但降水量不足,也就限制了其他因素发挥作用,作物产量的高低在很大程度上视水分这个最低量因素的变化而产生相应的变化。

作物产量的形成离不开生产资源(包括自然资源、各种物质资源和劳动资源)的投入,且投入数量不同,所能获得的产出量也不相同。反映这种投入与产出之间技术经济数量关系的函数称为生产函数。作物水分生产函数(又称作物－水模型),就是在其他农业生产水平基本一致的前提下,描述作物生长过程中水分变化与产量之间的技术、经济数量关系的数学模型。

1.3.1.2 作物水分生产函数

1.3.1.2.1 水分生产函数的基本概念

作物产量与水分因子之间的数学关系称为作物水分生产函数。

水分作为生产函数的自变量一般用三种指标表示:灌水量(W)、土壤含水量(θ_a)、实际腾发(蒸发蒸腾)量(ET_a)。表示因变量产量的指标也有三种:单位面积产量(Y)、平均产量($K=Y/W$)、边际产量($y=\mathrm{d}Y/\mathrm{d}W$)。

边际产量指水量变动时引起的产量变动率,为水分生产函数的一阶导数。从数学定义角度可知,边际产量是产量特征曲线上任一点的斜率。

作物水分生产函数所描述的生产过程可以是作物全生育期或作物生长发育的某个特定阶段,也可以是由分阶段组成的全生育期。与此相对应的模式可归为两大类:一是作物产量与全生育期总蒸发蒸腾量的关系;二是作物产量与各生育阶段蒸发蒸腾量的关系。除此之外的另一种模式,是从作物水分生理角度出发,考虑水分变化对作物生长发育、干物质形成与累积和最终产量影响的动态模型。

1.3.1.2.2 全生育期水分生产函数模型

全生育期灌水量的数学模型有线性和二次抛物线等形式,最常见的为抛物线形式:

$$Y = a + bx + cx^2 \tag{1-40}$$

式中 Y——单位面积产量,kg/亩;

x——单位面积灌水量,m^3/亩;

a、b、c——经验系数。

1.3.1.2.3 分阶段考虑的作物水分生产函数模型

生育阶段水分的数学模型包含供水时间和数量多少两方面对作物产量的影响,称为时间水分生产函数。生育阶段水分的数学模型建模是将作物的连续生长过程划分为若干个不同生育阶段,认为在相同生育阶段水分具有等效性,在不同生育阶段才具有变化。水分的代表指标通常取实际腾发量(ET_a),最简单的形式为生育阶段的 D-K 模型。

$$\left(1 - \frac{Y_a}{Y_m}\right)_i = k_{y(i)}\left(1 - \frac{ET_a}{ET_m}\right)_i \tag{1-41}$$

式中 k_y——产量影响系数或敏感系数;

Y_a——缺水条件下的实际产量,kg/亩;

Y_m——充分供水条件下的最高产量,kg/亩;

ET_a——缺水条件下的实际腾发量,mm/d;

ET_m——充分供水条件下的最大腾发量,mm/d;

i——各生育阶段。

研究表明,上述线性关系并不完全符合实际情况。生育阶段内的线性假定不如全生育期的线性假定接近实际。

仅考虑单一生育阶段水分对作物产量的影响,并未考虑不同生育阶段水分对作物产量影响的复杂性。一般以单一生育阶段水分的数学模型为基础,用数学模型的结构关系表征不同生育阶段水分对产量的相互影响,例如乘法式或加法式。

(1)乘法模型。由各生育阶段(i)的相对腾发量或相对缺水量作自变量,用各阶段连乘的数学式构成阶段效应对产量(相对产量)总影响的数学模型,称为乘法模型。代表性的乘法模型有 Jensen 模型、Minhas 模型、Rao 模型、Hanks 模型等。而被广泛应用的主要是 Jensen 模型。

用相对腾发量作自变量与相应阶段敏感指数表征的 M.E.Jensen(1968)模型为:

$$\frac{Y_a}{Y_m} = \prod_{i=1}^{n}\left(\frac{ET_a}{ET_m}\right)_i^{\lambda_i} \tag{1-42}$$

式中 λ_i——作物不同阶段缺水对产量的敏感指数(幂指数型),i 为生育阶段划分序号,$i = 1, 2, \cdots, n$;

其他符号含义同前。

由于 $ET_a/ET_m \leqslant 1.0$,一般 $\lambda_i \geqslant 0$,故 λ_i 值愈大,将会使连乘后的 Y_a/Y_m 愈小,即表示对产量的影响愈大;反之,λ_i 愈小,即表示对产量的影响愈小。λ_i 成为乘法模型的关键性指标。

乘法模型在理论上的有效性,在于各阶段缺水时乘函数假定的成立,即认为每阶段缺水不仅对本阶段产生影响,而且经过连乘式的数学关系反映多阶段缺水对产量的总影响,乘法模型的特点在于用乘函数考虑了多阶段间的阶段效应(即相互影响),对总产量的反应具有灵敏度高的特点。也可以认为,若某 i 阶段 $ET_{ai}\to 0$,则至此阶段结束的总产量变化由乘积得 $Y_a\to 0$。

实际上在有灌溉条件下去探讨数学模型效用时,即使节水或限水灌溉的灌区,一般不会发生某阶段 $ET_{ai}=0$,除非作物因其他原因死亡。因此,不能从这一外观特征去认为乘法模型的实用优点,而只能从连乘式灵敏度高去认识模型的特点。与以下介绍的加法模型比较而言,乘法模型一般适合气候干旱和半干旱、地下水埋深较大、无灌溉则无农业或无高产高效农业的缺水地区。

(2)加法模型。由各生育阶段(i)的相对腾发量或相对缺水量作自变量,用各阶段相加的数学式构成对产量(相对产量)总影响的数学模型,称为加法模型。代表性的加法模型有 Blank 模型、Stewart 模型、Singh 模型、D－G 模型等。

加法模型理论的有效性,在于作物各阶段(i)缺水时加函数假设的成立,即认为每阶段缺水主要影响本阶段,对产量的总影响(各阶段间的关联效应)分别由各阶段的单独影响相加而合成。根据这一建模假定,即使在任一阶段(i)发生严重缺水,使 $ET_a=0$,按加法模型可求得最终产量,即 Y_a 不等于 0。从此意义认识,加法模型较适合半干旱和半湿润等地区的籽粒产量计算,也较适合于干旱地区牧草和饲料作物的生物学产量计算。

与乘法模型比较而言,加法模型对于构成相对产量方面反应不如乘法模型灵敏,使 Y_a/Y_m 的变化值小。

1.3.2 有限水资源在作物间的优化分配计算

一个灌区内,往往种植有多种作物,且各种作物在不同生育阶段对缺水引起的减产敏感程度不同,在水源不足的情况下,如何安排每一种作物的种植面积,才能使全灌区获得最大的经济效益,这就是一定水量在几种作物之间的最优分配问题,也就是最优种植比例问题。同时,在作物种植面积已定的情况下,各农作物之间在全生长期及生长期内的各个时段也存在对水量的竞争,因而也有水量的最优分配问题。

1.3.2.1 **数学模型建立**

采用动态规划法进行水资源优化分配,首先应建立数学模型,其数学模型主要包括如下 5 部分。

(1)阶段变量。一般将每种作物作为一个用水单元,即看做一个阶段,对具有 N 种作物的灌区,将共有 N 个阶段变量,即阶段变量 $n=1,2,\cdots,N$。结合示范区的实际情况,示范区内计划种植的作物为冬小麦、夏玉米、夏播棉、春播棉 4 种作物。

(2)状态变量和决策变量。状态变量为各阶段可用于分配的有效水量,以 q_n 表示;决策变量为供给每种作物的水量,即各阶段供水量,以 x_n 表示。

(3)系统方程(状态转移方程)。根据状态变量和决策变量的关系,可推得系统方程为:

$$q_{n+1}=q_n-x_n \tag{1-43}$$

(4)目标函数。设 $F(Q)$为以总水量 Q 分配给 N 种作物而获得的最大总净效益(以

后称灌溉效益为总净效益),则:

$$F^*(Q) = \max\left\{\sum_{i=1}^{n} r_n(x_n)\right\} \tag{1-44}$$

(5)参考文献并结合示范区实际情况,确定如下约束条件:①供给各种作物水量之和不超过可用于灌溉的水资源总量;②供给第 n 种作物的水量 x_n 不能超过第 n 种作物在需供水阶段所有雨水集蓄工程所集蓄的水量和地下水该阶段可用于灌溉的水量之和,且非负;③$q_n(n=1,2,\cdots,N)$,不能超过各阶段同时可能供给 n 种作物的水量;④初始条件为 $q_1 = Q$,即约束条件第①条。

利用上述已知和约束条件,以及初始条件,建立水资源优化动态模型,采用逆序递推方法求解上述数学模型,其递推方程为:

$$\left.\begin{aligned} f_n^*(q_n) &= \max_{\substack{0\leqslant x_n\leqslant q_n \\ 0\leqslant q_n\leqslant Q}}\{r_n(x_n) + f_{n+1}^*(q_{n+1})\} \quad (n = 1,2,\cdots,N-1) \\ f_N^*(q_N) &= \max_{\substack{0\leqslant x_N\leqslant q_N \\ 0\leqslant q_n\leqslant Q}}\{r_N(x_N)\} \quad (n = N) \\ f_{N+1}^*(q_{N+1}) &= 0 \quad (n = N+1) \end{aligned}\right\} \tag{1-45}$$

1.3.2.2 动态规划中离散水量的确定

在利用动态规划进行水量优化配置时,离散水量的确定与灌区总的可供水量以及作物的种植面积有关,考虑到离散水量的实际意义以及灌溉过程的可操作性,种植面积最大的作物的单位面积离散水量不小于 5m^3,离散水量不大于种植面积最小的作物的灌溉定额。在具体的程序应用中应进行实际分析,确定离散水量,进行优化计算。

1.3.3 灌区作物配水过程设计

由于本系统主要考虑在我国北方地区应用,所以在这里主要考虑利用旱作物的水量平衡法进行作物生育期灌溉制度的设计。

用水量平衡法推求灌溉制度,其水量平衡方程为:

$$M = ET_m - P_0 - S_g - \Delta W \tag{1-46}$$

式中 M——灌溉定额,m^3/亩;

ET_m——作物达到最高产量时所对应的蒸发蒸腾量,m^3/亩;

P_0——作物生育期内的有效降雨量,m^3/亩;

S_g——作物生育期内的地下水补给量,m^3/亩;

ΔW——作物生育期内根层土壤储水变化量(由于计划湿润层增加而增加的土壤储水量),m^3/亩。

1.3.3.1 水资源不足或水量有限条件下作物的灌溉制度

在水量有限、供水不足的条件下,作物全生长期的总需水量及各生育阶段的需水量不可能得到全部满足,这将不可避免地引起作物不同程度的减产。减产程度因作物种类、品种及在作物生育期中缺水产生的时段和缺水程度而异。等量缺水,不同作物的减产程度不同;等量缺水发生在同一作物的不同生育阶段,引起的减产程度也不一样。在这种情况下，合理的灌溉应是在弄清各种作物不同生育期缺水减产情况的基础上实行省水灌溉或最优灌溉，把有限的水量在作物间及作物生育期内进行最优分配，确保各种作物水分敏感期的用水，减少对水分非敏感期的供水，此时所寻求的不是单产最高，而是在水量有限条件下的全灌区总产值最大。

当分配给某片土地上某种作物的总灌溉水量（灌溉定额）已经确定，并且小于该作物全生育期的总灌溉需水量时，应当如何将总灌溉水量分配到作物的生长阶段，即各阶段的配水量应是多少，使得在此供水不足的条件下获得最好的产量，这就是在一定的总灌溉定额（节水灌溉）下最优灌溉制度，即一定的总灌溉水量在农作物生长期内的最优分配问题。在节水灌溉或非充分灌溉条件下，农作物全生长期的总需水量及各生育阶段的需水量不可能全部得到满足，这将不可避免地引起农作物不同程度的减产。由对水分生产函数的讨论可知，作物减产的程度随着不同作物、不同生长阶段的缺水程度而异。在这种情况下，合理的灌溉应是在弄清作物在不同生长阶段的缺水减产情况的基础上实行限额灌溉，寻求分配给该作物的总灌溉水量在其生育阶段的最优分配，使整个生长期的总增产值最大。也就是在一定的总灌溉水量控制条件下，确定灌水次数、灌水日期、灌水定额及土壤水分的最优组合。由每个阶段的灌水决策所组成的最优决策就是农作物的最优灌溉制度。必须指出，这里所谓的最优策略是指整个决策的整体效果达到最优，并不是指某个阶段的决策最优，这是与用传统方法研究灌溉制度的最大区别。

在干旱缺水条件下，灌溉水源的水量不能满足全部灌溉面积上充分灌溉的需求。此时的耗水量或灌溉水量不应是作物产量与耗水量关系中相应于最高产量时的水量，即不能追求单位面积的最高产量，而应根据作物产量与蒸发蒸腾量的关系，以获得最大经济效益为原则确定蒸发蒸腾量及灌溉水量。

1.3.3.2 水量有限时制定作物灌溉制度的一些具体问题的探讨

1.3.3.2.1 作物实时灌溉的适宜土壤水分控制指标

过去的许多研究一般都将田间持水量（θ_f）定为适宜土壤水分的上限值，而把田间持水量的70%～75%定为适宜土壤水分的下限值。然而，近年来的研究表明，与作物叶片光合作用的高值区域相对应的土壤含水率一般是田间持水量的60%～85%，当土壤相对含水率超过85%时，虽然作物叶片的蒸腾速率仍呈直线增加，但作物叶片的光合作用不再增加，有时反而呈下降趋势，这说明将田间持水量定为适应土壤水分的上限值偏高。

变化较大、争论也较多的是适宜土壤水分下限值的确定，它与作物生育期中所处的生长发育阶段的关系很密切。例如，在作物播种至出苗阶段，为了确保种子发芽和全苗，一般要求具有较高的土壤水分，耕层土壤水分的下限值不应低于田间持水量的75%，而苗期为了蹲苗、壮苗和增加作物的抗逆能力，往往又需要对土壤水分加以控制，使之不至于过高，下限值多定为田间持水量的60%～65%；又如冬小麦灌浆后期，土壤水分降至田间持水量的50%时，一般对冬小麦的灌浆不会产生什么不利影响。

陈玉民等人对冬小麦拔节至孕穗期的土壤水分与光合速率、蒸腾速率和气孔导度之间关系的研究表明，土壤水分与上述三个过程之间存在一阈值反应，当土壤水分高于此阈值时，土壤水分高低对上述过程无明显影响，而低于此阈值就会明显抑制上述的作物生理过程。我们在项目研究中，进行的作物需水量观测也获得了与此相近的结论。通过监测作物水分生理指标,分析土壤水分变化对这些指标的影响,从生物学和生理学角度寻找并探讨作物灌溉的适宜土壤水分上、下限指标,可为制定作物实时灌溉制度所需明确判定标准提供最佳需要。

1.3.3.2.2 作物蒸发蒸腾量计算

作物蒸发蒸腾量的计算,一般有经验公式法、以水汽扩散理论为基础的半经验公式法、通过参考作物蒸发蒸腾量计算等方法,目前比较多的是通过参考作物蒸发蒸腾量计算,这种方法也称间接法,其公式一般为:

$$ET = ET_0 K_c K_s \tag{1-47}$$

式中 ET_0——参考作物蒸发蒸腾量,mm/d;

K_c——作物系数;

K_s——土壤水分修正系数。

目前,联合国粮农组织(Food and Agriculture Organization of the United Nations,简称FAO)建议作物蒸发蒸腾量统一采用式(1-47)计算。对于 ET_0 的计算,世界上公认理论上最严密、实用上最方便、计算精度最高的公式是修正彭曼(Penman)公式。

1979年联合国粮农组织(FAO)推荐了计算参考作物需水量的彭曼公式,1990年又推出了修正彭曼公式,具体的计算公式在此不再叙述,在具体灌溉制度的设计中,可以根据所掌握的气象资料的情况,选择适宜公式进行计算。

作物系数 K_c 是作物本身生理学特性的反映,它与作物种类、品种、生育期、作物群体叶面积有关。而在较适宜的土壤水分条件下,作物能达到高产潜力时的作物系数主要随生育阶段而变化。实测结果表明,作物系数在作物全生育期内的变化规律是:前期和后期相对较小,生长盛期较大。由于实际作物的需水量与参考作物需水量两者受气象因素的影响是同步的,因此在同一产量水平下,不同水文年份的作物系数相对较稳定。我国不同地区几种主要作物的作物系数可以参见有关资料。

对于 K_s,在土壤水分不是作物蒸发蒸腾量的限制因素时,可近似取为1.0。但是当土壤含水率低于田间持水率的70%时,作物为非充分吸水,需要考虑土壤水分修正系数 K_s。随着作物含水率的降低对作物耗水会产生不同影响。

土壤水分修正系数随土壤含水率而变化,普遍采用的是对数形式的詹森(M.Jensen)公式:

$$K_s = \frac{\ln(A_W + 1)}{\ln 101} \tag{1-48}$$

$$A_W = \frac{\theta - \theta_p}{\theta_f - \theta_p} \tag{1-49}$$

式中 A_W——相对有效含水率;

θ——土壤含水率;

θ_p、θ_f——凋萎系数和田间持水率。

根据康绍忠等人对多年灌溉试验资料进行分析,表明土壤水分修正系数 K_s 也可采用幂函数形式的经验公式来计算:

$$\left.\begin{aligned} K_s &= CA_W^d \qquad (\theta < \theta_j) \\ K_s &= 1.0 \qquad (\theta \geqslant \theta_j) \end{aligned}\right\} \tag{1-50}$$

式中 θ_j——蒸发蒸腾开始受土壤水分影响时的临界含水率,可由实测资料分析确定;

C、d——经验系数与指数,由实测资料分析确定;

其他符号含义同前。

对于 K_s 的计算,现在各家研究的结果不同,但总体趋势为:根据试验研究所得结果进行修正为宜。详细的研究对于理论探讨有价值,但是同时也给实际应用带来困难,所以在本节中做概化处理,还有待于今后的深入探讨。

考虑到程序编制的问题,在土壤含水率低于田间持水率的70%时,开始考虑土壤水分修正系数的影响。当土壤含水率为田间持水率的70%~65%时,K_s 取为0.95;当土壤含水率为田间持水率的65%~60%时,K_s 取为0.9;当土壤含水率为田间持水率的60%~55%时,K_s 取为0.85;当土壤含水率为田间持水率的55%~50%时,K_s 取为0.80;由于对于不同作物不同生育阶段土壤含水率下限并不相同,因此当土壤含水率为田间持水率的50%至土壤含水率下限时,K_s 取为0.75;而当土壤含水率低于土壤含水率下限时就会严重影响作物的产量,致使灌溉水不能发挥最优的经济效用,实质上造成水资源的浪费。对于冬小麦土壤含水率下限:播种—越冬期取为45%(占田间持水率的百分比,下同),越冬—返青期取为50%,返青—拔节期取为50%,拔节—抽穗期取为55%,抽穗—乳熟期取为50%,乳熟—成熟期取为50%;对于夏(春)玉米土壤含水率下限:播种—拔节期取为田间持水率的55%,拔节—抽雄期取为55%,抽雄—灌浆期取为55%,灌浆—成熟期取为50%;对于夏(春)播棉,苗期取为55%,蕾期和花铃期取为50%,吐絮期取为55%。

1.3.3.2.3 水量平衡法中确定作物灌溉制度时是否考虑地下水的影响

作物根系吸水是否受到地下水的影响,主要受当地的地下水位以及土壤的土质影响。对于砂壤土,一般认为3m以下就影响不到作物吸水,黏壤土则要稍深一些。同时,也与作物的种类和不同生育阶段有关。在作物的不同生育阶段,由于作物根系的发育情况不同,根系下扎的深度不同,受地下水的影响就有差别。一般在作物的苗期,作物根系下扎得浅,可以认为不受地下水影响,而随着作物的生长,根系发育逐步深入,才会不同程度地受到地下水的影响。对于不同的作物,例如小麦,为根系下扎较深的作物,其受地下水的影响程度就比玉米等生长期短、根系不发达作物的大。一般对于地下水位埋深大于3m的地区,可以认为地下水不会对作物的根系吸水产生影响。近几年整个华北平原一般地下水埋深都在5m以下,有的地区甚至已经形成地下漏斗,而本书研究的是干旱、半干旱地区对雨水的高效利用,在这些地区地下水一般都比较深(示范区地下水的埋深一般都在50m以下),可以认为在水量平衡方程中不考虑地下水补给量。所以在系统软件中地下水补给量按零处理,对于需要考虑此项数据的地区用此软件时需对软件稍作改进,方可使用。

1.3.3.2.4 水量平衡法中计算有效降雨量的有关问题

对于旱作物,生育期内每次较大的降雨一般以植物截留、地表径流和土壤入渗三种途径为主要去向。其中入渗到土壤中的雨水，一部分存储于作物主要根区，其余的部分则移动到根区以下，补充根区以下的土壤水或浅层地下水。储存于作物根区的雨水可直接被作物根系吸收利用，消耗于作物的棵间蒸发和蒸腾。作物生长后期的降雨，可能还有一部分在生长季节未被利用，而是作为土壤水储蓄来供下茬作物利用。降雨后存留在土壤根系层内能被作物直接吸收的这部分雨量称为有效降雨量。

有效降雨量的计算受降雨总量、历时、强度，作物种类、生育阶段，土壤，地形，气象等多种因素的影响。根据试验站降雨前后实测土壤水分资料分析，小于3mm的次降雨量，雨后全部被作物枝叶截取和蒸发掉了，不能被作物根系吸收；3～5mm的次降雨量，雨后浅层土壤水分有所增加，能被作物浅层根系吸收利用；5～10mm的次降雨量，雨后土壤水分增量，可影响到20～30cm的深度，其入渗雨量足可被作物的根系吸收利用。因此，把3mm的次降雨量作为计入有效雨量的下限。小于3mm的次降雨量，雨后仅湿润土壤表皮，引起的土壤水分增量很小，对作物生长影响不大，可视为无效降雨量处理。

对于未产生地表径流，也未产生计划湿润层外的深层渗漏的降雨量，全部计入有效雨量。根据试验资料，作物生长前期，土壤计划湿润层深度根据作物根系活动层深度按40cm考虑，当降雨量小于25mm时，全部被作物根系活动层所蓄纳；作物生长中期，土壤计划湿润层根据作物根系活动层按60cm考虑，当降雨量小于等于40mm时，全部被作物根系所蓄纳；作物生长后期，土壤计划湿润层深度根据作物根系活动层按80cm考虑，当降雨量小于等于50mm时，全部被作物根系活动层所蓄纳。因此，凡出现上述三种情况之一者，降雨全部计入有效降雨量。

对于较大的次降雨量，根据试验资料，当次降雨量达到100mm左右时，80cm深的壤质土层，雨后土壤水分均超过了田间最大持水量。次降雨量再增加，一般将产生较大的径流量，而对土壤补充水量一般相对增加量变化较小，即有效降雨量不再增大。因此，当次降雨量大于100mm时，仍按100mm考虑计算有效降雨量。在进行有效降雨量计算的时候应考虑到项目示范区的地形及降雨特点。示范区属丘陵地区，年内降雨集中且多以暴雨形式出现，因此在进行有效降雨量计算时认为，当降雨量小于70mm时地表产生较小的径流，此时山丘地形对有效降雨量的计算，可根据作物计划湿润层及次降雨量情况将作物生长前期、中期、后期有效降雨量分别采用表1-4中的公式计算；当降雨量大于70mm而小于100mm时，由于山丘地面更容易产生径流，从而减少土壤入渗量，因此将有效降雨量乘以0.9的修正系数。

表1-4　次降雨量—有效利用系数关系

计划层深度		(A) 40cm	(B) 60cm	(C) 80cm
P—α 关系式		$\alpha=2.09-0.7\lg P$	$\alpha=2.27-0.79\lg P$	$\alpha=1.83-0.49\lg P$
应用范围	P(mm)	$25\leqslant P\leqslant 70$	$40\leqslant P\leqslant 70$	$50\leqslant P\leqslant 70$
	α	$0.54\leqslant\alpha\leqslant 1$	$0.69\leqslant\alpha\leqslant 1$	$0.85\leqslant\alpha\leqslant 1$

1.3.3.3　单一作物灌溉制度设计

用水量平衡法进行单一作物灌溉制度设计，单一作物优化灌溉过程设计流程图见

图 1-2。此方法适用于各种降雨频率下有限水量的作物灌溉过程设计。在设计单一作物灌溉制度时，用水量平衡方程算出下一天初的土壤含水率小于土壤含水率下限时，应判断下一天的降雨是否大于该作物的实际腾发量。若下一天的降雨大于该作物的实际腾发量，则下一天不应该灌水。

有限供水水量情况下，由于各种作物实际供水量一般均在最高效益点供水量左侧，故单一作物的灌溉过程以产量最高为目标，利用 Jensen 模型推求，模型形式如下：

$$F = \max(\frac{Y_a}{Y_m}) = \max\prod_{i=1}^{n}(\frac{ET_i}{ET_{mi}})_i^{\lambda_i} \tag{1-51}$$

1.3.3.4 地下水与地表水的联合调用

由于在示范区内仅仅靠雨水是不能满足作物生长对水分的需求的，集蓄的雨水仅仅是补充灌溉。因此，就会有地下水及地表水的联合调用问题。在调用过程中为最大限度地开发利用雨水资源，减少汛期暴雨对作物造成的减产，在作物需要灌溉时应首先使用地表集蓄的雨水，在地表水集蓄的雨水用完时再使用地下水灌溉。本次示范区内的地表水主要是水池和水窖集蓄的雨水，由于水池里的水蒸发损失比较大，因此在调用过程中应该首先使用水池里集蓄的雨水。地下水与地表水联合调用过程设计流程图见图 1-3。

图 1-3 中 sc[j]、sj[j]分别代表第 j 天水池、水窖中的水量，Scs[I,j]、Sjs[I,j]、Dxs[I,j]分别代表第 j 天第 I 种作物灌溉所用的水池、水窖中的水量及地下水水量，zm 代表示范区内作物种类数目，p[j]代表第 j 天的降雨量，I[I,j]代表第 j 天第 I 种作物的灌水量。在计算过程中 j 代表在一年中的第几天，由于作物的生育阶段有可能是跨年度的，因此 j 的值有可能大于 365。

在计算某次降雨水池及水窖所能蓄集的雨水量时就要给出不同降雨时的径流系数(集流效率)。中国科学院水利部水土保持研究所通过对甘肃省定西县 1958～1996 年降雨资料分析，发现次降雨量小于 5mm 的降雨基本上不产流或产流甚少。为此，提出雨水汇集工程参数研究过程中，应重点分析日降雨量大于 5mm 的降雨。另外，根据定西水保所测定：塑料薄膜、混凝土、混合土、原土处理集水面、集流效率平均分别为 59%、58%、13%、9%。山西省临汾地区水保所测定：村庄道路，砖瓦屋面、塑料薄膜覆盖面、灰土夯实集流面的平均集流效率分别为 30.3%、83%、89.63%、32.3%。根据以上实测参考数据，考虑核心示范区具体情况(核心示范区水池及水窖集流面暂未确定材料，本次设计按混凝土集流面考虑)，在程序编制中规定：当一次降雨 $P\leqslant5$mm 时集流效率取为 0；当 5mm$<P\leqslant15$mm 时集流效率取为 0.4；当 15mm $<P\leqslant30$mm 时集流效率取为 0.55；当 30mm$<P\leqslant60$mm 时集流效率取为 0.65；当 $P>60$mm 时集流效率取为 0.8。次降雨水窖或者水池集雨面所能够集蓄的雨水量计算公式为：$W = PS\alpha$。其中：W 代表次降雨所能够集蓄的雨水；P 代表次降雨量；S 代表集雨面面积；α 代表集流效率。

1.3.3.5 实际供水过程设计

进行灌区有限水资源在作物间的优化分配，根据各作物全生长期最优灌水量，做出了每种作物各时段的灌水计划。

对于纯井灌区及地表水资源调蓄容积足够大的情况，灌溉来水在时间上具有可调节性，只要渠道过水能力允许，优化结果完全可以实现。对于渠井结合灌区，在地表水不能

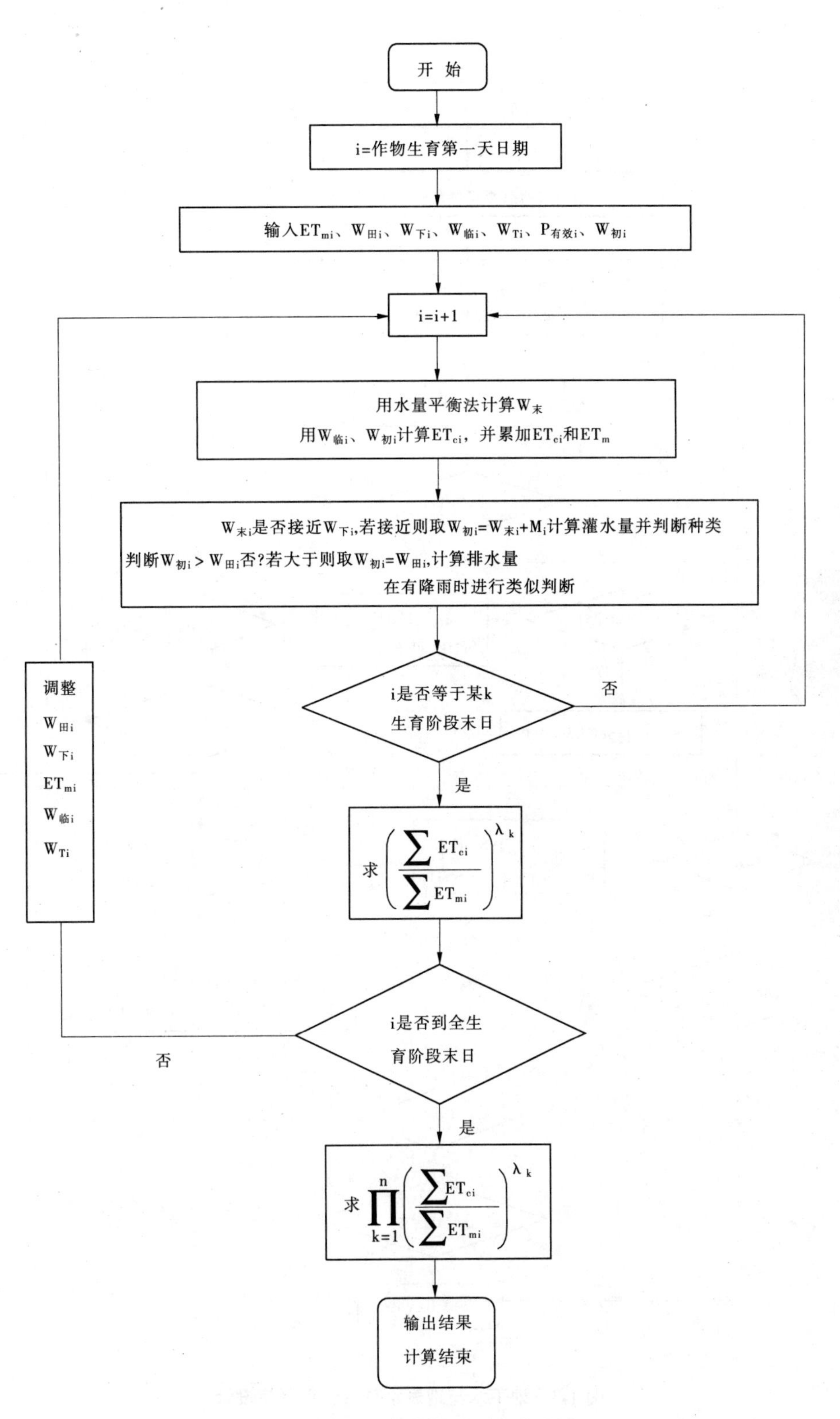

图 1-2　单一作物优化灌溉程序设计

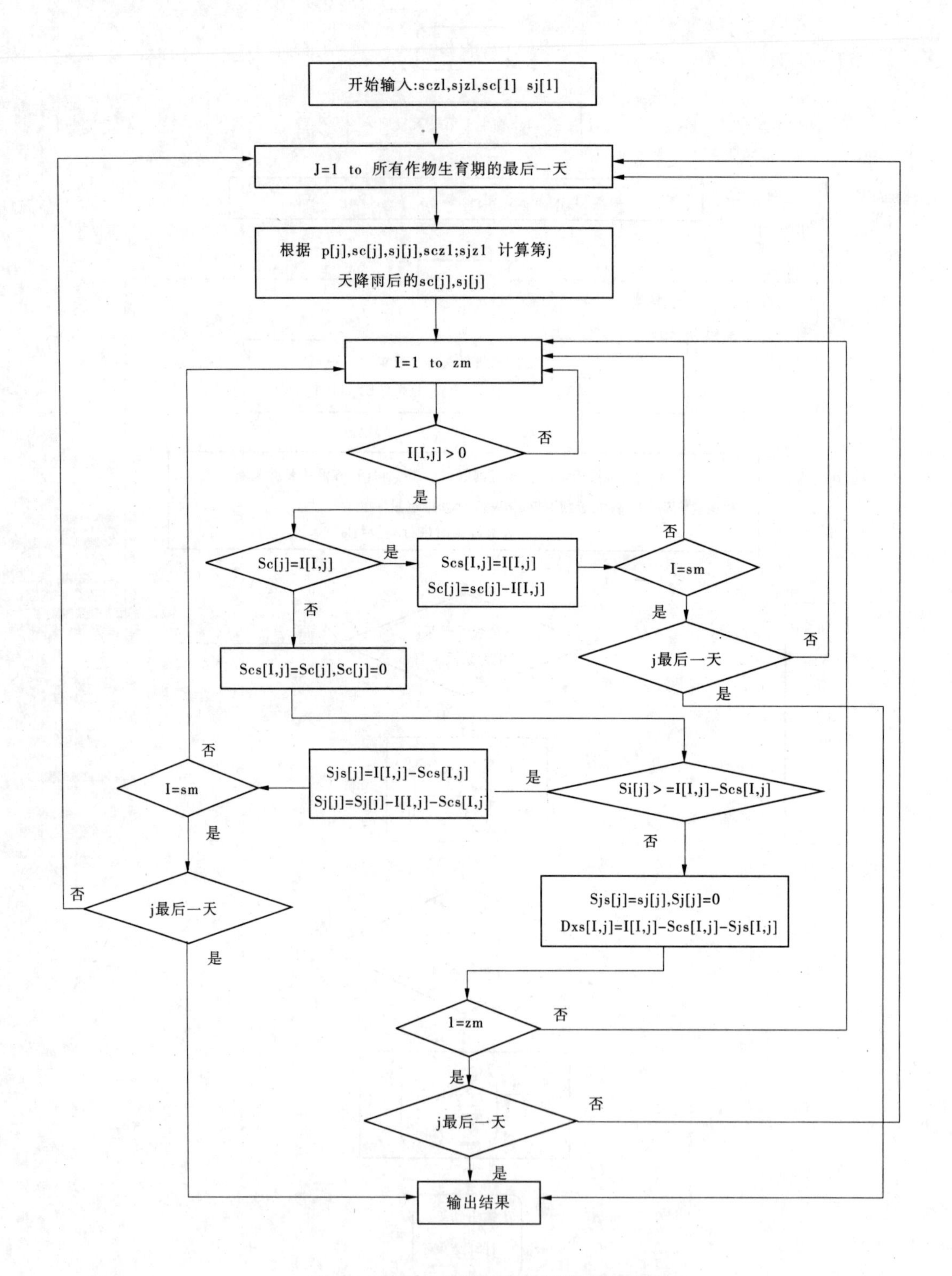

图 1-3　地下水与地表水联合调用程序设计

满足灌水需求的时段,可以抽取一部分地下水加以利用,也可以实现优化过程。但是对于纯渠灌区,且季节性来水,优化结果只是一种理想的灌水情况,由于水文过程的不可重复性及在实际灌区中不一定能完全与原设计吻合,还需要将优化结果与实际来水过程结合起来,制定出实际可行的供水过程。作为集蓄雨水进行集雨补灌的作物种植区,主要是所集蓄的雨水和地下水联合调度用于灌溉。由于用于灌溉的雨水集蓄工程大部分都设置在田间,因此当需要进行灌溉的时候可直接进行灌溉,供水过程几乎可以忽略,也就是说,灌溉来水在时间上具有可调节性,优化结果可以实现。

在灌区实际供水过程中,遵循以下原则:

(1)各作物实际供水量以优化分配水量为依据。

(2)作物在非充分灌溉条件下的土壤计划湿润层含水率,控制在土壤适宜含水率上、下限之间。

(3)设计灌水定额必须符合农业生产实际,而且不能发生深层渗漏。

(4)实际分配过程应充分利用每次灌水时段内的来水,必须充分利用雨水资源,不能由于灌溉而使降雨产生额外径流,尽可能减少弃水。

(5)灌溉应该首先使用水池集蓄的雨水,然后使用水窖集蓄的雨水,在雨水不能满足优化配水量的要求时再考虑使用地下水。

第2章 雨水集蓄利用工程技术研究

2.1 雨水汇集方式与集流场规划

2.1.1 影响集流场集流效率的主要因素

集流效率是一个综合指标,其影响的因素十分复杂。主要有水文气象特性、集流面材料、前期土壤含水量、地形地貌特征等。因此,集流效率(E)是水文气象特性(x_1)、集流面材料(x_2)、集流面地形地貌(x_3)、前期含水量(x_4)等的函数,可表示为:

$$E = f(x_1, x_2, x_3, \cdots)$$

2.1.1.1 降雨特性对集流效率的影响

全年降水量的多少及雨强的大小影响到集流效率。随着降雨量和雨强的增加,集流效率也相应增加。在多年平均降水量较小的地区,全年的集流效率也较低。这是因为降雨少的干旱地区,下的雨大部分是小雨,地皮还没湿透雨就停了,很难形成地面径流,而且由于难得下一场雨,下雨前地面很干,吸水很多,使大部分降雨被土壤吸收,往往只有很少一部分形成径流。所以,在财力有限的情况下,应优先考虑解决干旱半干旱地区的用水问题。

2.1.1.2 集流面材料对集流效率的影响

雨水集流的防渗材料有很多种,各地试验结果表明,以塑料薄膜、混凝土和水泥瓦的集流效率最高,可达70%~80%,因为这些材料吸水率低,在较小的雨量和雨强下即能产生径流;而防渗效率差的土料,一般集流效率在30%以下,其中干旱地区天然松散土料集流面的集流效率甚至只有6%~8%,即使把土层夯实后其集流效率也只是提高到20%左右。各种防渗材料集流效率大小依次为塑料薄膜、混凝土、水泥瓦、机瓦、塑膜覆沙(或覆土)、青瓦、三七灰土、原状土夯实(或石质自然山坡)、原状土。同一种防渗材料在不同地区其集流效率也有差别,这主要由不同的施工质量所造成的。

2.1.1.3 集流面坡度对集流效率的影响

一般来讲,集流面坡度较大,其集流效率也较大,因为坡度较大时可增大流速,从而相应减小降雨过程中坡面水流的厚度,降雨停止后坡面上的滞留水也较少,因而可提高其集流效率。下垫面材料相同,不同坡度对集流效率的影响差别也较大。据甘肃试验,榆中集流场坡度为1/50,混凝土面集流效率仅40%~50%;而西峰混凝土面集流场坡度为1/9,集流效率达68%~80%。西峰试验原土夯实全年效率可达19%~30%,而榆中试验,在一般雨量下,不产生径流,在每次降雨达到10mm以上时才能产流,效率也仅为10%~

15%。因此，为了提高集流效率，集流场纵坡应不小于1/10。当然，用原状土坡作集流面时，其坡度不宜过陡，以免造成坡面冲刷，一般坡度以不大于1/30为宜。

2.1.1.4 集流面前期含水量对集流效率的影响

前次降雨造成集流面含水量高时，本次降雨集流效率就高。下垫面材料不同，这种影响差别也较大，特别是土质集流面，其前期含水量对集流效率的影响更为明显。据甘肃西峰试验，原土夯实地块在前期土壤饱和度达到95%时，集流效率可达80%以上。集流面前期含水量对混凝土下垫面而言则影响很小。

2.1.2 集流效率的推求

有了各种材料集流面的集流效率，就可以推求不同要求的集流效率。

2.1.2.1 年集流效率

一个地区年集流效率的推求，首先应根据该地降雨资料(20年以上)确定年平均降雨量及在该平均降雨量条件下不同降雨保证率条件下的代表年，然后，根据各代表年次降雨参数，求出次降雨集流效率。再按雨量加权平均求出年集流效率。

2.1.2.2 典型年主要集雨期的平均集流效率

要确定全年的集流效率，必须知道代表年的每场降雨的各种参数(降雨量 P、平均降雨强度 I、最大30mm降雨强度 I_{30}、降雨历时 T 等)，但这往往是困难的，因为自记雨量计都有使用范围，虹吸式雨量计的分辨率为0.1mm，降雨强度适用范围为0.01～4.0 mm/min，取<0.01mm的雨强资料较为困难。同时，往往也是不需要的。因为在干旱半干旱地区，集雨期在4～10月。而且，农业上将<5mm的降雨视为无效降雨，高效集雨材料沥青玻璃丝油毡、沙兰特油毡、塑料薄膜、混凝土、HEC土(施工工艺改进后)等，在不同保证率条件下集流效率比较稳定，一般在80%以上。对于高效集流材料，年集流效率和主要集雨期集流效率两者差别不大。

2.1.3 集流方式

集流方式分人工集流场集流和天然集流场集流。在黄土丘陵沟壑区，由于土壤透水性好、入渗率大，一般多采用人工集流场方式集流。在西南干旱山区及海岛地区多用天然集流场集流。人工集流场分固定集流场和移动集流场。移动集流场主要利用柔性防渗材料，如塑料薄膜、沥青玻璃丝油毡等，多布置在山坡、梯田，便于移动，以利土地轮休；固定集流场常利用硬路面、屋面、场院及专门修建的混凝土、HEC土壤固化等集流面。在黄土高原，为灌溉用水方便，将集流场及蓄水设施布置在山顶，形成秃头峁顶式集流场；利用路面作集流场，往往将蓄水设施沿路边布置，形成路边葡萄串式布置模式；在庭院，由于集流场面积限制，其集流蓄水多为庭院单点式。不同地貌条件下的集流方式如表2-1所示。

2.1.4 集流场面积的确定

根据需水要求计算确定出年集水量后，可用下式推求集流面积：

$$S = 1\,000\,\frac{V_p}{P_p}K_i \tag{2-1}$$

式中 S——集流场面积,m^2;

V_p——设计年集水量,m^3;

P_p——用水保证率 p 时的降水量,mm;

K_i——i 种集流材料的集流效率,当地试验资料缺乏时可根据有关资料提供数据参考选用。

表 2-1　不同地貌条件下的集流方式

<table>
<tr><th colspan="3">集流方式</th><th>适宜的地貌特征及布置</th></tr>
<tr><td rowspan="2">人工集流场</td><td>固定集流场</td><td>路面
屋面、场院
混凝土集流面集流
HEC 土壤固化集流面集流</td><td>路边葡萄串式
庭院单点式
秃头峁顶式</td></tr>
<tr><td>移动或
固定集流场</td><td>聚乙烯薄膜集流面集流
沥青玻璃丝油毡集流面集流
其他防渗膜布集流材料集流</td><td>山坡－梯田式</td></tr>
<tr><td>天然集流场</td><td colspan="2">坡面沟壕</td><td>干旱山区及海岛地区</td></tr>
</table>

2.1.5　集流面材料的选择

集流面的防渗材料有很多种,如混凝土、瓦(水泥瓦、机瓦、手工青瓦)、天然坡面夯实、塑料薄膜、片(块)石衬砌等,要本着因地制宜、就地取材、集流效率高和工程造价低的原则选用。

2.1.5.1　**混凝土集流面**

若当地砂石料丰富,运输距离较近,且不需要较大面积的集流面时,可优先考虑选用混凝土和水泥瓦集流面。这类材料吸水率低,渗水速度慢,渗透系数小,在较小的雨量和雨强下即能产生径流,在全年不同降水量水平下,集雨效率比较稳定,可达到 70%～80%,而且寿命长,集水成本低,施工简单,水质卫生。

2.1.5.2　**瓦集流面**

瓦有水泥瓦、机瓦、手工青瓦等种类。水泥瓦的集雨效率比机瓦和青瓦高出 1.5～2 倍,故应尽量采用水泥瓦作集流面。用于庭院灌溉和人畜生活饮水的要与建房结合起来,按建房要求进行设计施工。一般瓦屋面坡度比为 1/4,也可模拟屋面修建斜土坡,然后铺瓦作为集流面,瓦与瓦之间应搭接良好,屋檐处应设滴水。

2.1.5.3 片(块)石衬砌集流面

利用片(块)石衬砌坡面作为集流面时,应根据片(块)石的大小和形状采用不同的衬砌方法。片(块)石尺寸较大且形状较规则的,可以水平铺垫,铺垫时要对地基进行翻整处理,翻整厚度以不低于 30cm 为宜,夯实后干容重不小于 1.5 t/m^3。若片(块)石的尺寸较小,形状也不规则,则应采用竖向按次序砸入地基的方法,其厚度一般不应小于 5cm。

2.1.5.4 水泥土及原状土集流面

水泥土是仅次于混凝土和水泥瓦的一种集流材料,具有较高的集流效率。水泥土从其材料性能与混凝土比较有较大的差异,但由于其成本较低,所以比较适用于缺少砂石料的地区。相同条件下,原状土夯实比水泥土集流的径流要少,集流效率要低。原因是土壤表面的抗蚀力一般较弱,固结程度差,促使土壤下渗速度加快,下渗量增大,因而地表径流就相对减少,集流效率一般都在 30%以下。

2.1.5.5 防渗膜布集流面

若当地人均耕地较多,可采用土地轮休的办法,用防渗膜覆盖部分耕地作为集流面,第二年该集流面转成耕地,再选另一块耕地作为集流面。这些材料集流效率较高,但个别材料寿命较短。

常用的膜布防渗材料有聚乙烯塑料薄膜、聚氯乙烯薄膜、沥青玻璃布油毡、机织防渗布等。

2.1.5.6 HEC 混合料

HEC 混合料系列土壤固化剂是一种新材料,目前在三峡、小浪底工地都有用 HEC 修建的路面。该材料可固结天然沙质土、粉质土、黏土、粉煤灰、含硫尾矿沙、含泥碎石屑、风化沙和其他工业废渣等,使之产生较高的强度、水稳定性及耐久性。该材料的最大优点是对骨料没有限制,既可作土壤固化剂使用,又可和水泥一样以砂、石碎屑为骨料,按一定比例加水振捣成型,其强度与混凝土近似,因此非常适宜就地取材,从而减少了砂石料的费用,降低了综合造价。

2.1.5.7 自然土石山体集流面

选择这种形式的集流面一般是对应有较大容积的蓄水工程(如拦沟坝)。这种集流面一般面积较大,有一定坡度和植被,山体坡面土石固结较好,不易也不必要进行坡面处理,地表汇流效率比土质集流面高,和片(块)石衬砌的集流面相近。这种集流面汇流的最大优势条件是面积大。豫西汝阳、栾川、嵩县等地区近年建造的集雨节灌工程大多采用这种形式的集流面。

根据以上分析,集流场的常用防渗材料的技术指标和适用范围可归纳如表 2-2 所示。实际工作中选用集流场的防渗材料除主要考虑其技术指标外,还应同时重视其经济适应性。

表 2-2　不同防渗材料集流面及处理技术

技术方法	材料种类	厚度	指标	施工技术要求	适用情况
物理处理技术	混凝土	3～5cm	C15	土基翻夯不小于 30cm,骨料干净,拌和均匀,振捣密实,分块尺寸 1.5m×1.5m～2m×2m,成型后要表面平整光滑,养护及时,留有伸缩缝,缝宽 1～1.5cm,充填处理不漏水	砂石料丰富地区
	浆砌片(块)石			坐浆水泥砂浆不宜低于 M7.5,勾缝砂浆不低于 M10	石料丰富地区
	聚乙烯薄膜	0.06～0.12mm	容重为 0.91～0.93 g/cm³,抗拉强度大于 10MPa,拉断时的延伸率大于 280%	地表平整、无杂草,应喷洒除草剂,铺设时要求平整、拉直,膜之间搭接要求 10cm,要折叠或焊接严密,不能漏水	活动集流场
	沥青玻璃丝油毡	0.5～1mm		地表平整、无杂草,应喷洒除草剂,铺设要平整、拉直,油毡之间搭接 10cm,并用特定黏合剂黏结严密,不能漏水	活动集流场
	黄土夯实	10cm	干容重 1.60 g/cm³	将地表挖松,除去杂草与杂物,保证夯实要求的干容重。夯实后的地表处理平整	经济条件较差的地区
	自然土石山体				对应有拦沟坝
化学处理技术	灰土	10cm	二级或三级石灰,石灰∶土为 3∶7,干容重 1.55 g/cm³	土基翻夯不小于 30cm。石灰与地表土混合后一定要拌和均匀,再铺平,保证夯实要求的干容重。表面要平整	缺砂石料地区
	水泥土	5cm	325 号或 425 号水泥,水泥∶土为 1∶8,或水泥占 10%,最优含水率 19%～20%,干容重 1.6g/cm³	土基翻夯不小于 30cm,土与水泥混合一定要拌和均匀,再铺平夯实到要求厚度,保证夯实后的要求干容重。表面要平整	缺砂石料地区
	HEC 土	5cm	HEC∶土为 1∶8 或 1∶6,干容重 1.60g/cm³,最优含水率 19%～20%	土基翻夯不小于 30cm,HEC 与水、土混合一定要拌和均匀,应用强制式搅拌机,再铺平夯实到要求厚度。要保证夯实要求的干容重。最后要表面平整、光滑	缺砂石料地区

2.2 雨水存储技术

2.2.1 水窖

对于水源缺乏、外地调水又难以实施的山丘区，水窖是解决人畜饮水困难、农田补充灌溉的一种有效措施。水窖置于地下，低温、避光，可以抑制水中微生物的生长繁殖，能较长时间保持较好的水质。水窖系统一般由水窖、集水场、净水设施和管网等组成。水窖可以各家独立建造，自成体系，也可以多户联合，建成集中供水系统。

2.2.1.1 水窖容积的确定

水窖容积的确定有年调节法和缺水天数法两种。

年调节法是采用典型年法进行调节计算，这种方法考虑了典型年降雨过程的变化，针对供水期逐时段进行水量平衡，依次累加各时段盈亏水量，即可求出所需水窖容积。此方法计算合理，成果可靠，但计算较麻烦，一般用于集中供水的大型水窖容积计算。对一般中、小型水窖，其容积计算多采用缺水天数法。计算公式如下：

(1)对生活用水，水窖容积用下式计算：

$$V = \frac{KT}{1\,000}(n_1 g_1 + n_2 g_2) \tag{2-2}$$

式中 V——水窖容积，m^3；

g_1——人日用水量标准，L/(人·d)

g_2——牲畜日用水量标准，L/(头·d)；

T——每年干旱缺水天数(可取年均值，也可按不同频率年选择)；

n_1——用窖水人数；

n_2——用窖水牲畜头数；

K——储水保险系数。

若牲畜种类繁多，可折算为一种牲畜，也可单独计算后相加。如果仅考虑居民生活用水，按照不同的 g、T 值计算出的人均水窖容积，列入表 2-3。

表 2-3 人均水窖容积表 (单位：m^3)

用水标准 (L/(人·d))	缺水天数							
	90	120	150	180	210	240	270	300
15	1.35	1.80	2.25	2.70	3.15	3.60	4.05	4.50
20	1.80	2.40	3.00	3.60	4.20	4.80	5.40	6.00
25	2.25	3.00	3.75	4.50	5.25	6.00	6.75	7.50

(2)对灌溉用水。补充灌溉用水水窖，计算容积主要考虑所选典型年的作用灌水定额、灌溉定额进行加权累加，再除以水窖复蓄次数。具体水窖数量、容积的确定在以后典

型区应用中将详述。

对于生活、灌溉兼用水窖，其容积确定考虑水窖的主要供水目标及供水对象、用水的时空特点进行综合计算，其原则是尽量提高水窖利用效益，以降低工程建设成本。

2.2.1.2　**窖型的选择**

水窖是雨水集流蓄水中最常用的设施，也是集蓄雨水系统的核心。水窖容量的大小，除窖址的土质外，还与水窖的形式和规格有关。常用的水窖按窖体的防渗材料可分为混凝土窖和浆砌石窖两大类；水窖结构形式的采用，应满足受力条件好、坚固耐用、就地取材、便于施工及管理方便等要求。目前，各地修建的水窖，其结构形式与该地区地质条件和习惯做法有很大关系。其主要形式有圆柱形中开口水窖、圆柱形侧开口水窖、长方形拱顶水窖、瓶式水窖，国内外还有其他一些形式的水窖。分述如下：

(1)圆柱形中开口水窖。这种水窖有钢筋混凝土结构和砌石结构两种，如表 2-4 所示。

表 2-4　钢筋混凝土圆柱形中开口水窖主要尺寸表

序号	水窖容积 (m^3)	水窖主要尺寸(cm)						土方量 (m^3)	混凝土量 (m^3)
		内径 F	外径 A	壁高 C	底高 D	顶高 E	总高 B		
1	5.1	200	210	158	30	17	215	5.9	0.92
	6.7			208			265	7.6	1.09
	8.2			258			315	9.2	1.26
2	7.4	250	260	142	38	25	215	9.0	1.20
	9.9			192			265	11.6	1.41
	12.3			242			315	14.2	1.62
3	9.9	300	310	130	45	30	215	12.6	1.49
	12.4			180			265	16.3	1.75
	17.0			230			315	20.0	2.00

(2)圆柱形侧开口水窖。侧开口水窖也有钢筋混凝土结构和砌石结构，如图 2-1(a)、(b)所示。

(3)长方形拱顶水窖。长方形拱顶砌石结构水窖的主要尺寸列于表 2-5。

表 2-5　长方形拱顶砌石结构水窖主要尺寸表　(单位：cm)

底宽 B	净高 H	拱厚 J	墙厚 b	墙基深	墙板厚	隔墙厚
200	150	35	40	40	15	50
200	200	35	50	40	15	60
200	250	35	60	40	15	70

(4)其他形式的还有缸式水窖、瓶式水窖、蜂窝状水窖、威尼斯水窖等。

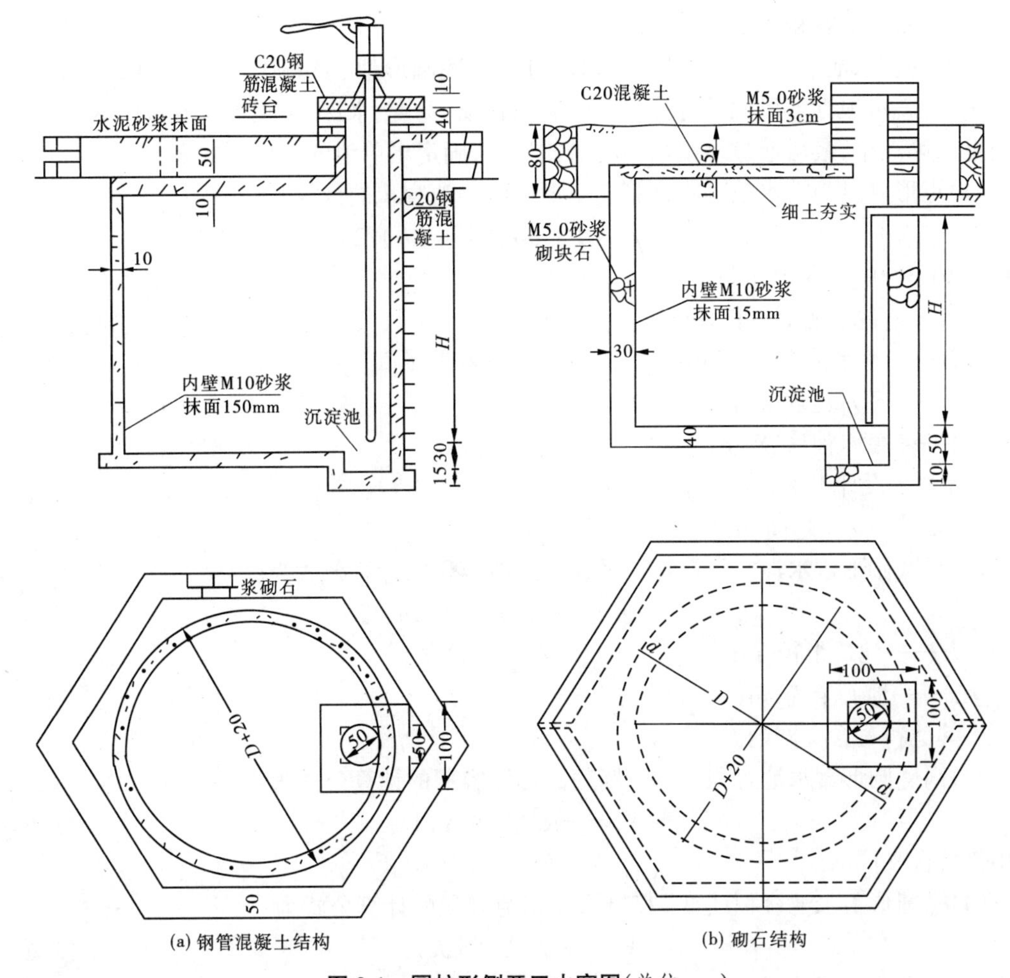

图 2-1　圆柱形侧开口水窖图(单位:cm)

2.2.1.3　水窖的选址和施工

水窖应选在具有深厚良好的土层内,黏性土最好,黄土次之。土层应无裂缝,无险坑,最好建在岩性相同的土层内。选址时,应当注意水窖对其他建筑物基础的影响,也应考虑附近植物、树木的根系对窖壁的挤压和破坏。

水窖施工中,窖坑基础开挖尺寸要准确,不宜过大,窖壁和窖底要修理平整,用木锤击实,然后,用浆砌石或混凝土衬砌,并做好防渗处理。窖顶回填土的厚度,应以使地表温差变化对窖内水温基本无影响为标准,一般填土厚度在 1.5m 以上。

2.2.2　蓄水池

蓄水池是其顶部位于地面或地面以上的蓄水建筑物,它和水窖一样,也是集雨系统常见的蓄水形式之一,且其蓄水容积一般可比水窖大出许多,单个蓄水池的容积常常可以达到数百立方米甚至数千立方米。这种工程形式多见于我国半干旱半湿润的中部及南方各省(区)。

2.2.2.1　**蓄水池容积的确定**

常见的蓄水池形状有四种:矩形(梯形)池、平底圆形池、锅底圆形池和椭圆形池。池形选定后,就可根据地形地貌等自然条件假设长度、宽度、水深、半径等自变量中的任意两个而推求第三个,最后通过多组数据的对比论证,确定出单池的几何形状来。

(1)矩形(梯形)蓄水池容积计算。矩形(梯形)池容积的计算公式为:

$$V = (AB + ab)(h + \Delta h)/2 \tag{2-3}$$

式中　V——单池容积,m^3;

A——蓄水池上口长,m;

B——蓄水池上口宽,m;

a——蓄水池底长,m;

b——蓄水池底宽,m;

h——设计水深,m;

Δh——安全超高,m。

(2)平底圆形蓄水池容积计算。平底圆形池容积的计算公式为:

$$V = \pi(R^2 + r^2)(h + \Delta h)/2 \tag{2-4}$$

式中　R——池口半径,m;

r——池底半径,m;

其他符号含义同前。

(3)锅底圆形蓄水池容积计算。锅底圆形池容积的计算公式为:

$$V = \pi R^2(h + \Delta h) \tag{2-5}$$

式中符号含义同前。

(4)椭圆形蓄水池容积计算。椭圆形蓄水池容积的计算公式为:

$$V = \pi ab(h + \Delta h) \tag{2-6}$$

式中　a——椭圆长半轴,m;

b——椭圆短半轴,m;

其他符号含义同前。

2.2.2.2　**蓄水池的选择**

蓄水池按作用、结构的不同一般分为两大类型,即开敞式和封闭式。开敞式蓄水池属于季节性蓄水池,它不具备防冻、防高温、防蒸发功效,但容量一般可不受结构形式的限制,上千立方米的蓄水池在豫西一带随处可见。汝阳县上店镇新庄村建成的一座平底圆形蓄水池容积达8 000m^3。这种形式的蓄水池按建筑材料的不同可分别采用砌砖、砌石、混凝土或黏土夯实修建。封闭式蓄水池是在池顶增加了封闭设施,使其具有防冻、防高温、防蒸发功效,可长年蓄水,也可季节性蓄水,可用于农田灌溉,也可用于人畜饮水。但工程造价相对较高,而且单池容量一般比开敞式小得多。封闭式蓄水池常见的结构式样有三种:一是梁板式圆形池,这种形式又可进一步细分为拱板式和梁板式,蓄水量一般为30～50m^3;二是盖板式矩形池,即顶部用混凝土空心板加保温层,蓄水量一般为80～200m^3;三是盖板式钢筋混凝土矩形池,现场立模浇筑,容积可达200m^3以上。下面只介绍常用的开敞式圆形池、开敞式矩形池、封闭式圆形池、封闭式矩形池和梯形土池(塘)5

种结构的设计经验，供举一反三地参考。

2.2.2.2.1 开敞式圆形蓄水池

(1)开敞式圆形蓄水池的主体分池底、池墙两部分，附属设施有沉沙池、拦污栅、进出水管等。

池底经原状土夯实后，用M7.5水泥砂浆砌石平铺40cm，再在其上浇筑10cm厚C20混凝土。

池墙有浆砌石、砌砖和混凝土三种形式，可根据当地建筑材料选用。浆砌石池墙当整个蓄水池坐落在地面以上或地下埋深很小时采用。池墙高4m，墙基扩大基础，用30～60cm厚的M7.5水泥砂浆砌石，内壁用3cm厚的M10水泥砂浆墁匀防渗。砖砌池墙，当蓄水池位于地面以下或大部分池体位于地面以下时采用。用“二四”砖砌墙，墙内壁同样用M10水泥砂浆墁匀防渗，技术措施同浆砌石墙。混凝土池墙和砖墙的适应地貌条件相同，墙厚一般为10～15cm，内壁可用水泥浆作防渗处理。

沉沙池布设在蓄水池前3m处，尺寸一般采用长2～3m，宽1～2m，深1m左右；拦污栅用8号铅丝编织成1cm见方的网片安装在进水管首端；进水管采用ϕ8～10cm塑料硬管，前端置于沉沙池底以上50cm处，末端伸入池内墙顶以下30cm处；出水管用ϕ5cm钢管埋设在池底以上50cm处，出墙后接闸阀、水表及软管引入田间。

(2)结构特点：①受力条件好，相对封闭式蓄水池其单位投资较小；②因不设顶盖而易于建造成较大容量的池子。

2.2.2.2.2 开敞式矩形蓄水池

这种形式的蓄水池依其用料不同可分为砖砌式、浆砌石式和混凝土式三种。其池体组成、附属设施配置和墙体结构与圆形水池相同。它的结构特点是受力条件不如圆形的好，尤其拐角的地方是薄弱处，需作加固与防渗处理，特别是要注意防止重量较大的侧墙与相对单薄的池底之间产生不均匀沉陷而导致断裂。因此建议：在池墙与池底的结合部设置沉陷缝，缝间填塞止水材料；当蓄水量不超过60m^3时宜做成正方形池子，长宽比大于3时可在中间加设隔墙，以防侧压力过大使边墙失去稳定性。

2.2.2.2.3 封闭式圆形蓄水池

这种形式相当于在开敞式圆形蓄水池之上加设顶盖，以起保温和防蒸发作用。为减轻荷重和节省投资，顶盖宜采用薄壳型混凝土拱板或肋拱板，池体应尽可能地布设在地面以下，以减小池墙的厚度和工程量。

2.2.2.2.4 封闭式矩形蓄水池

这种形式相当于在开敞式矩形蓄水池之上加一顶盖。顶盖多采用混凝土空心板或肋拱板，空心板之上依当地气候条件和使用要求设置一定厚度的保温层和覆盖层。这种矩形池相对于封闭式圆形池的最大优点是适应性强，一般可以根据地形和蓄水量的要求选取不同的规格尺寸，从而使蓄水量的变幅较大。

对于封闭式蓄水池(无论是圆形还是矩形)而言，池底与侧墙的设计和开敞式蓄水池基本相同，而顶盖的设计除了容积较小(跨度较小)的可直接选用少筋混凝土空心板或肋拱板外，一般的都应采用钢筋混凝土板梁结构。当池子直径较大时，还应考虑在池内设置立柱。

2.2.2.2.5　梯形土池(塘)

修建土池(塘)时要注意把握好五个环节:

(1)培好岸埂。即将挖出的土分层培填在池塘四周,使其与原状土紧密结合。岸埂的厚度以不低于50cm、高度以超出设计水面30cm为宜。

(2)做好防渗处理。土质好的夯实池底即可,土质不好的可选用以下三种方法加以处理:一是用含水量较大的红土铺底并夯实20~30cm,有条件的在土中插入一些碎铁片(铁片间距10cm左右)使其和红土锈在一起,效果更好;二是用红胶泥、砂、石子配成三合土(土、砂、石比例控制为6:2:2),掺水成浆,在池底铺夯20~30cm;三是用土工膜张铺在经过夯实处理的岸埂和池底上,然后压置保护层。池底保护层可用细土,岸埂可用白灰或砂浆砌砖(混凝土块),并且膜、砖(块)之间要用过筛细土敷一层,以免造成砖块磨烂膜布。河南省汝阳县斜纹村2001年采用这种方法建一长20m、宽10m、深3.5m的梯形池塘,防渗效果非常可靠。

(3)设置溢水口。在岸埂的一端或两端设置溢水口,溢水口最好用砖石砌筑,溢水量很小或溢水几率很低的水口也可采用草皮防护,以防止池水漫溢而冲毁岸埂。

(4)用于自流灌溉的池塘应注意在岸埂下部(一般为与池底的结合部)埋设出水管道,并配上木塞或小阀门控制放水。

(5)注意不使池塘长期干涸运行,以免造成池底及四周防渗层干裂而漏水。

2.2.2.3　**水罐**

和蓄水池、水窖一样,水罐也是一种集存雨水的形式。由于水罐的容积一般只有2~3m^3,所以在北方干旱地区不太适用,而只多见于浙江沿海一带农村人畜饮水使用。水罐一般用钢丝网砂浆预制,利用屋顶收集雨水,在屋檐下安装接水槽并连接落水管把雨水送入水罐。

制作水罐时,一般设计水泥砂浆厚2cm,选用钢丝直径1mm,钢丝网网格2cm×2cm,砂子为粒径0.25~0.5mm的中细砂,水泥与砂的比例控制为1:1.5。

2.2.3　雨水存贮设施的施工技术

雨水存贮设施的施工材料主要有红胶泥土夯实、水泥砂浆抹面、混凝土现浇等。雨水存贮设施的容积一般为15、30、50m^3 等,个别地方的容积可达300m^3 以上。但由于目前蓄水工程规划设计与施工的技术含量不高,在对甘肃省集雨节灌工程调查中,发现其现有的雨水存贮设施工程中存在着一些不容忽视的质量问题:一是地址选择不科学,有的地址选在树、水道、土质疏松的山缝旁,造成存贮设施的稳定性差,容易发生渗漏、淤积、滑坡、塌方;二是施工的质量难以保证,有的雨水存贮设施现已发生开裂和沉陷;三是设计进水管的孔径不合理,进水管的孔径设计应考虑集流场的面积、汇水特征、设计区降水特征、设计降水标准、雨水存贮设施的容积等因素,不能按部就班地采用统一的进水管孔径,致使一些来水不能及时入窖,降低了雨水的集流利用效率,有的还对设施造成了破坏。

根据各地调研结果和对目前仍在使用的蓄水工程研究表明,在人工汇集雨水存贮设施建设中,采用C15混凝土较为适宜。

2.2.3.1　**水泥**

水泥的品种较多，常用的有普通硅酸盐水泥(简称普通水泥)、矿渣硅酸盐水泥(简称矿渣水泥)和火山灰质硅酸盐水泥(简称火山灰水泥)等。在水泥的种类使用上，应根据工程建设的要求来确定，其标号根据设计所要求的混凝土标号来选择。在我国北方的集雨节灌工程中，主要采用的水泥强度等级为42.5(MPa)。为了保证水泥质量，对以下指标特作重点要求：

(1)细度。细度是指水泥颗粒的粗细程度，是鉴定水泥品质的主要项目之一。水泥的细度可用4 900孔/cm^2(孔度0.085mm)的标准筛来进行鉴定。国家标准规定筛余量一般不得超过15%。

(2)凝结时间。凝结时间有初凝与终凝之分，自加水时起至水泥浆的塑性开始降低所需的时间，称初凝时间；自加水时起至水泥浆完全失去塑性所需的时间称为终凝时间。我国水泥标准规定，在施工中，水泥的初凝时间一般不得短于45min，以便有足够的时间在初凝之前完成混凝土施工中各工序的施工操作；终凝时间一般不得长于12h，因为混凝土在浇捣完毕后，应尽早完成凝结并开始硬化，并具有一定的强度，以利于下一步施工工作的进行。

2.2.3.2　**砂子**

砂子是混凝土的细骨料，一般应采用河砂。在缺乏河砂的情况下，也可使用由坚硬岩石磨细的人工砂或山谷砂。选用的砂料必须干净、杂质少。砂中如有杂质会影响混凝土的强度和耐久性，有些杂质还会起破坏作用，若有黏土和淤泥包在砂表面，会影响砂子和水泥的黏结力。

良好的砂子级配是节约水泥、提高混凝土的密度和强度的重要一环。砂子的级配是指砂子中的大颗粒、中等颗粒及小颗粒互相搭配组合在一起的情况。水工中通常规定混凝土用砂的粒径(即砂子颗粒的直径)范围为0.15～5.0mm，大于5mm的列入粗骨料范围。平均粒径0.5～5.0mm的为粗砂，平均粒径0.25～0.5mm为中砂，平均粒径0.15～0.25mm为细砂，平均粒径在0.15mm以下的砂子为粉砂(一般不宜使用)。配制混凝土时，多采用中砂和粗砂，其中中砂最好，若有些地区的砂料过细、过粗或级配不良，在可能情况下应将粗细两种砂料掺配使用，以改善其级配，增强混凝土拌和物的和易性。

2.2.3.3　**粗骨料(石子)**

混凝土的骨料粒径大于5mm的称为粗骨料，常用的有卵石和碎石两种。混凝土中的石子要求质地坚硬、清洁、级配良好。石子中的含泥量一般不得超过1%，对于水下混凝土则不应超过2%，否则应用清水冲洗后才能使用。粗骨料的颗粒形状，以近于正方形或卵形较好，针状或片状(宽度大于厚度3倍的)颗粒都会增加骨料的空隙率，并且也容易压碎和折断，影响混凝土质量，因此其含量应不超过15%。此外，卵石中由风化作用或化学侵蚀而形成的软弱颗粒，将降低混凝土的强度和耐久性，其含量一般不应超过5%。

粗骨料的级配原理与要求和细骨料基本相同，即将大小石子适当搭配起来，使粗骨料的空隙及总表面积均比较小。使用前，要按颗粒大小过筛分级，分别堆放以便在配合混凝土时按各级所占比例配合使用。粗骨料的分级方法是：将粒径5～20mm的作为一级，称小石；20～40mm的作为一级，称中石；40～80mm的作为一级，称大石；80～150(或120)

mm 的作为一级，称特大石。近年来在甘肃省“121 工程”和“集雨节灌工程”建设中，选择的粗骨料粒径一般为小石一级。石子的硬度均应高于混凝土设计标号的 120%～150%，并且空隙率不得大于 45%。

2.2.3.4　**施工用水**

施工用水应避免用污、废水或对水泥有侵蚀性的水进行混凝土和水泥砂浆的拌和及养护，必须使用清洁的水进行施工和养护。

2.2.3.5　**混凝土和水泥砂浆的配合比**

混凝土的配合比是指混凝土的组成材料砂、石子、水泥和水的用量关系。合理的配合比须同时满足以下条件：

(1)能够满足混凝土设计强度的要求，达到结构设计所提出的混凝土标号。

(2)保证混凝土具有良好的和易性，满足施工对混凝土流动性的要求。

(3)根据水工混凝土的特殊要求，应使混凝土具有一定的抗渗、抗冻、抗磨及抗侵蚀性。

水泥砂浆由水泥、砂和水组成，工程中常以灰砂比和单位用水量作为配比参数，通过试验确定 3 种材料的用量，以达到合理的配合比，有效控制施工质量。水泥砂浆一般选择标号为 M10 和 M15。

2.2.3.6　**混凝土和水泥砂浆的拌和**

混凝土的拌和有人工拌和与机械拌和两种方式。人工拌和使用的工具有拌板、平锹、耙子和喷水壶等。拌板可采用薄钢板或密缝的木板拼成，要求不漏浆，翻拌时要光滑省力。拌和时先倒入砂，再倒入水泥，用锹干拌 3 遍，然后倒入石子，再加水拌和 3 遍，直到混凝土料拌和均匀为止。

水泥砂浆的拌和比较简单，在拌和时应先按配合比将水泥和砂子配好后干拌 3 次，然后再加定量水湿拌 3 次，至颜色均匀后即可使用。

第3章 核心示范区集雨节灌工程规划设计研究

3.1 本章主要研究内容及技术路线

3.1.1 主要研究内容

本研究以所收集的核心示范区的基本资料为依据,对该区基本状况进行调查分析与评价及水量平衡分析,针对主要种植作物进行灌溉制度设计;根据该区水资源、作物及经济状况进行农作物种植结构调整规划;以水量平衡分析以及调整后的农业种植情况为依据,进行土地整理与生态建设规划及水资源的优化配置研究,并以实现全典型区水资源联合调配为目标完成集蓄水工程管网及对集雨节灌工程规划设计。

主要研究内容如下:

(1)水土保持措施与坡改梯工程规划设计。

(2)典型示范区水资源平衡分析,包括来水量分析计算、典型作物需水量计算和水量平衡分析。

(3)水分生产函数的建立及非充分灌溉制度的建立。

(4)作物种植结构调整规划。

(5)水资源优化配置。

(6)配套集雨节灌工程规划设计。

3.1.2 研究技术路线

在收集基本资料的基础上,首先进行水资源及农业生产状况分析,然后以调整农业种植结构为基础,进行土地平整规划,在按传统灌溉制度进行水量平衡分析计算的基础上进行节水型非充分灌溉制度设计,并进行中等干旱年的水量平衡分析,提出农业种植结构调整规划方案,并从技术、经济两方面分析适宜集蓄利用水资源量,在此基础上进行集雨多水源联调及灌溉工程规划设计;最后以多种可调蓄水量为依据,进行联合调度措施及实施方案研究。

3.2 典型水土保持措施与坡改梯工程规划设计

示范区为丘陵地区,为了保持水土和发展农业生产,提高耕作面积和现代化机械的运用，应对山坡进行整理，例如进行坡改梯、挖果树鱼鳞坑、平整土地等，以改善自然生态环境，减少水土流失，增产增收，增加当地农民经济收入。其主要措施为坡地修筑梯田，把山丘坡地改造成田面平坦的台式阶地，切断坡面径流，降低流速，从而能有效地蓄水拦沙，控制水土流失，增加水分入渗量，提高抗旱能力，增加土壤养分，促进作物生长。坡地修成梯田后，方便了耕种、管理与收获等田间作业，为机械化耕作和实施高效灌溉创造了有利条件。

3.2.1 水土保持措施

3.2.1.1 梯田规划原则

梯田规划是根据地形和土质等自然条件，以及农业发展对基本农田提出的要求，按照土地利用规划，确定出修梯田的地点、范围、种类、数量和规格，并要求在小流域水土规划图中标出梯田区的范围。具体规划时应注意以下几个方面：

(1)必须从农业发展规划出发，因地制宜，统一安排，一面坡、一座山或一个流域进行全面规划，并要求在保持水土的基础上，做到充分合理地利用土地资源；同时合理地布设田间道路和灌排系统，为农业机械化和水利化创造条件。

(2)规划中力争达到集中连片、修筑省工、耕作方便、埂坎安全、少占耕地、讲求实效的目的。

(3)梯田一般规划在25°以下的坡耕地上，25°以上的坡耕地原则上应退耕还林还草，以增加地面植被覆盖度。

3.2.1.2 梯田布置

梯田布置是在梯田规划基础上进行的，在位置及范围已经确定的基础上，合理设计梯田，使其能充分发挥保持水土的作用和增加农业生产效益。具体布置时应注意以下几个方面：

(1)梯田的埂坎应平行于等高线划定，防止降雨时因田面高低不平而发生集中冲刷。

(2)为利于耕作，尽量使每块梯田的田面宽度相差不大，在地形弯曲的坡面，按“大弯就势，小弯取直”的原则加以调整。

(3)充分利用坡面上原有的水土保持工程，以节省劳力。

3.2.1.3 梯田埂坎设计

梯田的设计主要以耕作方便、埂坎稳定、少占耕地为原则。一般首先按建材来确定田埂坎的形式，然后计算田埂坎高及田面宽度，核定田坎的稳定性，最后计算占地损失及土方量。田面越宽，耕作愈方便，但田埂较高，不仅挖填方量大、费工多、占地损失大，而且田坎不易稳定。因此，应根据山坡地形坡度确定田间宽度。

根据就地取材以少投资、保证质量的原则，本次设计采用平底梯形石坎，这种形式的石坎稳定性好，石坎基础建在下一级梯田田面以下20～30cm，石坎顶宽一般取20～30cm，坎外坡斜率取1:0.2～1:0.3，内坡为1:0.2，当坎高超过2m时，对其作稳定分析。由于本次设计的坎高均未超过2m，故未进行稳定分析。

3.2.2 土地平整及坡改梯工程规划设计

3.2.2.1 **土地平整**

通过土地平整，削高填低，连方成片，除改善灌排条件之外，还可以改良土壤，扩大耕地面积，适应机械耕作的需要。所以，平整土地是治水、改土、建设高产稳产农田的一项重要措施。对土地平整具有以下要求：

(1)田面平整，符合灌水技术要求。在实施沟、畦灌溉的旱作区，为了均匀地湿润土壤，必须具有平整的田面，而且沿灌水方向要有适合的坡度，以利于灌溉水均匀推进。在种植地区，要使梯田内的田面基本水平。

(2)精心设计，合理分配土方，就近挖填平衡，运输路线没有交叉和对流，使平整工程量小，劳动生产率最高。

(3)注意保持土壤肥力。在挖、填土方时，先移走表层熟土，完成设计的挖、填深度以后，再把熟土归还地面，并适当增施有机肥料，做到当年施工、当年增产。

(4)改良土壤，扩大耕地。对质地黏重、容易板结的土壤，进行掺砂改良，并通过拉直沟、渠、田埂等措施，扩大耕地面积，改善耕作和水利条件。

根据以上要求进行土地平整的设计和施工。一般将一条田作为平整单元，测绘地形图计算田面设计高程和格田的挖、填深度，确定土方分配方案和运输路线，有组织地进行施工，达到省劳力、速度快、效果好的目的。

3.2.2.2 **土方量计算**

土地整理规划时，对土方进行平衡计算，使修梯田的挖方量和填方量相对平衡。由于山坡地形不均匀，首先通过测量和土方平衡计算确定控制挖填分界线，然后采用“中距调整法”确定土方工程量。

具体步骤是：在坡度均匀的坡耕地或山坡上，量出两坎线间若干个斜坡长度，分别取中点连成一条横向中线，再将中线向上平移田间宽度的 5%～8% 得到另外一条横向线，这条线就是开挖分界线，其土方量挖方与填方保持平衡，这时只需计算挖方量或填方量，梯田的挖方量即工程量，依以下公式计算：

$$V = HBL/8 \tag{3-1}$$

式中 H——田埂的高度，m；

B——田面的宽度，m；

L——梯田的长度，m。

在提供的地形图上量出各梯田的具体长度，通过式(3-1)计算出核心示范区总控制挖填土方工程量约为21 000m^3，石方工程量约为6 700m^3。此项工程合计投资为 36 万元。

3.3 示范区水量平衡分析

3.3.1 降雨资料分析

根据当地市气象站近 33 年的降雨量资料，进行整理后利用传统计算方法求出核心示范区的多年平均年降水量(比河南豫北示范区平均年降水量约少 20%),其年均降水量 $\overline{x}$ =480.2mm。本设计以中等干旱年(保证率为 75%)作为设计标准。

通过计算,求得保证率为 75%条件下年降水量为 394mm。

由于缺乏核心示范区子区的多年逐旬降雨量资料,故采用相邻地区的多年逐旬降雨量资料进行同倍比缩放求核心示范区的多年逐旬降雨量。

根据已求出的保证率为 75%条件下的降雨量 394mm,选定邻近地区的 1986 年作为典型年(年降水量为 397.6mm),则缩放系数 $m=394/397.6=0.99$,并结合"河南省山区丘陵地区降雨径流关系图",计算出核心示范区的降雨径流深,具体结果见表 3-1。

由计算结果可知,典型年年降雨径流深约为 111mm。

表 3-1 核心示范区典型年的逐旬降雨量 (单位:mm)

时段		同倍比后的逐旬降雨量	前期影响雨量	总降雨量	降雨径流深
1月	上旬	0	0.4	0.4	0
	中旬	0.1	0	0.1	0
	下旬	0	0	0	0
2月	上旬	0	0	0	0
	中旬	0	0	0	0
	下旬	0	0	0	0
3月	上旬	5.8	0	5.8	0
	中旬	9.3	1.2	10.5	0
	下旬	0	1.9	1.9	0
4月	上旬	0	0	0	0
	中旬	0.2	0	0.2	0
	下旬	2.9	0	2.9	0
5月	上旬	8.8	0.6	9.4	0
	中旬	57.6	1.8	59.4	21
	下旬	9.1	11.5	10.6	0
6月	上旬	0.3	1.8	2.1	0
	中旬	7.7	0.1	7.8	0
	下旬	48.5	1.5	50	15
7月	上旬	4.2	9.7	13.9	0
	中旬	4.4	0.8	5.2	0
	下旬	33.5	0.9	34.4	9

续表 3-1

时段		同倍比后的逐旬降雨量	前期影响雨量	总降雨量	降雨径流深
8月	上旬	26.4	6.7	33.1	8
	中旬	87.2	5.3	92.5	43
	下旬	0	17.4	17.4	0
9月	上旬	17.8	0	17.8	0
	中旬	2.3	3.6	5.9	0
	下旬	3.8	0.5	4.3	0
10月	上旬	4.5	0.8	5.3	0
	中旬	47.6	0.9	48.5	15
	下旬	1.6	9.5	11.1	0
11月	上旬	0	0.3	0.3	0
	中旬	0	0	0	0
	下旬	0.9	0	0.9	0
12月	上旬	0	0.2	0.2	0
	中旬	7.2	0	7.2	0
	下旬	2.1	1.4	3.5	0

注：前期影响雨量以前旬降雨量的20%为标准。

3.3.2 典型作物需水量分析

作物需水量是农业用水的主要组成部分，也是整个国民经济中消耗水分的最主要部分。因此，它是水资源开发利用时的必需资料，同时也是灌排工程规划、设计、管理的基本依据。它的大小与气象条件(温度、日照、湿度、风速)、土壤含水状况、作物种类及其生育阶段、农业技术措施、灌溉排水措施等有关。

3.3.2.1 典型作物需水量计算

根据设计时已给出的参照作物需水量 ET_0(见表 3-2)，利用如下公式估算不同计划湿润层含水量时的作物需水量：

$$ET = ET_0 \times K_c \times K_s \tag{3-2}$$

式中 ET——实际作物需水量，mm/d；

ET_0——参照作物需水量，mm/d，利用修正彭曼公式，并采用邻近地区基本资料进行计算；

K_c——主要作物系数，影响因素主要是作物种类、作物生长发展速度、生育期的长短以及生育期间的气候条件等，示范区的主要作物系数见表 3-2；

K_s——土壤水分修正系数，本设计取 0.95。

表 3-2　核心示范区主要作物系数 K_c 值

作物	10月	11月	12月	1月	2月	3月	4月	5月	6月	7月	8月	9月	全期
冬小麦	0.60	0.90	0.97	0.31	1.04	0.96	1.43	1.33	0.65				
夏玉米									0.47	1.13	1.67	1.32	0.99
棉　花	0.55						0.69	0.69	0.72	1.23	1.23	0.55	0.87

3.3.2.2　传统灌溉制度拟定

由于示范区在我国北方地区，设计主要考虑利用旱作物水量平衡法进行作物生育期灌溉制度设计。

经计算，核心示范区 $P=75\%$(一般干旱年)各种典型作物灌溉制度如表 3-3 所示。

表 3-3　核心示范区各种典型作物灌溉制度

作物名称	灌水次序	灌水时间	灌水定额	
			mm	m^3/亩
冬小麦	1	10月上旬	45	30
	2	3月上中旬	45	30
	3	4月中旬	45	30
	4	5月上旬	45	30
	合计		180	120
春播棉	1	5月下旬	45	30
	2	8月中旬	60	40
	3	9月中旬	60	40
	合计		165	110
夏玉米	1	8月上旬	60	40
	2	9月上旬	60	40
	合计		120	80
夏播棉	1	6月上旬	45	30
	2	8月下旬	52.5	35
	3	9月中旬	52.5	35
	合计		150	100

3.3.3　示范区供需水量平衡分析

3.3.3.1　需水量分析

核心示范区灌溉制度和种植面积，如表 3-4 所示。

表 3-4　核心示范区灌溉制度和种植面积

作物名称	灌溉定额（m^3/亩）	种植面积(亩)	灌水次数	毛灌溉定额（m^3/亩）	毛灌溉用水量（m^3）
冬小麦	120	245	4	141	34 545
春播棉	110	105	3	129	13 545
夏玉米	80	122.5	2	94	11 515
夏播棉	100	122.5	3	118	14 455

注:灌溉水利用系数取 0.85。

作物总需水量公式为:

$$W_x = \sum E_i A_i \tag{3-3}$$

式中　W_x——示范区作物总需水量,m^3;

E_i——各种大田作物的灌溉定额,m^3/亩;

A_i——各种作物的种植面积,亩。

核心示范区作物总需水量为 7.41 万 m^3。

3.3.3.2　供水量分析

由典型年的选取及降雨量的计算结果可知,核心示范区灌区典型年(保证率为 75%)年径流深为 111mm。根据该地区的地形图,将集雨半径设计为 60m,其实测汇流区周边长度约为2 860m,汇流面积 17.2 万 m^2,则汇流面内年径流量为 1.91 万 m^3。考虑到示范区次降雨量的多少、雨强的大小以及集流面坡度和集流面材料等因素对集雨效率的影响,将示范区集流效率取为 70%,则年可集蓄雨水量 1.35 万 m^3。示范区另建有两个水池,可集蓄计算区域以外山坡雨水,水池体积分别是1 500m^3 和 500m^3,每年按集雨 2.5 次计,可蓄雨水体积为4 000m^3。则每年示范区可蓄雨水量为 1.75 万 m^3。

示范区西北角有一稳定地下水源,可作为示范区补充水源。根据当地多年灌溉开采利用资料,并考虑示范区水池及水窖的调蓄功能,确定该地下水源年最多可调节利用灌溉水量约为 3.0 万 m^3。

综上所述,示范区年总可供水量为 4.75 万 m^3。

3.3.3.3　水量平衡分析

经计算,本区需水量为 7.41 万 m^3,可集蓄供水量为 4.75 万 m^3。可见,该地区即使将修建工程增加雨水资源利用率,并将地下水开采利用,其水资源在干旱年仍不能满足充分灌溉用水要求,因此必须考虑在核心示范区实施非充分灌溉。

大田作物非充分灌溉水量仅相当于充分灌溉水量的约 60%,否则必须进行农业种植结构调整。

根据以上计算分析结果可以看出,在示范区内如果只进行集雨工程的建设,即使采用非充分灌溉技术措施也难以满足灌溉的用水需求。因此,必须采用系统工程手段进行种植结构的优化调整以及灌溉水资源的优化配置,并同时进行田间配套节水灌溉工程措施的实施,才能充分提高集雨水资源的有效利用率。而要达到设计雨水径流量 70%($P=$

75%年)得到利用,就必须保证集雨工程按设计进行修建。

3.4 雨水集流工程设计

雨水集蓄利用技术历史悠久,经过长期的实践总结和发展,目前应用范围广泛。在水资源日益紧缺的今天,雨水利用将是我国实现水资源可持续利用的主要途径之一。但发展集雨灌溉必须因地制宜、注重实效、保护生态、有条件地发展。

(1)降雨条件。集雨节灌主要解决作物春季播种及生长前期关键受旱时候的灌溉,因此降雨是保证作物后期生长的关键。根据经验,在年降水量大于250mm,降雨量相对集中的地区,适宜采用集雨节灌。

(2)水文地质条件。集雨节灌适用于缺乏地表水和地下水或地下水开采利用困难的地区,以及修建蓄水工程困难、因地质条件保不住水的地区,特别是年降水量少、蒸发量大、地下水埋藏深、水量小、开发利用成本大的华北山丘地区。

(3)地形地貌条件。为保持水土、保护生态环境,集雨节灌适宜在坡度小于25°的缓坡地进行,对于大于25°的坡地,宜采用"集雨+经济林"的方式,或者植草、种树,配合山川秀美工程的建设。

(4)经济条件。集雨节灌工程应重点放在老、少、边、穷等经济条件落后的地区,有利于这些地方的脱贫致富、人民的安居乐业及边区的稳定。

(5)群众意识。集雨节灌应放在群众认识高、有积极性的地方。我国许多省区近年来通过示范,使农民意识到集雨节灌意义、看到效益,农民建设集雨节灌工程的积极性也较高,奠定了进一步发展的基础。

雨水利用工程系统设计包括集流系统设计、输水系统设计、净化系统设计、蓄存系统设计、利用系统设计等。输水系统、净化系统可作为附属设施包含在其他系统中进行设计。

3.4.1 集流系统设计

集流系统设计包括集流场设计及截流输水设施设计。集流场分天然集流场和人工集流场。核心示范区集流场属于天然集流场,只需进行产汇流及缺水计算,确定蓄水规模。

3.4.1.1 集流场的规划设计

集流场的选择遵循因地制宜、就地取材、降低工程造价、提高集流效益的原则,并应立足当前、着眼长远、统一规划、分期实施,有利于工程技术发展与效益提高的可持续性。

由前述计算可知,将非种植区均作为集雨面时,集雨面积为17.2万m^2。由于示范区远离村庄,故选址时只需考虑其渗水、汇流问题,设计将自然坡面表层进行翻夯,以减少其渗漏,并根据需要设置截流沟、汇流沟;为在示范区进行自流灌溉,将集流面选在灌溉地块的高地布置,并充分利用交通路面。

3.4.1.2 集流场的管理

(1)经常对集流场进行巡查,发现问题应及时处理。

(2)为了保证水质,应保持集流场干净整齐,防止杂物随雨水冲入蓄水池及水窖中或堵塞进水口。

对发现损坏的集流面应及时进行修补、维修，保持集流场的完整性。

3.4.2 蓄水工程系统设计

蓄水工程系统是集雨节灌工程的重要部分。蓄水设施的类型、个数、单个容积及分布应根据其用途、生产要求、自然条件等因素进行规划布局。如何正确地确定蓄水容积及合理规划布局，是做好雨水汇集的关键步骤之一。

3.4.2.1 蓄水工程的形式选择

蓄水工程的选择根据地形、土质、集流方式、建筑材料、蓄水用途和社会经济等因素确定。水窖和水池便于集中地面径流、减少蒸发和保存水质，此外，水窖和水池还可以实施自流灌溉，减少灌水成本。设计在示范区选用水窖和水池集雨。

考虑到示范区为土质疏松的砂壤土以及当地经济发展水平，设计在本区布置混凝土盖碗窖水窖群，蓄水池均采用开敞式矩形水池。

3.4.2.2 蓄水工程的布置

由于核心示范区以灌溉为主，故选在比拟灌溉地块高 5m 以上的地方建窖，以获得一定的水头，节约能源。窖群尽量均匀布置，两窖外壁之间的距离不得小于 4m。所有的窖池窖址必须避开塌方或易滑坡地段。窖池离土坎的距离不少于 5m，并距根系较发达的树木 5m 以外。

蓄水池(窖)的进水渠(管)设置闸板并在适当位置布置排水道。窖池选在地基较稳定、距集流面较近、用水方便的地方。

由于本规划利用天然土坡、土路作为集流面，故集流的雨水应先引入沉沙池沉沙，再引入水窖和水池存蓄。

此外，设计蓄水工程还必须满足下列要求：

(1)工程必须进行防渗处理。

(2)为宣泄多余水量，在蓄水工程的进口处设置堵水设施，并布置泄水道，在正常蓄水位处设置泄水管或泄水口。

(3)蓄水工程进口设拦污栅，以防止杂草进入，需在进口设置沉沙池。

(4)蓄水工程底部的出水管或倒虹吸管，进口应高于底板 30cm。

依据上述原则，设计在本区建水窖 58 个，并在西南角和东南角两山沟处分别修建蓄水池；同时，为了保证示范区灌水高峰时的灌水，在西北角修建一个反调节水池。具体布置见示范区水利工程布置图(图 4-50)。

3.4.3 容积设计

3.4.3.1 水窖容积的确定

水窖是雨水集流工程中最常用的蓄水设施，按照技术、经济合理的原则确定水窖的容积是集水工程建设的一个重要方面，也是集蓄雨水系统的核心。用于农田灌溉的水窖一般要求容积较大，窖身和窖口通常采取加固措施，以防止土体坍塌。

混凝土盖碗窖，避免了传统窖型窖脖子过深带来的打窖取土、提水灌溉及清淤等困难,质量可靠,使用寿命长,适宜于土质较为松散的黄土和砂壤土地区。

结合示范区基本情况,根据较为成熟的经验,水窖的蓄积雨水重复利用系数取 2,单窖体积为 35m³。在非蓄积雨水季节,调蓄地下水用于灌溉。

3.4.3.2 蓄水池容积确定

由于示范区蓄水池主要用于小区域农业灌溉,其主要作用是存蓄雨水,并对水窖进行水量调节。其容积的确定应考虑水量调节、经济合理等因素。

结合本区地形,拟在示范区西南角和东南角两山沟处分别修建蓄水池,两水池的体积分别设计为1 500m³ 和 500m³。

3.4.4 结构设计

3.4.4.1 水窖结构设计

由于核心示范区是在国家“863”计划项目背景下建设的,结合当地实际情况,设计采用混凝土盖碗窖。窖体包括水窖、窖盖与窖台等几部分。

(1)水窖部分采用 C20 混凝土浇筑,结构与水泥砂浆薄壁窖基本相同,只是增大了中径尺寸和水窖深度,增加了蓄水量。

(2)混凝土帽盖为薄壳型钢筋混凝土拱盖,在修整好的土模上现浇成型,施工简便。帽盖上布设圈梁、进水管、窖口和窖台。混凝土帽盖布设少量钢筋、铅丝,形同蜘蛛网状。

(3)水窖的主要技术指标见表 3-5。

表 3-5 水窖主要技术指标

水窖形式	容积(m³)	窖深(m)			各部尺寸(m)				窖底(cm)				混凝土拱盖厚(cm)	窖盖厚(cm)
		合计	水窖	旱窖	底径	中径	上口径	窖口高	红胶泥	砂浆	或混凝土	水泥砂浆		
混凝土盖碗窖	35	4.5	3.0	1.4～1.5	3.2	4.0	1.0	0.3	30	3	10	1.5×2 (1×3)	6	8

3.4.4.2 水池结构设计

矩形水池由池底、池墙两部分组成,附属设施有沉沙池、拦污栅、进水管、出水管等。

(1)池底采用浆砌石和混凝土浇筑,将底部原状土夯实后,M7.5 水泥砂浆砌石平铺 40cm,并灌浆处理,再在其上浇筑 10cm 厚的 C20 混凝土。

(2)选用砖砌池墙。由于蓄水池大部分池体位于地面以下,且当地建有耐火砖厂,故设计优先选用砖砌池墙。内壁用 M10 水泥砂浆墁壁防渗。

3.4.4.3 附属工程设计

附属工程包括截流输水工程、沉沙池、拦污栅、进水管等部分。

(1)截流输水工程设计。截流输水设施一般布置在集流面的最低处,由于集流场离蓄水设施较远,考虑到长期使用,设计成土渠输水沟;由于以土坡为集流面,故设计依地势每隔 20～30m 沿等高线布置截流沟,以避免雨水在坡面上漫流距离过长而造成大量水量损失。截流沟采用土渠，为了防冲防淤，坡度设为1/30～1/50。截流沟与输水沟相连。为了提高输水效率，减少工程量，节约投资，设计输水沟与等高线垂直，截流沟的断面形式为梯形。

(2)沉沙池设计。沉沙池是水窖水池建设中的重要组成部分。示范区以土坡和土路为集流面，径流中常含大量泥沙，这些泥沙若直接进入水窖或水池，不仅会给水窖和水池的安全和效益带来负面影响，而且会严重影响水质，对节水设施造成堵塞，因此修建沉沙池是很有必要的。

沉沙池设计为矩形结构，布置在距蓄水设施（水池和水窖）3m的地方，以防止蓄水设施内渗水造成崩塌；由于示范区降雨径流不大，将沉沙池沿来水方向长方形布置，长宽比设为2∶1，池深为1.0m；由于水窖集雨量较小，故将水窖沉沙池设为长2m、宽1m。在施工前，要根据设计尺寸进行开挖，人工夯实处理池体池墙。

此外，沉沙池底要有一定的坡度（下倾）并预留排沙孔。沉沙池的进水口和出水口、溢水口的相对高程设为：进水口底高于沉沙池底0.4～0.5m，出水口低于进水口底0.1～0.15m，溢水口底低于沉沙池顶0.1～0.15m。

(3)拦污栅。在沉沙池的入水口处设置拦污栅，以拦截汇流中的大量杂物。拦污栅构造简单，为在铁板上直接呈梅花状打孔，其孔径必须满足一定的要求，设计为不大于10mm×10mm。

(4)进水管。每个水窖设一根ϕ8cmPVC进水管，进水管和沉沙池相连，伸入窖体60cm。

3.4.5 水资源联调多种管网系统布置

示范区将全部水窖、两个调节水池及小煤窑排水机井，进行全系统联成管道网络，以利于集雨水时能向水窖调节和非汛期的地下水向水窖反调节，以达到充分利用水窖、水池调蓄功能，及时灌溉，增强地下水的非汛期水量调蓄作用。据计算，示范区水窖、水池与不联网相比相当于使其调蓄容积增加了150%，在相同功能条件下，减少工程量及工程投资。

工程设计中，地下水与西部蓄水池及供水管网相联，蓄水池引DN150 PVC干管沿窖群布置，在每个水窖附近设DN100 PVC分水支管，支管上设置阀门，控制向水窖供水。水窖依地势条件设自流或提水出水口，与灌溉工程管网系统相联，实现了地下水、水窖水、水池、灌溉工程的联合调度。为了提高位于东南部的大蓄水池集雨能力，典型示范区东部的山坡沿下部修建截流墙，将降雨径流全部引入蓄水池中，而将蓄水池南部山坡雨水径流也通过截流墙拦截调引入山谷，最后流至大蓄水池。

管道系统布置应遵循以下基本原则：

(1)管道尽量沿等高线布置，以减小管道长度。

(2)管道的纵横断面应力求平顺，减少折点，有较大起伏时应避免产生负压。

(3)为了方便施工与管理，管道尽量沿道路和耕地边界布置。

结合示范区地形图，设计布置输水管道见水利工程布置图（图4-50）。

3.5 灌溉工程设计

根据具体情况,采取分阶段实施集雨节灌工程。在示范区选出约 170 亩已平整过的梯田进行节水灌溉规划设计,主要实施小管出流、滴灌、微喷灌和自压管道地面节灌 4 种节水灌溉方式。总体规划如下:

在示范区西南角由大水池开始前,四块梯田采用小管出流灌溉,每块梯田由一个水窖控制,种植果树;小管出流灌溉区向北两块梯田采用滴灌方式,由三个水窖控制,种植果树;滴灌区以北条状梯田采用微喷灌方式,主要种植药材等经济作物。示范区其他种植大田作物区域采用自压管道地面节灌方式,直接从水窖出水口接小白龙自流进入田间小畦灌溉。

以上 3 种微灌管网布置时遵循以下几个原则:

(1)尽量使管道总长度最短,少穿越其他建筑物。

(2)满足各用水单位需要,能迅速分散水流,管理维护方便。

(3)输配水管道沿地势较高位置布置,支管垂直于作物种植方向,毛管则尽量沿平行于作物种植方向布置。

(4)管道的纵剖面力求平顺。

根据以上原则,小管出流采用固定式地埋管网,滴灌采用固定式地面管网,微喷灌控制区采用移动式地面管网,具体布置形式见核心示范区工程规划布置图(图 3-1)。

3.5.1 小管出流工程设计

3.5.1.1 小管出流管网布置

小管出流灌溉系统采用支管和毛管两级固定式地埋管道,呈丰字形布置。支管直接通过水泵从水窖提水并输送至田块,在田块中双向控制毛管;毛管垂直于支管,每行树布置一条毛管,毛管间距等于果树行距为 3m,每棵树下布置一个小管出水口,出水口间距等于果树株距为 3m。出水口水流进入绕树环沟,浸润沿沟土壤,入渗沟上口宽 20cm,底宽 5cm,环沟直径为 1.5m。除支管和毛管外,还应在水源处布置控制、调节和保护设备。在水泵出口处安装逆止阀、排气阀、闸阀、水表、压力表等,在每一组毛管进口处安装控制闸阀,毛管末端布设堵头,在支管末端安装泄水阀。在现状耕地上果树尚小条件下,直接用此灌溉系统,用小白龙进行大田灌溉。

3.5.1.2 小管出流灌溉技术要素

按照《微灌工程技术规范》(SL103—95)及示范区实际情况确定技术参数如下。

设计土壤湿润比:小管出流为 25%~40%,取 30%;

设计耗水强度:示范区果树日平均耗水强度取 5mm/d;

灌溉水利用系数:根据规范取 0.9;

计划湿润层深度:果树取 1.0m。

3.5.1.3 灌水定额和工作制度

(1)设计毛灌水定额 m,采用下式计算:

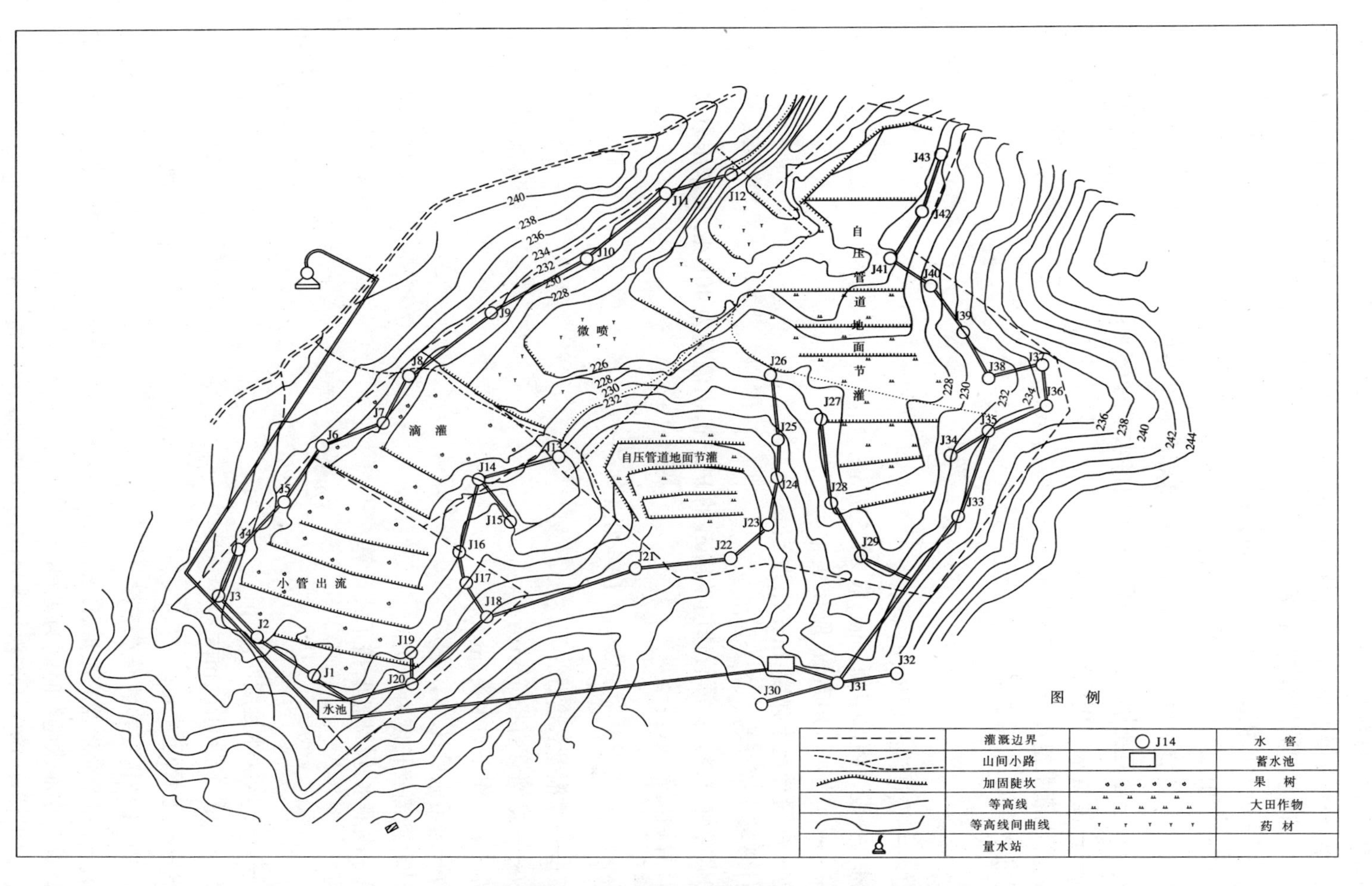

图 3-1　北方半干旱地区集雨节灌项目核心示范区工程规划布置图

$$m = (\gamma / \gamma_0) z p (\theta_{max} - \theta_{min}) \beta_{田} / \eta \tag{3-4}$$

式中 m——设计毛灌水定额,mm;

γ、γ_0——土壤容重和水的容重,g/cm^3,分别取1.4g/cm^{3}和1.0g/cm^3;

z——计划湿润层深度,m,取1m;

p——设计土壤湿润比,%,取30%;

$\beta_{田}$——田间持水率,重量百分比,取22%;

θ_{max}——适宜土壤含水率上限,取田间持水率的85%;

θ_{min}——适宜土壤含水率下限,取田间持水率的65%;

η——灌溉水利用系数,取0.9。

经计算毛灌水定额为13.7m^3/亩。

(2)灌水周期,计算式如下:

$$T = \frac{m\eta}{E} \tag{3-5}$$

式中 T——设计灌水周期,d;

m——设计灌水定额,mm,取20.53mm;

η——灌溉水利用系数,取0.9;

E——设计耗水强度,mm/d,取5mm/d。

经计算灌水周期为3.7天。

(3)微灌管选择。微灌管选用ϕ4mm的PE管,出流量为40L/h,工作压力水头5m,由下式计算微灌管长度:

$$L = 0.454 \frac{d^{4.11}}{q^{1.343}} h$$

式中 L——微灌管长度,m;

d——微灌管直径,mm;

h——工作压力水头,m;

q——出流量,L/h。

经计算微灌管长度为0.7m。

(4)一次灌水延续时间,按下式计算:

$$t = \frac{m S_r S_t}{nq} \tag{3-6}$$

式中 t——一次灌水延续时间,h;

S_r——灌水器间距,m;

S_t——毛管间距,m;

n——1株树安装的灌水器数;

q——单个灌水器的流量,L/h。

经计算一次灌水延续时间为4.6h。

根据以上计算,确定小管出流灌溉区域的工作制度为:每一个水窖控制范围内作为一个轮灌组,每个轮灌组内所有毛管同时工作。小管出流灌溉区共9个水窖控制,因此共分为9个轮灌组，实际灌水周期为9×4.6h，即41.4h，按每天工作16h计算，全部小管出流灌溉区在2.6天以内完成，小于设计灌水周期3.7天，满足作物需水要求。

3.5.1.4 管网水力计算

3.5.1.4.1 毛管计算

单个灌水器流量 $q=40\text{L/h}$，每根毛管上的最多出水器 $n=17$，单根毛管流量 $Q_{毛}=nq=0.68\text{m}^3/\text{h}$，毛管长 $L_{毛}=50\text{m}$。

(1)管径选择。毛管管径按下式计算：

$$d_{毛} = 18.8\sqrt{Q_{毛}/v} \tag{3-7}$$

式中 $d_{毛}$——经济管径，mm；

$Q_{毛}$——管道流量，m^3/h；

v——管内水流经济流速，m/s。

经计算经济管径为14.15mm。

根据计算结果选择毛管规格为：外径20mm、壁厚2mm的PVC管，管内径16mm。

(2)水头损失计算。沿程水头损失按下式计算：

$$h_f = f(\frac{Q_{毛}^m}{d^n})L \tag{3-8}$$

式中 h_f——管道沿程水头损失，m；

$Q_{毛}$——计算管径的管道流量，m^3/h；

d——管内径，mm；

m、n、f——流量指数、管径指数和沿程阻力系数，设计分别取1.77、4.77、0.948×10^5；

L——对应管道长度，m。

经计算沿程水头损失为4.32m。

由于毛管出水口较多，还应乘以多口系数 F 进行修正，F 用下式计算：

$$F = \frac{N(\frac{1}{m+1}+\frac{1}{2N}+\frac{\sqrt{m-1}}{6N^2})-1+X}{N-1+X} \tag{3-9}$$

式中 F——多口系数；

N——出流孔口数；

X——多孔管位置系数，即多孔管入口至第一个出流口的距离与各出流口间距之比；

m 含义同式(3-8)。

其中，$N=16$，$X=1$。经计算求出 F 为0.39，则 $h_{f毛}=0.39\times4.32=1.68(\text{m})$。局部水头损失以沿程水头损失的15%计，则 $h_{j毛}=1.68\times15\%=0.25(\text{m})$。

3.5.1.4.2 支管计算

单根毛管流量 $Q_{毛}=0.68\text{m}^3/\text{h}$，支管上最多控制的毛管数 $n=26$，支管流量 $Q_{支}=nQ_{毛}=17.68\text{m}^3/\text{h}$，典型支管长取 $L_{支}=92\text{m}$。

(1)管径选择。支管管径按下式计算：

$$d_{支} = 18.8\sqrt{\frac{Q_{支}}{v}}$$

式中各符号含义同式(3-7)。经计算 $d_{支}$为 72.16mm。

根据计算结果选择支管规格为：外径 90mm、壁厚 6.7mm 的 PVC 管，管内径 76.6mm。

(2)水力计算。支管沿程水头损失及多口系数计算如下：

沿程水头损失 $h_{f0} = f(\frac{Q_{支}^{m}}{d^{n}})L = 0.948 \times 10^{5} \times (17.68^{1.77}/76.6^{4.77}) \times 92 = 1.45(\text{m})$

多口系数 $$F = \frac{N(\frac{1}{m+1} + \frac{1}{2N} + \frac{\sqrt{m-1}}{6N^{2}}) - 1 + X}{N - 1 + X} = 0.72$$

则支管的沿程水头损失 $h_{f支} = 0.72 \times 1.45 = 1.04(\text{m})$。

局部水头损失以沿程水头损失的 15%计，则 $h_{j} = 1.04 \times 15\% = 0.16(\text{m})$。

3.5.1.4.3 系统扬程计算

由于本次规划设计水源高程均高于灌溉控制地面至少 2m，故将水源与地块高程差取为 -2m，则系统扬程为：

$$H = H_{0} + \sum h_{f} + \sum h_{j} + \nabla \tag{3-10}$$

式中 H——加压泵设计扬程，m；

H_{0}——灌水器工作压力水头，m；

$\sum h_{f}$——水泵到典型灌水器之间管道沿程水头损失，m；

$\sum h_{j}$——水泵到典型灌水器之间管道局部水头损失，m；

∇——灌水器高程与水源水位差，m。

经计算系统扬程为 6.13m。

3.5.1.4.4 水泵选型

根据以上计算结果，系统设计流量为 17.68m^{3}/h，设计扬程为 6.13m。

因此选择 QS20 - 20 - 2.2 型小型潜水电泵两台(其中一台备用)，水泵工作流量为 20m^{3}/h，扬程为 20m，配套电机功率 2.2kW。

3.5.1.4.5 管道开挖断面设计

根据规范，当管道直径 $D<200$mm 时，管槽底宽 $B = D + 0.3$m，其中 B 为管槽底部宽度(m)，D 为管道外径(m)。

以支管为典型计算得：$B = 90/1\,000 + 0.3 = 0.39(\text{m})$，取 $B = 0.4$m。

管槽开挖深度 $H \geqslant D + h + 0.1$m，其中 h 为最大冻土深度，结合考虑管道抗压及作物根系问题，本次取 0.7m。以干管为典型计算得：$H \geqslant 0.09 + 0.7 + 0.1 = 0.89(\text{m})$，取 0.9m。

为方便开挖，对管路设计采用统一尺寸开挖，开挖底宽 0.4m，深度 0.9m，垂直边坡开挖。

3.5.2 滴灌工程设计

3.5.2.1 滴灌管网布置

滴灌系统采用支管和毛管两级固定管道,呈梳子形布置。支管直接通过水泵从水窖提水并输送至田块边缘,在支管和毛管连接处每3根毛管合用一个分水口,在每个分水口处设置闸阀控制水流。毛管垂直于支管,按照单行毛管直线布置的方式,平行于每行树布置一条毛管,毛管间距等于果树行距为3m,毛管上每隔0.5m设置一个滴头。除支管和毛管外,还需布置控制、调节和保护设备,在水源水泵出口处安装逆止阀、排气阀、闸阀、流量计等,在毛管末端安装堵头,在支管末端安装泄水阀。

滴灌材料选用压力补偿式滴灌管,该滴灌管具有压力补偿功能,灌水均匀度高,在高温环境下不易降解,也不易被紫外线破坏。选用型号为ϕ16－2.8－10的滴灌管,额定工作压力水头为10m,流量2.8L/h,外径16mm,内径15.4mm。该滴灌带在平坦地形条件下,流量偏差5%的最大推荐铺设长度为101m。

3.5.2.2 滴灌技术参数选取

按照《微灌工程技术规范》(SL103—95)及示范区实际情况,确定技术参数如下。

设计土壤湿润比:滴灌条件下果树为20%～40%,取25%;

设计耗水强度:示范区果树日平均耗水强度取5mm/d;

灌溉水利用系数:根据规范取0.9;

计划湿润层深度:果树取1.0m。

3.5.2.3 灌水定额和工作制度

(1)设计毛灌水定额 m,按式(3-4)计算如下:

$$
\begin{aligned}
m &= (\gamma/\gamma_0)zp(\theta_{\max} - \theta_{\min})\beta_{田}/\eta \\
&= (1.4/1.0) \times 1\,000 \times 25\% \times (85\% - 65\%) \times 22\%/0.9 \\
&= 17.11(\text{mm}) = 12(\text{m}^3/亩)
\end{aligned}
$$

(2)灌水周期,按式(3-5)计算:

$$T = \frac{m\eta}{E} = \frac{17.11 \times 0.9}{5} = 3(天)$$

(3)一次灌水延续时间,按式(3-6)计算:

$$t = \frac{mS_rS_t}{q} = \frac{17.11 \times 0.5 \times 3}{2.8} = 9.2(\text{h})$$

(4)灌溉工作制度。根据以上计算,确定滴灌区的工作制度为:滴灌控制区内共分3个轮灌组,每个水窖控制灌溉范围为一个轮灌组,每个轮灌组同时工作12条毛管,中间水窖因控制毛管较短,每条毛管滴头较少,共有15条毛管作为一个轮灌组。3个轮灌组,实际灌水周期为3×9.2h,即27.6h,按每天工作16h计算,全部小管出流灌溉区在2天以内完成,小于设计灌水周期3天,满足作物耗水要求。

3.5.2.4 管网水力计算

3.5.2.4.1 毛管计算

滴灌区最大毛管长度为100m,单个灌水器流量 q=2.8L/h,单根毛管上最多出水器

个数 $n=100/0.5=200$(个),因此单根毛管流量 $Q_{毛}=nq=200\times2.8=560$(L/h)。毛管沿程水头损失 $h_{f0}=f(\frac{Q_{毛}^m}{d^n})L=0.948\times10^5\times(0.56^{1.77}/15.4^{4.77})\times100=7.36$(m)。

由于毛管有多个出水口,还应乘以多口系数 F 进行修正:

$$F=\frac{N(\frac{1}{m+1}+\frac{1}{2N}+\frac{\sqrt{m-1}}{6N^2})-1+X}{N-1+X}=0.36$$

则 $h_{f毛}=0.36\times7.36=2.65$(m)。

局部水头损失以沿程水头损失的15%计,则 $h_{j毛}=2.65\times15\%=0.40$(m)。

3.5.2.4.2 支管计算

单根毛管流量 $Q_{毛}=0.56\text{m}^3/\text{h}$,典型支管上控制毛管数 $n=12$,支管流量 $Q_{支}=nQ_{毛}=6.72\text{m}^3/\text{h}$,典型支管长取 $L_{支}=36$m。

(1)经济管径计算:

$$d_{支}=18.8\sqrt{Q_{支}/v}=18.8\times\sqrt{6.72/1.2}=44.48(\text{mm})$$

根据计算结果选择支管规格为:外径50mm、壁厚2mm的PVC管,管内径为46mm。

(2)水力计算:

沿程水头损失 $h_{f0}=f(\frac{Q_{支}^m}{d^n})L=0.948\times10^5\times(6.72^{1.77}/46^{4.77})\times36=1.16$(m)

多口系数 $$F=\frac{N(\frac{1}{m+1}+\frac{1}{2N}+\frac{\sqrt{m-1}}{6N^2})-1+X}{N-1+X}=0.76$$

则 $h_{f支}=0.76\times1.16=0.88$(m)。

局部水头损失以沿程水头损失的15%计,则 $h_{j支}=0.88\times15\%=0.13$(m)。

3.5.2.4.3 系统扬程计算

按式(3-10),系统扬程计算如下:

$$\begin{aligned}H&=H_0+\sum h_f+\sum h_j+\nabla\\&=10+(2.65+0.88)+(0.40+0.13)-2=12.06(\text{m})\end{aligned}$$

3.5.2.4.4 水泵选型

根据以上计算结果,系统设计流量为 $6.72\text{m}^3/\text{h}$,设计扬程为12.06m。

据此选择QS20-20-2.2型小型潜水电泵一台,水泵工作流量为 $20\text{m}^3/\text{h}$,扬程为20m,配套电机功率2.2kW。

3.5.3 微喷灌工程设计

3.5.3.1 微喷灌工程布置

微喷灌系统采用支管和毛管两级移动管道,呈梳子形布置。支管直接通过水泵从水窖提水并输送至田块边缘,在支管和毛管连接处每3根毛管合用一个分水口,在每个分水口处设置闸阀控制水流。毛管垂直于支管,平行于作物种植方向,毛管间距为3m,毛管上每隔3m设置一个微喷头。除支管和毛管外,还需布置控制、调节和保护设备,在水源水泵出口处安装逆止阀、排气阀、闸阀、流量计等，在毛管末端安装堵头，在支管末端安装泄水阀。

微喷头选用 WP－1 型，额定工作压力 100kPa，流量 36L/h，喷洒直径 3.0m，单喷头雨强 7.6mm/h，制造偏差系数 0.06。

3.5.3.2　**微喷灌技术参数选取**

按照《微灌工程技术规范》(SL103—95)及示范区实际情况确定技术参数如下。

设计土壤湿润比：微喷灌条件下经济作物为 60%～100%，取 75%；

设计耗水强度：微喷区药材日平均耗水强度取 6mm/d；

灌溉水利用系数：微喷取 0.85；

计划湿润层深度：药材取 0.5m。

3.5.3.3　**灌水定额和工作制度**

(1)计算毛灌水定额，按式(3-4)计算：

$$
\begin{aligned}
m &= (\gamma/\gamma_0)zp(\theta_{max} - \theta_{min})\beta_{田}/\eta \\
&= (1.4/1.0)\times 500\times 75\%\times(85\% - 65\%)\times 22\%/0.85 \\
&= 27.18(\mathrm{mm}) = 18.1(\mathrm{m}^3/亩)
\end{aligned}
$$

(2)灌水周期，按式(3-5)计算：

$$T = \frac{m\eta}{E} = \frac{27.18\times 0.85}{6} = 3.85(天)$$

(3)土壤湿润比，计算如下：

$$p = \frac{\pi R^2}{S_r S_t} = \frac{3.14\times 1.5^2}{3\times 3} = 78.5\% > 75\% \text{ 满足要求。}$$

式中　p——土壤湿润比，%；

R——土壤水分扩散半径或湿润带宽度，m；

S_r——灌水器间距，m；

S_t——毛管间距，m。

(4)一次灌水延续时间，按式(3-6)计算：

$$t = \frac{mS_rS_t}{q} = \frac{27.18\times 3\times 3}{36} = 6.8(\mathrm{h})$$

(5)轮灌组划分。系统允许最大轮灌组数为：

$$N \leqslant \frac{cT}{n_s t} = \frac{16\times 3.85}{3\times 6.8} = 3$$

式中　N——轮灌组数；

c——系统一天运行的小时数，设计取 16h；

T——灌水周期；

n_s——一条毛管在所辖区的面积内移动的次数，取 3 次；

t——一次灌水延续时间，h。

根据以上计算结果，确定微喷区共划分为3个轮灌组：水窖J_9及J_{10}控制的36条毛管作为一个轮灌组；水窖J_{11}控制的27条毛管和J_{13}控制范围内的9条毛管作为一个轮灌组；水窖J_{13}控制的其他36条毛管作为一个轮灌组。每个轮灌组共包含12个分水口、36条毛管。灌水时，每个轮灌组每次开启4个分水口，同时有12条毛管工作，该轮灌组内12条毛管移动3次，灌完36条毛管控制的灌溉面积。

3.5.3.4 **管网水力计算**

3.5.3.4.1 毛管计算

设计所选单个微喷头流量 $q=36\mathrm{L/h}$，典型毛管上最多的微喷头数为 $n=24$，单根毛管流量 $Q_{毛}=nq=0.86\mathrm{m^3/h}$，典型毛管长 $L_{毛}=73\mathrm{m}$。

(1)管径选择，按式(3-7)计算：

$$d_{毛}=18.8\sqrt{\frac{Q_{毛}}{v}}=18.8\sqrt{0.86/1.2}=15.95(\mathrm{mm})$$

根据计算结果选择毛管规格为：外径20mm、壁厚2mm的PVC管，内径16mm。

(2)水力计算：

沿程水头损失

$$h_{f0}=f(\frac{Q^m_{支}}{d^n})L=0.948\times10^5\times(0.86^{1.77}/16^{4.77})\times73=9.56(\mathrm{m})$$

多口系数 $$F=\frac{N(\frac{1}{m+1}+\frac{1}{2N}+\frac{\sqrt{m-1}}{6N^2})-1+X}{N-1+X}=0.38\quad(N=24,X=1)$$

则 $h_{f毛}=0.38\times9.56=3.65(\mathrm{m})$。

局部水头损失以沿程水头损失的15%计，则 $h_{j毛}=15\%\times3.65=0.55(\mathrm{m})$。

3.5.3.4.2 支管计算

单根毛管的流量 $Q_{毛}=0.86\mathrm{m^3/h}$，支管上最多控制的毛管数 $n=12$，支管流量 $Q_{支}=nQ_{毛}=10.32\mathrm{m^3/h}$，典型支管长取 $L_{支}=92\mathrm{m}$。

(1)经济管径计算：

$$d_{支}=18.8\sqrt{Q_{支}/v}=18.8\times\sqrt{10.32/1.2}=55.13(\mathrm{mm})$$

根据计算结果选择支管规格为：外径63mm、壁厚2.5mm的PVC管，内径58mm。

(2)水力计算：

沿程水头损失

$$h_{f0}=f(\frac{Q^m_{支}}{d^n})L=0.948\times10^5\times(10.32^{1.77}/58^{4.77})\times92=2.11(\mathrm{m})$$

多口系数 $$F=\frac{N(\frac{1}{m+1}+\frac{1}{2N}+\frac{\sqrt{m-1}}{6N^2})-1+X}{N-1+X}=0.76\quad(N=12;X=19)$$

则 $h_{f支}=0.76\times2.11=1.61(\mathrm{m})$。

局部水头损失以沿程水头损失的15%计，则 $h_j=15\%\times1.61=0.24(\mathrm{m})$。

3.5.3.4.3　系统扬程计算

系统扬程按式(3-10)计算如下:

$$H = H_0 + \sum h_f + \sum h_j + \nabla$$
$$= 10 + (3.65 + 1.61) + (0.55 + 0.24) - 2 = 14.05(\text{m})$$

3.5.3.4.4　水泵选型

根据以上计算结果,系统设计流量为 $10.32\text{m}^3/\text{h}$,设计扬程为 14.05m。据此选择 QS20－20－2.2 型小型潜水电泵两台,水泵工作流量为 $20\text{m}^3/\text{h}$,扬程为 20m,配套电机功率 2.2kW。

3.5.4　自压管道地面节灌工程设计

3.5.4.1　管灌工程布置说明

自压管道地面节灌控制范围内,根据梯田布局可划分为 15 个田块,每个田块分别由一个水窖控制,水窖的出水口直接接地面移动软管,软管送水至畦田进行小畦灌。因水窖控制面积小,输水距离短,水头损失较小,水窖出口至田间地面的自然高差完全可以满足。

3.5.4.2　自压管道地面节灌技术参数选取

设计耗水强度:取大田作物日最大耗水强度 5.5mm/d;

灌溉水利用系数:取 0.8;

计划湿润层深度:取 0.6m。

3.5.4.3　灌水定额和工作制度

(1)设计毛灌水定额 m,按式(3-4)计算:

$$m = (\gamma/\gamma_0) zp(\theta_{\max} - \theta_{\min})\beta_{田} / \eta$$
$$= (1.4/1.0) \times 600 \times 22\% \times (90\% - 65\%)/0.80 = 57.75(\text{mm}) = 38.5(\text{m}^3/亩)$$

(2)灌水周期,按式(3-5)计算:

$$T = \frac{m\eta}{E} = \frac{57.75 \times 0.80}{5.5} = 8.4(天)$$

根据以上计算确定自压管道地面节灌区的工作制度为:根据梯田布局把自压管道地面节灌区分为 15 个田块,共分 5 个轮灌组,每个轮灌组内同时工作的地面软管为 3 个,每个地面软管均直接从水窖的出水口引水至畦田。每个轮灌组实际灌水时间为 8.4 天/5 组＝1.68 天。

3.5.4.4　水力计算

(1)设计流量。根据梯田布置图,单个水窖最大控制面积为 6.5 亩。因自压管道地面节灌不需要动力提水,日工作时间取为 20h,故设计流量:

$$Q = \frac{mA}{Tt} = \frac{57.75 \times 10^{-3} \times 4\ 333}{\frac{8.4}{5} \times 20} = 7.45(\text{m}^3/\text{h})$$

(2)选择管径,管径按式(3-7)计算:

$$d = 18.8\sqrt{Q/v} = 18.8\sqrt{7.45/1.2} = 46(\text{mm})$$

根据计算结果选择地面移动软管规格为:外径 50mm、壁厚 2mm 的锦纶软管,内径 46mm。

3.5.4.5 田间工程

地面移动软管控制范围内采用长畦短灌双浇的灌水方式,灌水小畦规格为长15m、宽5m。

3.6 工程投资概算

3.6.1 投资概算说明

3.6.1.1 编制依据

(1)河南省水利厅豫水计字[1995]第126号文颁发的《河南省水利基本建设工程设计概(估)算费用构成及计算标准》(以下简称《标准》)。

(2)河南省水利厅豫水计字[1995]第126号文颁发的《河南省水利水电建筑工程预算定额》。

(3)中华人民共和国水利部水建[1993]63号文颁发的《中小型水利水电设备安装工程预算定额》。

(4)节水灌溉工程技术规范。

3.6.1.2 费用计算标准

(1)建筑工程。示范区建筑工程投资概算23.22万元,主要包括水窖、水池以及节水灌溉的土建部分。

(2)设备及安装工程。示范区设备及安装工程投资概算6.88万元,主要包括小管出流、滴灌、移动式微喷、自压管道地面节灌等灌溉工程。

(3)临时工程费用。取设备及安装工程费用的2.2%,共计0.15万元。

(4)其他费用。项目管理费取建筑工程和设备及安装工程费用的5%,税金取建筑工程和设备及安装工程费用的3.3%,共计2.50万元。

3.6.2 资金筹措及资金管理

3.6.2.1 资金筹措

本工程总投资32.75万元,全部资金为国家“863”项目基金。

3.6.2.2 资金管理

示范区要严格按照审批的工程建设内容使用资金,建立健全资金使用管理的各项规章制度,实行专款专用,严禁截留、挤占和挪用。工程建设中,对水池、水窖及水保工程建设采用招投标方法,保证工程建设的投资少、质量好。同时加强对建设资金使用情况的监督和检查,加大监管力度,发现问题及时纠正。

3.7 经济效益分析与环境评价

3.7.1 项目效益

3.7.1.1 社会效益

河南豫北示范区集雨节灌示范项目的实施,将极大地改善当地的农业生产条件,提高农业的综合生产能力,提高示范区内作物的灌溉保证率。通过修建水窖和反调节水池,有效利用了降雨径流量进行农业灌溉,使当地紧缺的水资源得以缓解;进行水资源的优化配置,使当地有限的水资源得到合理利用;采取不同形式的节水灌溉措施,减少了单位面积灌溉水量,扩大灌溉面积,降低农业生产成本,增加农民收入。

集雨工程及节水灌溉工程的实施,可促进示范区农业种植结构调整,加快农业先进技术的推广应用,提高科学技术在农业生产中的贡献率,引导当地农业生产的发展方向,使农业逐步向优质、高效、节水、增产型农业发展。同时引导广大农民更新观念,改变陈旧的灌溉和生产模式,进一步增强水患和节水意识,改善水资源开发利用环境,实现水资源可持续利用和优化配置,提高水的利用率和水分生产率,使有限的水资源最大限度地为农业增产、农民增收以及国民经济和社会发展服务。

3.7.1.2 生态环境效益

示范区集雨工程的建设和不同形式的节水灌溉工程的实施,有效利用了降雨径流,改善了当地的灌溉条件,并且采取地表水和地下水的统一调度运用,改善了该区的水环境和区域生态环境。

3.7.1.3 经济效益

建设集雨节灌工程主要是为了缓解当地水资源严重紧缺的局面。项目实施前,该区基本无灌溉。工程的直接经济效益是增产效益,采用综合节灌只是增产手段之一,参考有关资料,水利增产效益分摊系数取0.45~0.5。

核心示范区种植面积350亩,根据工程规划,种植结构调整为主要种植高产、高效的果树、药材,其种植情况和效益:冬小麦180亩,亩产370kg;夏玉米80亩,亩产450kg;夏播棉100亩,亩产45kg;春播棉77亩,亩产65kg;药材40亩,亩产350kg。其综合单价为:粮食1.00元/kg;水果1.6元/kg;药材3.2元/kg;棉花12元/kg。经计算年均效益为47.4万元。示范区原来种植小麦、玉米,因基本无灌溉,其年均亩产按600kg计算,年均效益为21万元。效益分摊后节灌工程增产效益(B_0)为13.2万元。

3.7.2 经济效益分析

3.7.2.1 工程投资折算年值

工程投资折算年值计算公式如下:

$$K_0 = \frac{i(1+i)^n}{(1+i)^n - 1} \cdot K \tag{3-11}$$

式中 K_0——工程投资折算年值,万元;

i——年资金利率,取7%;

n——工程使用年限,20年;

K——工程总投资,万元。

将以上参数带入式(3-11),工程投资折算年值$K_0 = 3.09$万元。

3.7.2.2 工程年运行费

(1)工程大修费。工程大修费费率按工程总投资的2%计算,平均年大修费为0.65万元。

(2)年维修费。根据其他工程经验,年维修费费率按投资的0.8%计算,平均年维修费0.26万元。

(3)管理费。按管理人员3人,每人年补助3 000元,全年管理费0.9万元。

(4)能源费。按照提水0.35元/m^3计算,年均能源费0.79万元。

以上合计为年运行费:$C_0=2.6$万元。

3.7.2.3 经济效益分析

(1)经济内部收益率(R_0)按下式计算:

$$\frac{R_0(1+R_0)^n}{(1+R_0)^n-1}=\frac{B_0-C_0}{K} \tag{3-12}$$

式中 R_0——经济内部收益率;

n——计算期,20年;

B_0——年效益,万元;

C_0——年费用,万元;

K——工程总投资,万元。

(2)投资回收期(P_t)。投资回收期是指示范区工程投资从建成到获得回收的年限。即工程建成投入运行后,各年累计折算净效益现值和累计折算投资现值相等的年限。投资回收期(P_t)应以项目的净现金流量累计等于零时所需要的时间(以年计)表示。从建设开始年起算。其表达式为:

$$\sum_{t=1}^{P_t}(C_i-C_0)t=0 \tag{3-13}$$

式中 P_t——投资回收期,年;

C_i——各年累计折算净效益现值,万元;

C_0——各年累计折算投资现值,万元;

t——计算年数。

(3)经济效益费用比R按下式计算:

$$R=\frac{B_0}{K_0+C_0} \tag{3-14}$$

式中符号含义同前。

将以上数值代入,求得示范区经济内部效益率$R_0=22.5\%$,$i_c=12\%$,大于行业财务基准收益率;投资回收期$T=5.2$年;经济效益费用比$R=2.32$。可以看出,工程经济合理,工程效益较好。

总的来说,项目实施后,不仅经济效益显著,而且可以起到良好的作用,提高全社会的节水意识,对促进当地经济的发展,改善当地的社会环境都起到重要作用。

3.7.3 项目环境影响评价

项目实施后对环境产生的有利影响有:

(1)有效收集当地径流,联合利用地表水和地下水,改变示范区无水灌溉的局面,改善了示范区的生态环境。

(2)通过农业种植结构调整,种植了药材、果树等,特别是果树的种植,起到防风固土、水土保持的作用。

(3)综合采取节水灌溉措施,节约灌溉用水量,提高示范区灌溉水利用系数和水分生产率。

对环境的不利影响为:施工时对耕作层的土壤及植被的破坏和扰动,但其影响是暂时性的,随着施工期活动的结束,影响将会逐渐消失。

此项工程建设的评价在第5章还将详细论述。

3.8 示范区组织与管理

3.8.1 工程施工

3.8.1.1 施工准备

工程开工前确保工程所需设备材料全部到位,并进行质量检验。如发现质量不合格产品,绝不能用于工程。

(1)检查水泵型号是否与设计要求相符,配件是否齐全,并按要求安装。

(2)检查管道外观质量,有无破损、砂眼等。检查黏结剂质量是否符合要求。

(3)检查管道连接件是否齐全、阀门等运转是否灵活。

(4)施工用具:如砂纸、扳手、螺丝刀、螺栓、垫片、生料带等。

3.8.1.2 工程施工

(1)管沟开挖。首先根据平面布置图确定参考点线,然后按照设计要求逐点定位定线,转弯及分支处均应设明显标志,如实际放线与图纸有差别,应根据实际情况进行调整。在施工时,先放中心线和标明槽底设计标高,尔后进行开挖,不得挖至槽底设计标高以下。如局部超挖则应用相同的土壤填补夯实至接近天然密实度。沟槽底宽以方便安装为原则,一般槽宽40cm,深度为90cm,且应使各级管道中心在同一平面上。开槽时应使槽底开挖平顺,挖出的土堆放在沟槽的一侧,另一侧留待放置管道管件和施工人员通行用。

(2)地下管道安装。管道安装时不得使用木垫、砖垫或其他垫块,且不得安装在冻结的土基上;按照先干管后支管、毛管,先低处后高处的顺序进行;管道安装不得与沟壁或槽底相碰撞;管底与管基应紧密接触。

(3)沟槽回填。管道及管件安装完毕,应填土定位,经试压后尽快回填。回填前应将沟槽内的一切杂物清除干净,积水排净;回填土方必须在管道两侧同时进行,严禁单侧回填;管道周围填土不应有直径大于2.5cm的石子及直径大于5cm的土块;填土应分层夯实。

3.8.1.3 运行调试

施工安装结束后进行管网水压试验。在水压试验前先检查整个管网的设备状况,阀门启闭是否灵活,开度应符合要求,进排气装置是否通畅。其次检查地埋管道填土定位情况,管道应固定,接头处应显露并能观察清楚渗水情况;而后通水冲洗管道及附件,按管道设计流量连续进行冲洗,直到出水口的透明度与进口处目测一致;最后进行耐水压试验,在管道注满水24h后进行耐水压试验,保压10min,无漏水、无变形时即为合格。

3.8.2 工程管理

示范区工程,如管理不好,不但不能发挥出相应的经济效益,而且还会造成巨大的浪费,因而必须做到建好、管好及用好,这样才能发挥出工程应有的经济效益,才能正确引导节水灌溉的发展方向,同时推动节水灌溉事业的发展。

3.8.2.1 **加强质量管理**

示范区工程虽然为小型农田水利工程,但有着自己不同的特点,特别是在施工和运行管理上必须引起足够的重视。集雨节灌示范区工程建设要切实加强质量管理,建立健全行之有效的质量监督保证体系,确保工程建设质量和按期完工。工程为季节性施工,工期较紧,要保证施工质量。首先按工程轻重缓急先后顺序做好工期安排,做好物资设备购置计划交付采购,从物资材料、设备进货开始,从严把关,严格按照技术质量标准检查验收,将不合格产品拒之门外。专职技术人员要抓好技术质量工作,勤检查、督促,做好指导工作,要组织施工管理人员认真学习有关节水灌溉、微灌等国家和部级的标准及规范,并在施工中严格执行。不按要求施工、安装,达不到质量标准的要坚决返工。同时做好施工记录,发现问题及时解决。为保证施工质量,上一工序或工种未合格前不得进行下一步的施工,并安排专人做好竣工准备、整理资料和竣工验收。

3.8.2.2 **工程管理**

建好是基础,管好是关键,发挥效益是目的。工程管理的原则是:能够最大限度地发挥工程效益,维持工程的正常运行,使示范区内集雨水资源得到高效利用。因此,工程建成后,建议从以下几个方面抓好管理工作:

(1)组织与管理。结合农村经济的两个转变,引入市场经济机制,示范区实行产业化管理、集约化经营、模式化种植。成立节水灌溉工程管理机构,及时观测、收集、整理有关资料提供给相关部门,分析工程运行的基本数据和示范区的节水、增产效益资料,总结经验,吸取教训,以便指导下一步节水灌溉工作,为今后工程设计与管理提供可靠的理论依据,以推动节水灌溉事业的发展。

灌溉工程管理单位自主经营,独立核算,自负盈亏。示范区实行模式化种植、集约化经营。按照不同的灌溉种类,制定不同的水费政策,收取相应的灌溉费用,自我完善,自我发展。还要负责对灌溉系统的维修、养护和更新改造。努力降低灌溉成本,节约水资源,维持示范区的水资源平衡及提高灌水保证率,提高自身的经济效益和社会效益。

(2)技术管理。节水灌溉工程的运行和管理,属于技术密集型农田水利工程,专业技术性强,要求管理人员除了有较高的专业技术水平外,还要有良好的职业道德。因此,要抓好管理队伍的专业技术和职业道德培训,培训工作建议由市水利局组织实施,同时还要对示范区农户进行节水灌溉知识教育,使其能够了解节水灌溉的意义及相关知识,并能够配合好灌溉管理所的正常工作。

第4章　基于GIS的灌区水资源评价与实时灌溉决策支持系统

4.1　概述

4.1.1　研究目的和意义

地理信息系统(GIS)以其出色的空间数据分析与处理而闻名,它以图形的数学性质与数据的图形模型进行定量分析和空间分析,不仅具有地理意义明确的空间数据管理能力,更重要的是,可以通过地理空间分析产生常规方法难以得到的分析决策信息,并可在系统支持下进行空间过程演化的模拟和预测,以高效率、高精度、定量和定位相结合,实现了真正地理意义上的区域空间分析。其独特强大的空间分析功能使得GIS成为地学研究和规划管理的得力工具。将遥感技术(RS)和全球定位系统(GPS)所提供的强大的空间信息通过GIS进行存储管理、信息更新、分析和应用,已广泛用于动态监测、信息管理和规划等领域。

GIS对决策支持系统最主要和最有利的贡献是空间数据库的识别、空间数据的分析和图像显示。GIS与决策支持系统的结合时间不长,但是发展较快,应用较广,出现了较多的水资源领域的决策支持系统。如河北平原区域地下水资源决策支持系统,其系统的建立和运营,为区域地下水环境和资源的探查、监测、管理及规划提供了现代化的辅助决策工具。我国在灌区用水管理方面已取得较大成就,在许多灌区中已经开始使用较为先进的科学技术进行科学、高效的用水管理。一些专门为灌区用水管理而设计的管理系统、监控系统应运而生。如陕西洛惠渠的用水管理信息系统、湖南韶山灌区的微机自动监控系统、山西晋祠灌区的灌溉管理数据库系统等,都在灌区管理方面发挥了较大的作用,不同程度地提高了用水管理的科学性、高效性和准确性。但目前的各种应用于灌区的用水管理信息系统都同时存在着这样一个共同的缺陷,即用水数据显示分析不够直观化。用水数据显示分析的自动化、视觉化应该是提高灌区用水管理效率的一条值得尝试的新路子。

地理信息系统作为一种以图形、图像化显示地物的信息系统,能够清晰、准确地将地物的数量、质量、分布特征、相互关系和变化规律等以图形、图像的方式动态地显示出来,以供管理者迅速、准确地了解情况,并可帮助管理者及时地做出正确决定。所以,将GIS技术引入灌区用水管理必将使灌区用水数据的显示更加直观化,极大地提高管理者的工作效率。同时,可使管理者既能通过图形宏观地了解和把握灌区用水的总体情况,又能通过各种快捷查询手段了解各种非图形因素的情况,使管理者可获得的信息量成倍地提高。基于以上原因考虑,GIS技术应用于具有区域性特征的灌区必然有着广阔的前景。

我国正处于由传统农业向现代农业转变的时期，农业科技的总体水平还比较低，基于GIS的灌区管理信息系统的研究，将对我国北方缺水地区农业水资源的科学管理与优化配置提供科学的决策依据。同时此研究对于科学普及、推广节水型的灌溉农业，加快我国节水型社会建设的步伐起到积极的推动作用。同时对提高劳动者素质、推动农业生产发展和实现农业现代化产生一定影响。

本章针对国家“863”项目“北方半干旱地区集雨补灌旱作区农业技术集成与示范”示范区——河南省豫北示范区进行的关于灌区水资源评价与实时灌溉决策支持系统的研究，对于提高灌区尤其是集雨补灌灌区综合灌溉管理水平必将具有重要的应用价值。

4.1.2 主要内容

“基于GIS的灌区信息管理系统”以地理信息系统(GIS)为平台，建立区域水资源信息数据库、作物生理水分信息数据库；适宜北方半干旱地区多种水资源模拟分析、优化配水、优化灌溉等模型库；利用GIS的空间数据管理、空间数据分析、时域数据分析，以及可视化技术，集成前述数据库和模型库，使实时灌溉软件具有更强的实用性。

作为二次开发的地理信息系统应具有以下几个方面的基本功能：

(1)视图功能。具有对图形进行放大、缩小、漫游、全图显示的基本功能，便于操作者对总体布局和局部地物的了解。操作者可以选择地物显示是否带有注记，是否按符号化形式显示，地图符号是否随图放大和缩小，便于操作者对地图的管理和理解。视图功能还包括对影像的加载和卸载功能，实现栅格影像和矢量图形的对比分析，便于矢量图形的局部修改工作。

(2)编辑功能。系统提供对属性数据库的添加、删除、修改等基本功能。对于在控件上显示的图形文件，系统可以实现对其进行点、线、面的符号化添加、移动、删除功能。对于不同地物类，系统可以对其进行不同字体、不同形式的添加注记功能，这里对于添加注记的形式提供单点、确定方向，单点、任意方向，布点、确定方向和布点、任意方向四种形式，能够满足对不同地物进行不同形式注记的要求。编辑功能还提供了对不同地物的点、矩形、圆、多边形和折线选择功能，从而确定了对某一类地物进行操作的范围。

(3)查询和统计分析功能。系统具有对属性数据库的传统查询和分析功能。对于控件上运行的图件，系统可以对其进行查询。

(4)专题图制作功能。专题图的制作功能可以对用水等各种地物情况进行专题图形制作，从而为用水决策等提供参考依据。系统提供的专题图制作形式有分级统计类、柱状符号类、等值图形类、质底色别类、饼状符号类和趋势图形类。对点、线、面状地物都可以选择适合方式进行专题图的制作，为专题图添加图例，选择喜欢的制图风格。制作好的专题图可以保存在图库中，随时调出使用。

(5)输出功能对系统内的属性数据、符合条件的查询结果数据、图形文件、专题图文件等都可以进行输出。系统还提供报表制作功能，报表制作模块与属性数据库相连，操作者可以进行任意形式报表的制作、快捷的数据添加与打印输出。

4.2 基于 GIS 的灌区水资源评价与实时灌溉决策支持系统设计

灌区水资源评价和实时灌溉涉及到地形、地貌、地质构造、水文地质、河流水系、气象气候、植被、水利工程、土壤、作物等诸多因子,反映这些因子及各因子间相互关系的数据量十分庞大,传统的研究方法很难将它们有机地结合起来加以综合研究,水利部门积累的大量资料也得不到充分利用,而宏观总量控制状态的水资源管理已不能适应当前发展的需要。因此,必须借助于计算机等先进技术手段,建立信息管理系统,迅速完成数据计算、处理与传递,对水资源等灌区信息进行系统化、程序化的动态管理,科学合理地解决好水资源的地域间、年际间、年内用水调度以及对取水用户的有效管理,使有限的水资源能够持续利用。

水资源评价与实时灌溉决策支持系统总体结构设计思想为:在对国内外灌区水资源评价与灌溉管理系统开发应用现状和未来发展趋势的综合分析的基础上,采用高起点的系统集成技术,以专业模型、GIS、多媒体等新技术为支撑,设计具有一定通用性、可扩展的、开放式的、便于在不同灌区应用的水资源评价与实时灌溉决策支持系统软件。

4.2.1 系统开发方法与目标

水资源及实时灌溉信息系统的开发是一项涉及面广、工作量大、探索性强的系统工程项目,为取得良好的效果,必须采用信息系统的开发方法来研制系统。目前比较常用的方法有两种,一是生命周期法,二是原型法。

4.2.1.1 生命周期法

生命周期法也称瀑布法、线形顺序模型等,是指在开发过程从一个阶段的输出流向下一阶段的线形的、顺序的方法。整个软件开发过程要经历三个时期五个阶段。三个时期为规划时期、开发时期和运行时期,其中,规划时期包含系统的定义和可行性研究,开发时期包含系统分析、系统设计、详细设计、编码和部分测试,运行时期包含系统维护。五个阶段分别为可行性研究、系统分析、系统设计、系统实施及系统运行维护与评价。

这种方法的最大问题是用户只有在系统几乎全部开发完毕时才能使用。因此,如果用户开始时难以清楚地给出所有要求或开发人员对用户需求的理解稍有偏差,那么对已经成型的系统的任何改动将要付出很大的代价。另一个问题是开发人员常常因为某个阶段发生问题而阻碍其后阶段的正常进行。

4.2.1.2 原型法

原型法是一种由模型驱动的开发模式,动员用户共同参与软件研制的全过程,同时允许开发者和用户不断地进行交互与修改原型系统,以适应系统发展的变化与需要,并使原型逐步逼近所要求的目标,从而以较小的代价、较快的速度生成满足用户需求和目标系统性能进行审定的系统模型或示例。当用户只定义了系统的一般性目标,不能给出详细的输入、输出、反馈等需求时,可以先建立系统的一个初级版本提供给用户试用,经用户反馈,进行改进成第二代、第三代版本,直到系统最终完成。至此,或者以最后的原型为基

础,修改完善成为实际生产运行的系统;或者舍原型重新开发新的系统。原型法具有以下几个特点:

(1)引入了迭代的概念。

(2)自始至终强调用户的参与。

(3)在用户需求分析、系统功能描述以及系统实现方法等方面,允许有较大的灵活性。用户需求可以不十分明确,系统功能描述也可以不完整,对于界面的要求也可以逐步完善。

(4)可以用来评价几种不同的设计方案。

(5)可以用来建立系统的某个部分。

(6)不排斥传统生命周期法中采用的大量行之有效的方法、工具,它是与传统方法互为补充的方法。

其最大优点在于它能够很快完成可操作原型并提供给用户,这样用户会变得更积极主动,容易及时发现问题并判断是否满足需求。其不足表现在两方面:第一,为了使系统尽快地运行起来,系统开发初期往往考虑得不周全,经常采取一些折中的方案,有可能使原型不能成为最终软件产品的一部分,只是一个示例而已;第二,原型法需要大量完备而实用的软件工具的支持,即原型法对工具和环境的依赖性较高。

4.2.1.3 方法的选择

通过对系统开发的生命周期法与原型法两种方法的比较,可以得出这样的结论,即两者各有其优缺点。生命周期瀑布式设计方法开发者较易掌握,但是设计上产生语义断层和不易适应需求变化,即开发者在开发过程中必须对用户需求作精确的定义。然而,用户在系统未定义之前,不能精确地提出完整的需求,因而对开发者来说满足这一要求有一定的难度,同时软件的维护也相当困难,软件的生命周期也大大缩短。原型法是对瀑布式设计方法的直接改进,将需求定义变成在指定模型驱动下逐步精确的动态过程,对适应需求变化和软件的维护都十分有益,但是缺乏形式化的工具,开发过程中的随意性很大,软件的升级和维护对开发者的依赖性很强。因此,取生命周期瀑布法与原型法之长,将两者结合使用进行系统的开发。

4.2.1.4 系统目标

系统经过数据输入、处理和分析后,系统的建立者期望该系统所能解决的主要问题称为系统目标。对于河南豫北示范区水资源评价与实时灌溉决策支持系统而言,要求系统必须具有内容丰富的空间数据库和属性数据库,以及能够处理空间数据和属性数据的模型库。空间信息的更新采用有关的图件或遥感技术,而属性数据的获取主要采用远程访问技术。因此,本系统应是空间数据、属性数据与分析模型耦合构成的综合体。实现灌区水资源信息(包括地表水、地下水、大气降水、水量等)和灌溉信息的动态监测、数据采集、实时传输、信息存储管理,应用GIS技术,以电子地图为背景的查询和在线分析处理等功能;将先进、实用的水量分析模型和人工智能技术无缝集成到系统中,实现对水资源的远程控制和智能管理,并支持灌区日常管理办公自动化。依据河南豫北中心示范区灌区管理现状以及未来社会发展的需要,本系统确定了以下几个设计目标:

(1)存储和处理水利部门所有的资料,以便查询。

(2)经分析后能提供必需的空间信息,为今后水利工程布局提供基础数据。

(3)为决策机构提供丰富的社会经济信息,为水资源的调配提供依据。

(4)对水资源开发利用现状及存在的主要问题以及未来需求量进行评估或预测。

(5)对水资源的开发潜力进行分析计算,为合理开发水资源提供决策依据。

(6)对灌区有限水量进行优化分配计算,通过调整各作物各生育阶段设定的灌水定额、适宜含水量下限值,来实现灌区作物灌溉水量的实时优化分配和在一定的用水规则下的多水源的联合调用。

(7)系统具备较强的定量分析能力,通过模型提供不同方面的辅助决策支持。

4.2.2 系统的组成与构建

4.2.2.1 **系统组成**

系统的组成包括硬件系统、软件系统、数据库和用户4部分。由于水资源评价信息管理系统需要存储和分析大量的空间数据、属性数据和分析模型,因此对计算机系统硬件要求较高,此外,还需配备扫描仪、绘图仪和喷墨打印机等输入输出设备。图形分析处理软件选ArcGIS 9,数据库管理软件采用Visual Basic 6.0。微机版本的ArcGIS 9是目前最好的空间分析软件,可以完成各种空间数据的分析任务,是本系统的核心软件。Visual Basic 6.0是一种应用较好的编程软件,可以方便地进行数据管理以及数学模型模拟等功能,它的数据库存储格式具有良好的兼容性,与ArcGIS 9等地理信息系统软件保持了良好的接口,只要将数据文件与地理信息系统软件处理下的项目数据文件建立关联,就可以很方便地进行项目的一些属性数据的修改、查询。数据库是以一定的组织方式存储在一起的相互关联的数据集合,能以最佳的方式、最小的重复为多种需要服务,只有在数据库支持下,才能充分发挥水资源GIS的空间分析、数据处理、专题制图等诸多功能。用户系统是进行系统组织、管理、维护、数据更新、系统扩充、应用程序开发与系统应用的重要组成因素。

4.2.2.2 **组件式GIS**

组件式GIS是指在GIS工具软件本身之外提供的用来进行二次开发额外的组件。目前这样的组件有两种形式,一种是由可以实现制图与GIS功能的ActiveX控件集和对象库构成的组件式GIS,比如,ESRI公司的MapObjects组件、MapInfo公司的MapX组件。对象库中对象的数量较少,方法和属性有限,ActiveX控件通过属性、事件、方法与应用程序进行交互。可以把ActiveX控件在可视化开发环境中(主要是VB、VC++、Delphi、Java、.NET)快速集成起来构成应用系统。在这样的系统中,ActiveX控件充当应用程序和对象库之间的桥梁,应用程序通过ActiveX控件使用这些对象,可见对象库的大小决定了这些系统功能的强弱。

另一种形式的组件式GIS是向用户提供一个COM组件库和一个ActiveX控件集,用户可以利用这些组件开发出各种GIS功能,并在此基础上构建一个GIS应用系统。

ArcGIS是开放的地理信息处理平台,具有强大的地理数据管理、编辑、显示、分析等功能。ArcObjects是ArcGIS桌面系统ArcInfo的功能核心,并且完全COM化,ArcMap、ArcCatalog和ArcScene这三个应用程序都是由ArcObjects搭建起来的,可见功能之强大。对于需要进行结构定制和功能扩展以及独立程序开发的高级应用来说,ArcObjects具有非常大的吸引力。

4.2.2.2.1 ArcObjects及其结构关系

ArcObjects是ArcGIS的桌面软件的开发平台,由1 000多个组件、几百个具有良好文档说明的接口、几千个方法所组成。从ArcObjects开发帮助中我们可以把ArcObjects划分为3D Analyst Extension、Application Framework、ArcCatalog、ArcMap、ArcMap Editor、Display、Geocoding、Geodatabase、Geometry、IMS、NetWork、OutPut、Raster、Spatial Reference、StreetMap USA Extension等子系统。ArcObjects组件库的每一个组件中定义有不同的类,类下面定义了不同接口,接口中包含不同的属性和方法。ArcObjects组件库的所有类可以分成三种:抽象类(AbstractClass)、普通类(Class)和组件类(CoClass)。

抽象类的主要目的是为它的子类定义公共接口,一个抽象类将把它的部分或全部实现延迟到子类中,一个抽象类不能被实例化;普通类对象虽然不能直接创建,但它可以作为其他类的一个属性或者从其他类的实例化来创建;一个组件类对象可以被直接创建。

在这些类之间的关系有继承、生成、组成、关联4种。继承关系是指普通类或者组件类继承抽象类中的接口(继承了接口,也就继承了接口中的方法、属性),这样,在普通类或者组件类中就可以使用这些接口,继承关系是一种重要的关系,在开发中经常使用;生成关系是指一个类可以生成另外的一个类;组成关系是指一个类由一个类或几个类组成;关联关系只是指两个类之间有某些联系,但是这种联系不是一种确定的具体关系,不同的类之间的这种关联关系解释也不太一样。

4.2.2.2.2 ArcGIS Engine

ArcGIS 9除了把空间处理和3D可视化方面在原有版本上进行了扩展之外,同时推出了ArcGIS家族中两个最新的基于ArcObjects的产品:面向开发的嵌入式ArcGIS Engine和面向企业用户的以“集中式管理,网络为核心,基于服务器”为特点的ArcGIS Server,它们将支持包括UNIX和Linux在内的跨平台的解决方案。ArcGIS Engine基于ArcObjects构建,由一组核心ArcObjects包和一些GIS可视化组件(MapControl、PageLayout、ToolbarControl、ReaderControl、Table of Contents)组成,是对ArcGIS 8.3中ArcObjects的重新封装和集成,提供开发者建立自定GIS及地图制作的应用程式。所有的ArcGIS 9应用程式都能在ArcGIS Engine的架构下执行。任何以ArcGIS为基础建立及部署的GIS解决方案,也都可以在ArcGIS Engine中找到所需的工具。使用ArcGIS Engine,开发者可以将动态地图制作及GIS能力新增至现有应用程式或建立他们自己的独特制图程式。ArcGIS Engine提供所有在ArcGIS应用程式之外的ArcGIS功能,是一组界定良好的跨平台、跨语言物件。

ArcGIS Engine Runtime提供所有ArcGIS应用程式所需的核心功能。ArcGIS Engine应用程式使用者可以执行范围广泛的空间或属性搜寻,检视制作地图及浏览空间功能。标准ArcGIS Engine Runtime还允许使用者编辑基本地图及资料,以及执行GIS分析。使用者可以运用全读-写存取功能(Full Read - Write)将标准ArcGIS Engine Runtime加强为版本化或多人使用的地理资料库,并包括ESRI ArcGIS Spatial Analyst、ArcGIS 3D Analyst及ArcGIS StreetMap USA所具有的特别选项功能。

ArcGIS Engine可提供如下功能:

(1)标准GIS架构。ArcGIS Engine提供一个标准架构来开发GIS应用程式。世界上最热门的 GIS 应用程式(ArcMap 及 ArcCatalog) 都是使用相同的软体物件组建立的。ArcGIS Engine 背后的架构非常完整并且可以延伸,它包括了基础层级几何作业,以及专业地理资料库 GIS 编辑功能。

(2)开发者控管功能。ArcGIS Engine 提供一组通用开发者控管功能,让使用者轻松地就能编写出功能齐全的通用应用程式。ArcGIS Engine 提供的控管项目有 MapControl、PageLayoutControl、ArcReaderControl、TocControl (目录)及 ToolbarControl,并具有数个预建的工具及指令。Engine 控管项目以 ActiveX、Net Assemblies、Visual Java Beans 及 Motif Widgets 传递。

(3)跨平台支援。ArcGIS Engine 以及它所有相关的物件及控制项目都可适用于多种平台。所支援的平台有 MicrosoftWindows (NT 4、2000、XP 及 2003)、Solaris (2.8、2.9)、Linux (Redhat 7.3)、HP-UX (11.11)及 IBM AIX (5.1)。

(4)支持多种开发语言。ArcGIS 支持多种开发语言,包括 COM、. NET、JAVA 及 C++。开发者可以使用多种不同的工具编写物件,诸如整合的 Microsoft Visual Studio 环境,或 UNIX 上的 C++ 程式编辑软件。

(5)开发者资源。ArcGIS Engine 开发者套件提供一套 Help System,它整合支援不同的 API (Java、COM、. NET、、C++),另外还有物件模型图以及程式码样本,帮助开发者编写使用。套件中还包括了数个开发工具及工具软件,配合在 Engine 环境下编写程式。

(6)Optional Runtime 功能。除了提供支持标准 ArcGIS Runtime 的所有物件,ArcGIS Engine 开发者套件还包括额外的元件,可用来升级并建立地理资料库,以及执行 ArcGIS 3D Analyst、ArcGIS Spatial Analys 升级版内的丰富功能。其核心还是在使用 ArcObjects 组件库。ArcGIS Engine 中的对象是与平台无关的,能够在各种编程接口中调用,开发人员能够通过它提供的强大工具方便灵活地构建 GIS 系统,ArcGIS Engine 很好地综合了两种组件式 GIS 的优点,在掌握了 ArcObjects 组件库之后,使用 ArcGIS Engine 开发 GIS 系统相当便捷、快速。

4.2.2.2.3 ArcObjects 的开发方式

(1)利用 ArcGIS 桌面应用程序内置的 VBA 进行客户化。这种客户化只是修改一下 ArcMap 的界面或利用这些桌面软件内置的开发环境 VBA 进行客户化,主要用于让桌面软件完成一些重复性的工作或添加一些扩展的功能,这种开发方式简单、快速,但是不能脱离桌面软件而独立运行。

(2)在 ArcObjects 组件库基础上进一步封装自己的 COM 组件。新建一个 DLL、EXE 或 OCX 工程,引用 ArcObjects 库,定义自己的接口和功能,底层功能的实现仍依赖于 ArcObjects。这种开发方式具有最大的灵活性和重用性,所写的组件既可添加到 ArcGIS 桌面应用中,也可用于独立的应用程序中。

(3)开发独立的 EXE 应用程序。随着 ArcGIS 9 中 ArcGIS Engine 的出现,这种开发方式的使用会有明显的增加,将是以后 ArcObjects 开发的主流。在 VB 中使用这种开发方式的一般过程是新建一个 EXE 工程,引入 ArcObjects 库,然后编写代码完成特定功能。这种开发方式的优点在于:开发人员可以从某个组件库中取出所需的某个组件并快速组装到一起,以构造所需的应用程序,从而加快应用程序的开发。

4.2.2.3 系统构建

水资源评价与实时灌溉决策支持系统的逻辑结构可划分为三个层次：

(1)底层为信息支撑层，为灌区管理决策提供信息支持。主要由水雨情信息、作物信息、气象信息等的各类实时监测信息和历史信息、取用水统计信息等组成的专业数据库系统和与灌区管理决策有关的水文、地理、空间、社会经济等数据库系统。

(2)中间层为系统应用层，为系统提供水资源量供需分析、预测和优化调度手段，主要建立水资源数据管理、模型等功能子系统，在系统信息支撑层支持下独立运行，相互关联，实现水资源的实时监测、规划、管理、配置和决策一体化。

(3)顶层为系统总控层，提供系统的人机交互界面，以灌区电子地图为背景、GIS 为平台工具，直观反映系统各功能模块的内容，为灌区水资源和灌溉信息的查询、统计等提供便捷的方式，并实时动态显示结果。系统逻辑结构见图 4-1。

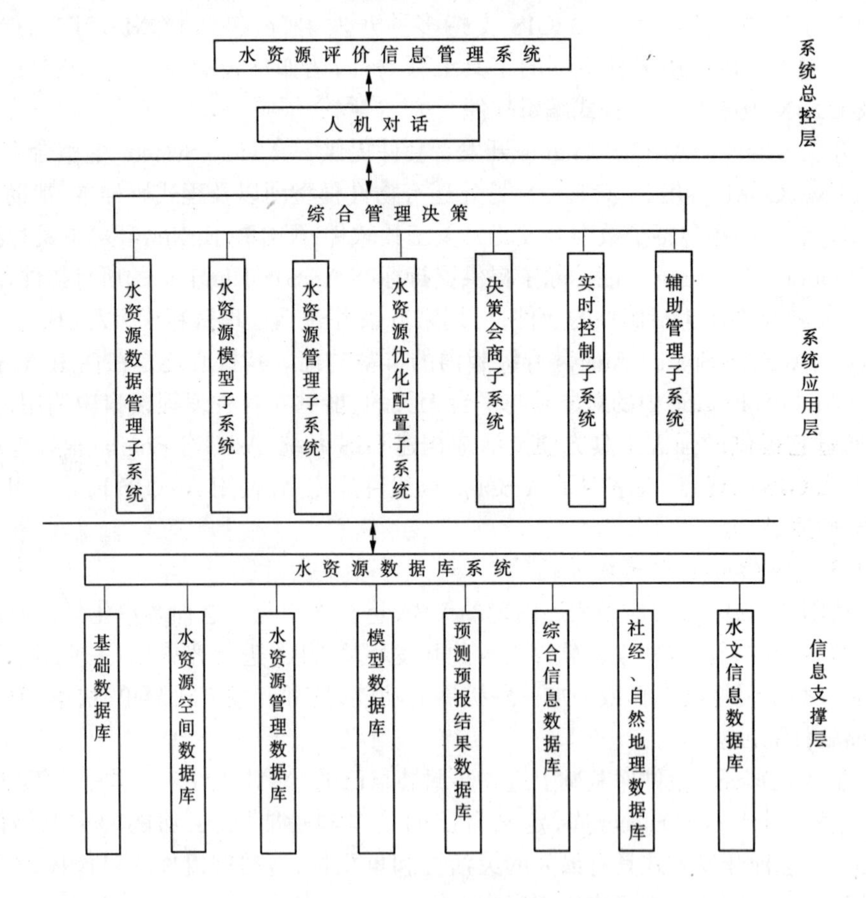

图 4-1 水资源评价信息管理系统逻辑结构图

4.2.3 系统功能设计

(1)水资源数据管理子系统。主要建立信息采集处理和专业数据库管理两个功能模块。完成水资源实时动态监测和监测数据的自动化采集、预处理，以及监测数据可靠性的实时在线分析处理,完成数据的录入、修改和维护。该子系统可提供与各类监测仪器衔接的数据采集接口,通过接口模块动态收集监测数据。

(2)水资源数据计算模型子系统。水资源专业模型是整个系统的核心部分,设计目标是实现准确实时计算、评价和预测水资源量的状况、优化调度等功能。主要建立地表水量模拟预测模型(集流域产汇流、水力学模型于一体)、地下水量模拟预测模型、水资源评价管理模型组成的综合模型系统。模型之间相互关联,构成一个整体专业模型系统。通过软件接口文件或创建 COM 组件形式实现与系统的无缝集成。

(3)水资源管理子系统。系统功能是进行取水许可管理、水资源公报、水资源管理年报、旱情等缺水应急方案、水资源突发事件处理等一系列决策和日常管理工作。主要建立水资源评价、水资源公报、水资源管理年报、取水许可、建设项目水资源论证、需水及用水、缺水应急方案等管理功能模块。

(4)水资源优化配置子系统。系统功能是以水资源优化配置模型为核心,实时水资源监测信息为支撑,各种水源、取水地点和各类用水户的取水体系为研究目标,实现时、空间范围的取水、用水综合体系的水资源优化配置。

(5)决策会商子系统。主要提供水资源管理决策支持的环境,为水资源的优化调度、水资源规划方案制定等重大问题决策行为提供支持,提供各种分析决策所需资料的查询、各种方案和评价方法。

(6)实时控制子系统。系统的功能是将系统综合分析与决策的成果以实时报告和多媒体信号的形式进行动态显示输出,为管理决策部门进行水资源配置和管理提供参考;可将输出指令直接用于可控的自动化水资源控制设备(如供水泵站等),通过远程控制技术对系统管辖流域或区域内的重点给、排水设备及控制工程进行远距离的调节控制。

(7)辅助管理子系统。主要功能是管理、查询水资源专业数据库的综合资料,提供文件的传输和接收等功能。

上述各功能子系统在现代监测技术、通信网络和计算机网络系统支撑下,构成一个综合的信息管理决策系统,为各级水资源管理部门提供实用、先进、可靠的智能管理工具。

4.2.4 数据库设计

信息系统是提供信息、辅助人们对环境进行控制和进行决策的系统。一个信息系统的各个部分能否紧密地结合在一起以及如何结合,关键在数据库。数据库是信息系统的基本且重要的组成部分,它是为了一定目的,以特定的组织形式存储的相互联系的数据集合,把现实世界的事物及其联系抽象而成的信息转换成计算机世界的数据。它把信息系统中大量的数据按一定的模型组织起来,提供存储、维护、检索数据的功能,使信息系统可以方便、及时、准确地从数据库中获得所需的信息。因此,只有对数据库进行合理的逻辑设计和有效的物理设计才能开发出完善而高效的信息系统。数据库设计就是将现实世界中一定范围内存在着的数据抽象成数据库的具体结构的过程。具体地说,数据库设计是指对于一个给定的应用环境,构造最优的数据库模式,建立数据库及其应用系统,使之能有效地存储数据,满足各种用户的应用需求。

数据库的设计一般主要包括三个部分,即概念设计、逻辑设计以及物理设计。概念设计的目标是产生反映用户需求的数据库概念模型,它是现实世界到信息世界的抽象,具有独立于具体的数据库实现的优点,因此是用户和数据库设计人员之间交流的语言。当完成数据库的概念设计后,就要进行数据库的逻辑设计。逻辑设计的任务是把信息世界中的概念模型,利用数据库管理系统所提供的工具,映射为计算机世界中为数据库管理系统所支持的数据模型,并用数据描述语言表达出来,内容包括具体关系分析、确定数据模型、确定文件组织方式等。物理设计的任务是将数据库的逻辑模型在实际的物理存储设备上加以实现,从而建立一个具有较好性能的物理数据库,这时,所需做的是,确定所有数据库文件的名称及其含字段的名称、类型和宽度,以及确定各数据库文件需要建立的索引,在物理上组织数据,以便使它符合软件的语法规则和数据结构。数据的物理表示可以分为两类:数值数据和字符数据。对于随机应用的数据则以直接方式或索引方法较好,同时用指针链接法建立数据间的联系。

本系统的数据既与空间位置密切相关,又有大量的文本属性数据,涉及到大量的专题图件。为了对这些数据进行有效地管理,本系统采用空间数据和属性数据分别存储管理的策略进行系统数据的存储,即建立空间数据库与属性数据库。

4.2.4.1 空间数据库的设计

空间数据是用来表征地球表面具有一定特征的物体、自然现象及其分布的,除具有一般通用数据库中常见的数字、字符表示的数值和名称的非几何属性数据外,还必须管理具有空间定位和拓扑关系的地理空间特征数据。空间数据结构是地理实体的空间排列方式和相互关系的抽象描述,它是一种用计算机进行存储、管理和进行各种操作的地学图形的逻辑结构和图形数据格式。空间数据结构一般可分为两大类:矢量结构和栅格结构。两类结构都可用来描述地理实体的点、线、面三种基本类型。

栅格数据结构与矢量数据结构相比较,栅格数据结构表达的地理要素比较直观,数据结构简单,容易实现多元数据的叠合操作,便于与遥感图像及扫描输入数据相匹配使用,主要用于表达不连续的实体,但栅格数据难以表达拓扑关系,数据存储量大,精度低,出图质量差,容易造成数据冗余;而矢量数据结构是以坐标形式进行存储的,因此可以精确地表达连续的实体,并可减少数据的冗余,数据存储量小。另一方面,矢量数据结构提供了有效的拓扑编码,因而可有效地表达空间实体的空间位置关系,图形输出美观,但这种数据结构较复杂,叠加操作没有栅格有效,不能像数字图像那样做增强处理。

因此,综合考虑上述两种数据格式的优缺点,本系统中空间数据结构采用了矢量结构形式进行存储。

系统空间数据库的设计考虑到数据的一致性、冗余度、便于管理等问题,采用层的概念来组织和管理数据,将数据按照地图要素的不同将其划分为不同的图层,一个图层就是一个含有图形对象的数据库表,显示时叠置在同一界面上,给人以一张地图的感觉。每一层由单一的要素或性质相似的要素组成,所有要素均按点、线、面要素分层,如行政层、河流层、道路层、植被层、土地利用状况层等,各层信息严格按数据分类编码体系规范化分类编码。

根据空间数据的现有数据源和实际使用情况,结合示范区具体情况,将本系统中的基础空间数据分为以下几个图层,见表 4-1。

表 4-1　空间数据分层

<table>
<tr><th>图层</th><th>要素类型</th><th>代表地物</th><th>图层</th><th>要素类型</th><th>代表地物</th></tr>
<tr><td>田块</td><td>面状</td><td>田块</td><td>道路</td><td>线状</td><td>田间道路</td></tr>
<tr><td rowspan="2">灌溉边界线</td><td rowspan="2">线状</td><td rowspan="2">示范区灌溉边界线</td><td>地名</td><td>点状</td><td>居民点(村庄)</td></tr>
<tr><td>水窖、水井、水池</td><td>点状</td><td>水窖、水井、水池</td></tr>
<tr><td>地形</td><td>线状</td><td>等高线</td><td>供水管道</td><td>线状</td><td>供水管等</td></tr>
<tr><td rowspan="2">水系</td><td>线状</td><td>河流</td><td rowspan="2">土壤类型</td><td rowspan="2">面状</td><td rowspan="2">土壤种类</td></tr>
<tr><td>面状</td><td>湖泊、水库</td></tr>
</table>

4.2.4.2　属性数据库设计

数据库结构主要有三种:层次数据库结构、网状数据库结构和关系数据库结构。而关系数据库结构是最重要的数据库结构,许多数据库管理系统基本上都支持关系数据库结构,它以数据表的形式组织数据,便于数据的查询检索与更新,因此选择关系数据库结构进行属性数据库设计。

属性数据库是指与空间位置没有直接关系的代表特定地理意义的数据,既可以是独立于专题地图的社会经济统计数据,也可以是与专题地图相关表示地物类别、数量、等级的字符串或数字。此外,系统量算得到的面积、长度等指标也作为属性数据管理。

本系统的属性信息包括图形中各实体的属性数据和社会经济统计数据两种,采用关系型数据库来管理属性数据。它采用表的方式进行数据组织,各种数据表都存在一个数据库文件中,便于文件的管理。图形属性信息分层存储,即图斑属性信息对应于相应的图斑层,线状地物属性信息对应于相应的线状地物层,图形信息与属性信息通过指定的关键字段来建立关联关系。按照空间数据库中数据管理的形式和特点,图形的属性字段如表 4-2～表 4-10所示。

表 4-2　部分图层对应的属性列表

图层	属　性　字　段
地形	高程
水系	长度或面积、名称、等级、流量等
供水管道	长度、管径、控制面积、所控制水窖的编号
水窖	容积、控制面积、灌溉作物名称、结构形式、材料等
水井	深度、出水量、控制灌溉面积等
…	…

表 4-3　灌区情况数据表结构

字段名	字段类型	字段长度	小数位数
FeatureId	整型	4	
灌区名称	字符型	8	
灌区面积	浮点型	8	2
人口	整型	8	
农业产值	浮点型	8	2
工副业产值	浮点型	8	2
农业人均收入	浮点型	6	2
人均总收入	浮点型	8	2
灌区描述	字符型	50	

表 4-4　作物数据表结构

字段名	字段类型	字段长度	小数位数
名称	字符型	8	
单位产量	浮点型	8	2
种植面积	浮点型	8	2
作物价格	浮点型	4	2

表 4-5　水窖数据表结构

字段名	字段类型	字段长度	小数位数
FeatureId	整型	4	
编号	整型	2	
体积	浮点型	8	2
深度	整型	4	
集流面积	浮点型	8	2
结构形式	字符型	40	
灌溉控制面积	浮点型	5	3
投入使用时间	日期/时间		
设计使用年限	浮点型	5	1

表 4-6 田块数据表结构

字段名	字段类型	字段长度	小数位数
FeatureId	整型	4	
名称	字符型	8	
面积	浮点型	8	2
作物类型	字符型	8	
土壤类型	字符型	8	

表 4-7 道路数据表结构

字段名	字段类型	字段长度	小数位数
FeatureId	整型	4	
名称	字符型	20	
长度	浮点型	8	2
宽度	浮点型	4	1
道路类型	字符型	10	

表 4-8 水井数据表结构

字段名	字段类型	字段长度	小数位数
FeatureId	整型	4	
名称	字符型	20	
深度	整型	4	
类型	字符型	20	
所在位置	字符型	20	
井径	浮点型	4	2
地下水类型	字符型	10	
出水量	整型	2	
灌溉面积	浮点型	4	1
修建日期	日期/时间		

表 4-9　水池数据表结构

字段名	字段类型	字段长度	小数位数
FeatureId	整型	4	
编号	整型	2	
体积	浮点型	8	2
深度	整型	4	
修建日期	日期/时间		
结构形式	字符型	20	
投入使用时间	日期/时间		
所在位置	字符型	20	
设计使用年限	浮点型	5	1

表 4-10　供水管道数据表结构

字段名	字段类型	字段长度	小数位数
FeatureId	整型	4	
编号	整型	2	
长度	浮点型	5	2
管径	整型	3	
管材	字符型	20	
控制水窖数	整型	2	
控制面积	浮点型	3	1
埋深	浮点型	3	2
使用年限	日期/时间		

4.2.4.3　空间数据库与属性数据库的连接

本系统中,由于空间数据和属性数据分别存储于不同的数据库中,需要将它们以一定的方式关联起来,使每一幅基本图形都对应着一个属性数据文件,用以完成对图层地理要素的属性描述。通过指定的关键字段来关联,使空间数据与属性数据建立一一对应关系,实现空间数据与属性数据双向查询检索。在本系统中用惟一的标示一个图形实体的 FeatureId 号来建立这种关联,如图 4-2 所示。

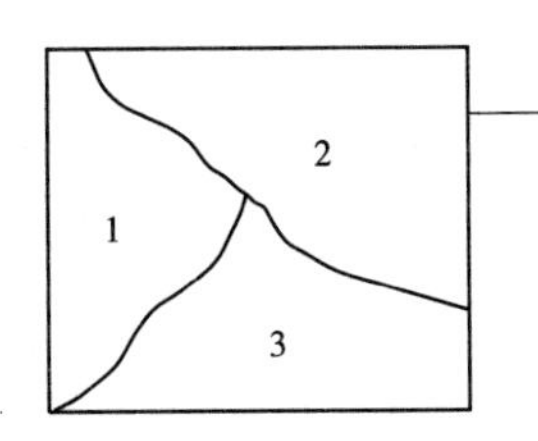

FeatureId	面积（亩）	土壤厚度(cm)	土壤类型	……
1	120.10	10	褐土	……
2	183.45	50	潮土	……
3	198.19	25	水稻土	……

图 4-2　空间数据与属性数据的连接

4.3　基于GIS的灌区水资源评价与实时灌溉决策支持系统软件开发

4.3.1　系统基本结构及特点介绍

决策支持系统是利用数据库、人机交互进行多模型的有机结合，辅助决策者实现科学决策的总和集成系统。决策支持系统一般至少包括三个部分，即数据库子系统、模型子系统、用户界面子系统。

数据库子系统即MIS管理信息子系统，是由人、计算机结合的对管理信息进行收集、传递、加工、维护和使用的系统，它的最大优点是能对大量的数据进行有效的管理和数据处理。

模型子系统即模型辅助决策系统。模型是对客观规律的一般描述，种类很多，这里主要是指信息处理模型，它的表达方式为数学表达式、计算机程序等。通过专家学者在探索事物的变化规律中抽象出它们的数学模型，再由数值计算者提出算法，用计算机语言编制程序并执行，得出计算结果，即为辅助信息。这就是模型辅助决策过程，如图4-3所示。

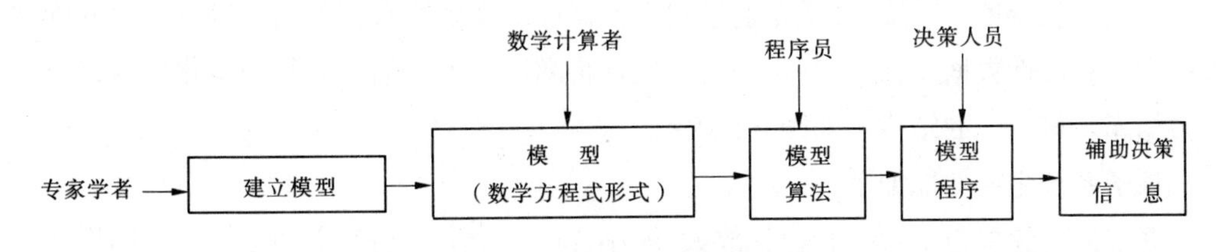

图 4-3　模型辅助决策过程

决策支持系统在MIS管理信息系统的基础上，增加模型辅助决策系统，即增加模型库和模型库管理系统，并建立模型库和数据库之间的联系。结构如图4-4所示。

人机交互系统是决策支持系统中的三大部分之一。作为决策支持系统的人机交互系统，既包括一定意义下的人机交互系统，还包括将模型库部件、数据库部件组合成系统的系统集成功能。一个人机交互的计算机系统，要能很好地实现计算机与用户之间的人机交互，通常必须考虑三个要素：人的因素、交互设备及实现人机对话的软件。其中人的

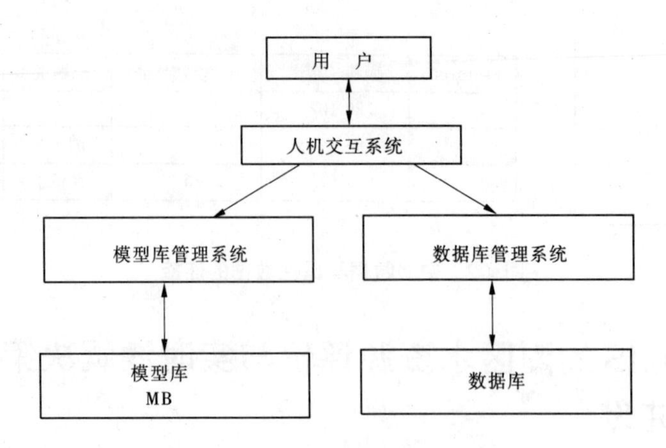

图 4-4 决策支持系统结构图

因素指的是用户操作模型,交互设备是计算机系统的物质基础,软件则是展示各种交互功能的核心。

灌区的信息管理涉及到灌区的各个方面,需要很大的信息量,引入 GIS 后不但增强了灌区信息管理的可视化程度,而且有利于对灌区总体信息的宏观把握,以及获得信息的便捷性。灌区水资源的优化配置也是一个复杂的问题。为了快速灵活地向决策者提供有用的信息和可供选择的利用方案,对不同决策结果进行定量分析评价,需要根据灌区具体情况,充分利用近年来迅速发展的计算机和信息处理技术等,开发建立一个实用的、能对灌区信息管理及灌区水资源的优化配置起指导作用的决策支持系统,以实现北方半干旱地区雨水资源的开发利用和地区社会经济的可持续发展。

以下分别介绍两个子系统,然后再将两个模块综合,集成整个决策支持系统。

4.3.2 灌区信息管理子系统

灌区信息管理子系统,主要是通过建立数据库对灌区所有相关信息进行有效的管理。数据库建立属性数据库,同时利用矢量化软件将灌区地图扫描后进行矢量化处理,建立图形数据库。该系统的结构图如图 4-5 所示。

该子系统主要功能如下:

系统的主菜单包括:视图(包括放大、缩小、漫游、全屏、查看、空间选择等);图层(包括增加图层、删除当前图层、删除所有图层以及图例编辑等);数据维护(包括数据表结构、创建表、数据添加、数据删除以及数据修改)。

4.3.2.1 空间数据管理功能

空间数据的管理主要包括地图文件的打开与保存、图层的显示与编辑等。

(1)地图文件的打开。本系统可以打开多种类型的矢量文件格式,最主要的文件格式是 Shape 文件,还可打开 Coverage 文件、Autocad 格式和影像格式文件等。用户可以通过添加图层按钮来实现地图文件的打开和添加。该按钮的程序如下:

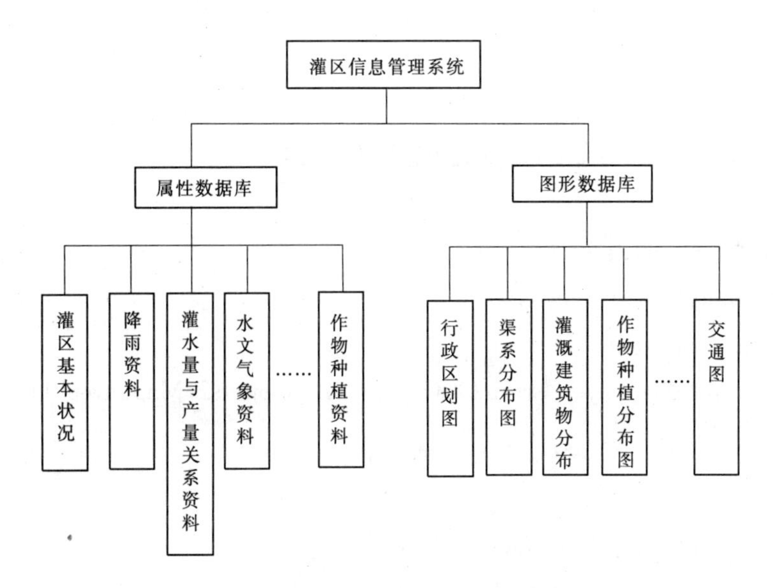

图 4-5 灌区信息管理子系统结构图

```
procedure Tmainfrm.SpeedButton2Click(Sender: TObject);
var
    gs          : IMoGeoDataset;
    dc          : IMoDataConnection;
    name,fname : string;
    imap: _dmap;
    intf:idispatch;
    loadit:wordbool;
begin
    OpenDialog1.Execute;
    if length(OpenDialog1.filename) =0 then exit;
    dc := IMoDataConnection(CreateOleObject('MapObjects2.DataConnection'));
    name :=opendialog1.filename;
    fname :=extractfiledir(name);//文件所在的路径
    dc.database :=fname;
    if not dc.connect then exit;

while pos('\',name)>0 do
    begin
      delete(name,1,1);//删除'\'
```

```
    end;

    while pos('.',name)>0 do
    delete(name,pos('.',name),4);//删除文件后缀名

    gs := dc.FindGeoDataset(name);
    //if varisempty(gs) then exit;
    if gs=NIL then exit;
    g_layer := IMoMapLayer(CreateOleObject('MapObjects2.MapLayer'));
    g_layer.GeoDataset := gs;

    if g_layer.shapeType = moPolygon then
    begin
      IMoSymbol(g_layer.Symbol).Color := moLightYellow; //8454143;
    end
    else
    begin
      if g_layer.shapeType = moLine then
      IMoSymbol(g_layer.Symbol).Color := moDarkGreen //16384;
      else
      IMoSymbol(g_layer.Symbol).Color := moRed ;//0xFF;
    end;
    map1.Layers.Add(g_layer);
    map2.Layers.Add(g_layer);

    imap:=map1.controlinterface;
    intf:=imap as idispatch;
    legend1.setmapsource(intf);
    loadit:=true;
    legend1.loadlegend(loadit);
    legend1.showalllegend;
end;
```

(2)地图的显示。可以通过主工具条的放大、缩小、漫游、全屏实现地图的相应操作。这些功能是利用DELPHI语言使用MO的相应的方法属性进行编程实现的。地图放大、缩小以及全屏可以通过设置地图控件属性Extent来实现，而漫游则通过Pan方法进行。例如，对于地图的放大功能，使用以下代码可进行放大：

```
map1.MousePointer:=mozoomin;
```

(3)空间查询。当程序运行时，主窗体上自动将所有的图层加载上。利用主窗体上的空间数据查询按钮可以切换空间数据查询窗体。在该窗体中首先在要求输入图层的复选框中选择所要查询的图层名称，然后在下面的输入框中输入所要查询的物体名称，则所要查询的地物会自动闪烁并且图形会放大并将所查询的地物显示在窗体的中央。

(4)地物属性值的显示。当查询到我们所要查找的地物后我们需要的是有关该地物的有关属性值。要显示地物的属性值可以通过点击按钮来实现。

(5)图层显示的控制。在主窗体的左边有一个legend控件，通过程序语言将该控件与地图显示控件联系起来。当图层加载后该控件自动显示该图层的名称，并且在名称的左边有一个方框，通过点击方框可以控制图层的显示。当方框打对号时该图层显示，否则不显示。

4.3.2.2 属性数据管理

属性数据的管理除了包括一般数据库的基本功能如数据表的创建，字段的添加与修改，数据的输入、修改、添加与删除，数据的显示、查询与统计以及报表的打印，还包括与空间数据有关联的属性数据所具有的特性，即图形属性数据的双向查询。

(1)属性数据的修改、添加及删除。在属性数据库数据的管理中数据的修改、添加或删除可以通过控件Dbnavigator来实现。

(2)数据的查询。数据查询包括属性数据间的查询以及空间数据与属性数据的双向查询。前者是一般的数据库中都具备的功能，后者需要通过编制程序来实现。

4.3.3 灌区水资源评价子系统

灌区水资源评价子系统，是在对灌区水资源情况进行调查和综合分析的基础上，以灌区基础地理空间信息为骨架，以水资源专题信息为核心，以ArcGIS 9为信息系统平台，以水资源综合分析评价为目标的一套专题地理信息的管理查询系统。其特点是不但具有水资源以及和水资源相关的环境背景的基础信息，更有对水资源综合分析评价的方法和成果，并以可视化的形式表现出来，生动、直观。

该子系统的建立分为两个部分：

(1)基础地理空间信息和水资源专题信息空间图形库及属性库的构建建立(即信息数字化，包括地图数据和相关属性数据的输入)。

(2)系统应用软件的设计与实现(建立用户的水资源信息及其综合评价查询系统)。

子系统开发平台为ArcGIS 9，开发工具为VB、AO控件和ArcGIS Engine控件。

子系统开发的具体内容有：

(1)实现水资源相关基础地理信息的数字化，建立灌区基础地理信息数据库(1∶2 000)。

(2)实现对水资源信息的整理、组织,建立水资源专题信息数据库。同时对具有空间特征的水资源信息创建空间特性。

(3)建立灌区与水资源相关的地理信息数据图形库和属性数据库。

(4)实现灌区基本地理数据、水资源专题数据的集成。实现对各种信息的管理、查询检索、信息提取和显示功能。

(5)水资源评价结果的显示。

涉及的信息内容包括基础地理信息、水文基础资料信息、地表水资源信息、地下水资源信息、水资源利用状况的中间成果和结论。功能模块主要含有地理基础信息管理和查询、水资源数据库、水资源信息查询、图形显示、评价成果等。

4.3.4 灌区优化灌溉子系统

4.3.4.1 子系统软件运行流程

灌区实时优化灌溉子系统软件流程如图 4-6 所示。

整个流程图主要分为两大部分:作物间水量优化分配和同一作物不同生育阶段之间的水量优化分配,所谓的实时优化灌溉主要体现在同一作物不同生育阶段之间的水量优化分配。现对两部分编程思路分别作一介绍。

作物间水量的优化分配是在可用于灌溉的总水量已知的情况下,利用动态规划以经济效益最大化为目标,根据示范区实际情况建立约束条件,进行优化过程求解。在求解过程中要实现经济效益最大化就要用到灌水量与灌溉效益之间的关系,该函数关系求解过程为:首先根据灌水量与作物产量试验资料求解不同灌水量下的灌溉效益,再根据灌水量和相应的灌溉效益这两组数据,利用最小二乘法求解该函数的系数(灌水量与灌溉效益之间的函数关系也采用二次抛物线形式)。

作物不同生育阶段之间的优化分配是整个程序的核心,实时优化灌溉也在本部分得到体现。在进行作物间的水量优化分配后根据作物所分得的水量,同时根据不同年份具体的降雨过程以及灌区气象资料利用修正彭曼公式进行作物的灌溉制度设计。在单一作物灌溉制度设计过程中根据水量平衡计算公式,由前一天的土壤水含量、腾发量、降雨量、灌水量以及由于计划湿润层增加而增加的水量计算下一天土壤水含量。当下一天的土壤水含量小于土壤水含量的最低下限的时候就要进行灌溉。如果计算出下一天需要灌溉,这时候就需要判断下一天是否有降雨并判断下一天的降雨量是否大于下一天的腾发量。如果下一天的降雨量大于下一天的腾发量则下一天就不再进行灌溉,否则要根据 3 天之内的降雨情况调整灌水量。例如根据第 I 天的土壤水含量、腾发量、降雨量、灌水量以及由于计划湿润层增加而增加的水量计算出第 $I+1$ 天土壤水含量小于该生育期内所允许的土壤水含量的下限需要灌水量为 M,则判断第 $I+1$ 天的降雨量是否大于第 $I+1$ 天的腾发量,如果第 $I+1$ 天的降雨量大于第 $I+1$ 天的腾发量,则第 I 天不进行灌溉。否则根据第 $I+2$、第 $I+3$ 天的实际降雨情况调整第 I 天的灌水量。调整过程如下:如果第 $I+2$与第 $I+3$ 天共有降雨量 $P_1+P_2=P$,若 P 小于M,则第 I 天的灌水量调整为$M-P$;若 P 大于M 且第$I+2$ 天的降雨量 P_1 大于该天的腾发量,则第 I 天的灌水量调整为第$I+1$ 天的腾发量;若 P 大于M 且第$I+2$ 天的降雨量 P_1 小于该天的腾发量,则第 I 天

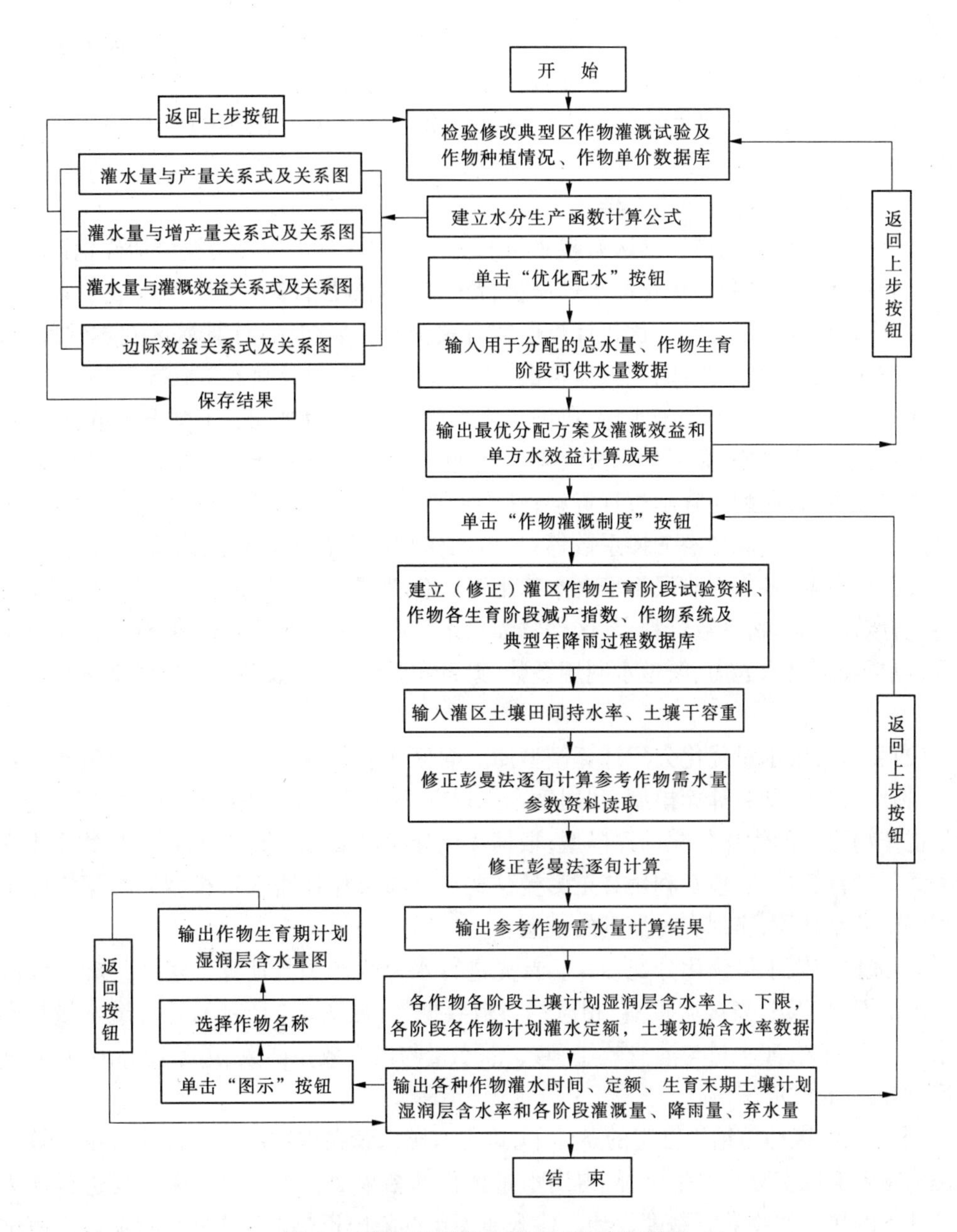

图 4-6　灌区实时优化灌溉子系统流程图

的灌水量调整为第 $I+1$ 天与第 $I+2$ 天的腾发量之和。如果根据第 I 天的土壤水含量、腾发量、降雨量、灌水量以及由于计划湿润层增加而增加的水量计算出第 $I+1$ 天土壤水含量大于该生育期内所允许的土壤水含量的上限，此时计算排水量的时候土壤含水量的上限按田间持水率计算。另外需要指出的是，在利用修正彭曼公式进行作物腾发量的计算时作了以下处理：气象资料是采用每旬的平均气象资料，也就是认为一旬内每天的参考作物腾发量是相同的；同时认为参考作物在某一生育阶段内每天的腾发量都等于该生育阶段中间那一天的腾发量。

由于水窖和水池里面的水量会随着降雨发生相应的变化,因此在进行地表水与地下水的联合调用的时候也是根据实际降雨情况实时优化调度的。

而制定灌溉制度时灌水的作物需水量及土壤计划湿润层下限值选取,均按非充分供水条件进行设计。

4.3.4.2　**子系统功能及特点介绍**

该部分用优化理论进行灌区有限水量的优化分配计算。主要功能包括优化计算所需灌溉试验资料输入和利用优化配水模型进行水量优化分配计算。

(1)优化计算所需资料。优化计算所需有关资料主要包括:计算灌区基本情况,包括灌区类型、控制面积、灌溉面积、人口情况、工农业产值情况、社会经济状况等;灌区的水源情况(一定频率年多年平均来水量、典型年来水过程)、地下水情况;土壤干容重、田间持水率、当地的灌溉水价格;灌区的水文气象资料,包括用于修正彭曼法计算参考作物需水量的气象参数资料、典型年降雨过程资料;作物种植情况,包括作物种植数目、种类、复种指数,包括各作物的灌溉效益分摊系数等;种植的作物各生育阶段灌溉试验资料、包括各生育阶段起始日期、各生育阶段土壤含水率上下限值情况、各生育阶段减产指数资料、各作物各生育阶段的作物系数资料;灌区作物灌水量与产量关系的试验资料;灌区的水利工程情况,包括渠道过水能力、渠道水利用系数、渠系布置情况,以及各渠控制灌溉的作物情况等。

(2)灌区有限水量优化分配计算模型库。灌区实时优化灌溉子系统的模型库主要包括:作物水分生产函数计算模型;利用动态规划方法进行的在种植结构一定条件下的有限水量在作物之间的优化分配计算模型;根据优化分配水量的结果,进行单一作物全生育期的灌溉制度计算模型(包括利用修正彭曼公式计算参考作物需水量模型);根据实际来水过程调整灌水计划,实现实时灌溉的模型。

(3)灌区有限水量优化分配计算。首先进行水分生产函数计算。建立(修改)灌区作物种植情况,以及灌溉试验资料、相应的参数数据库(如图 4-7 所示),计算灌水量与产量的水分生产函数、灌水量与灌溉效益函数、灌水量与增产效益函数、边际效益函数,并展示图形,如图 4-8 所示。

然后在灌区种植结构已定的条件下,进行有限水量在作物之间的优化分配计算。根据提示输入灌区实际来水量情况,得出水量优化的结果及相关参数结果。再进行优化水量条件下的单一作物灌溉制度设计。输入典型年的降雨资料以及作物生育阶段灌溉试验资料(如图 4-9 所示),根据提示输入土壤干容重、田间持水率、用彭曼公式计算参考作物需水量所需逐旬气象资料、各作物各生育阶段含水率上限值与下限值、影响作物耗水土壤水最低下限值、各作物生育阶段设定的灌水定额情况等资料,即可得出单一作物全生育期灌溉制度预测结果,包括作物全生育期的灌水时间、灌水量、弃水量、灌溉水资源的种类和作物实际产量与充分灌溉时的产量比值。

以初步设计灌溉方案为基础,采用模拟技术,从各作物计划湿润层土壤含水率变化图(图 4-10)可以看出整个变化过程,确定修正指标,通过数次设计方案的修正即可获得实际产量与充分灌溉时产量比值最高的结果。若实际降雨过程发生了变化,也可对供水

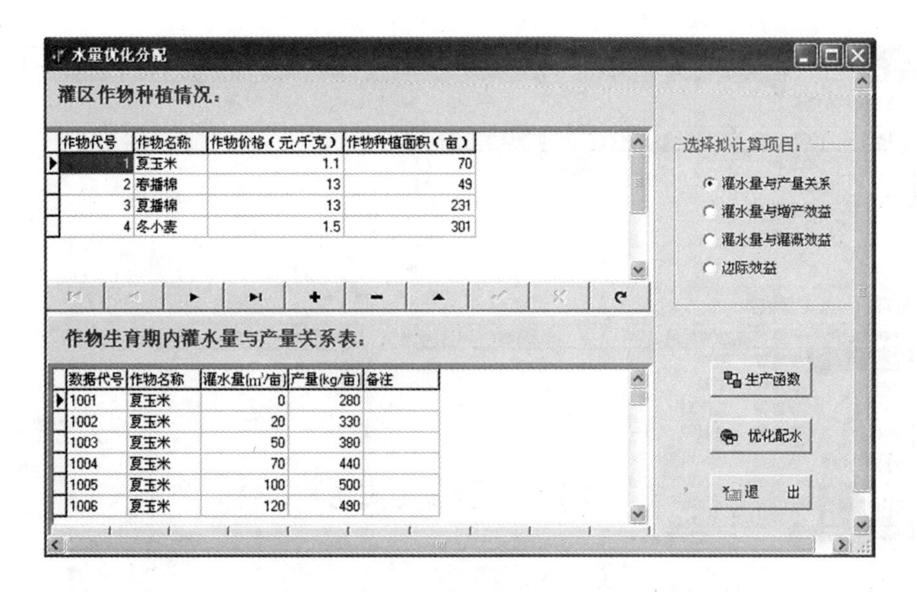

图 4-7　水分生产函数计算资料输入

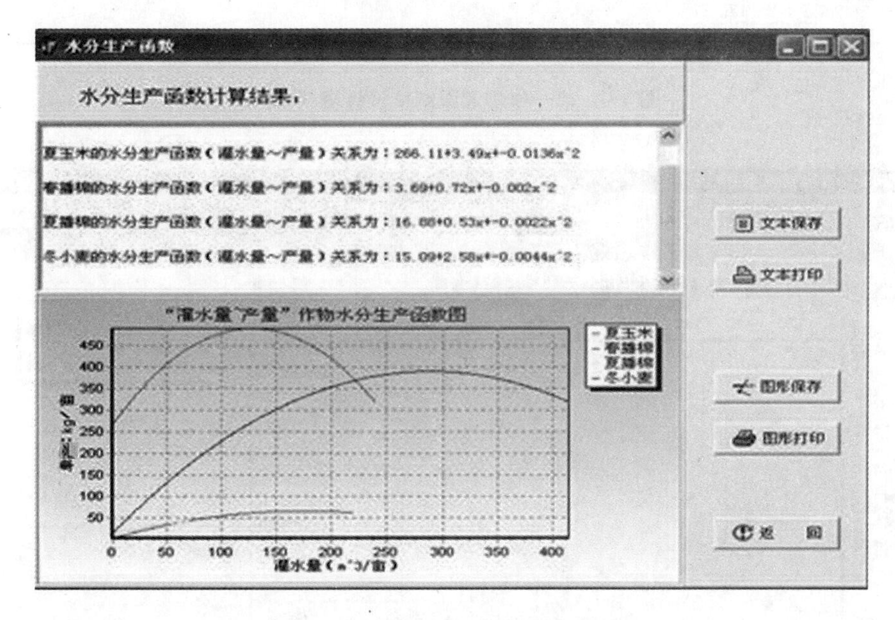

图 4-8　各作物水分生产函数计算结果

过程和最低含水率上、下限进行实时修正，以期获得更高的作物产量。

4.3.4.3　子系统特点

实现了用修正彭曼法逐旬计算参考作物需水量，通过调整各作物各生育阶段设定的灌水定额、适宜含水量上下限值，来进行灌区作物灌溉水量的实时优化分配，同时实现了在一定的用水规则下的多水源的联合调用。

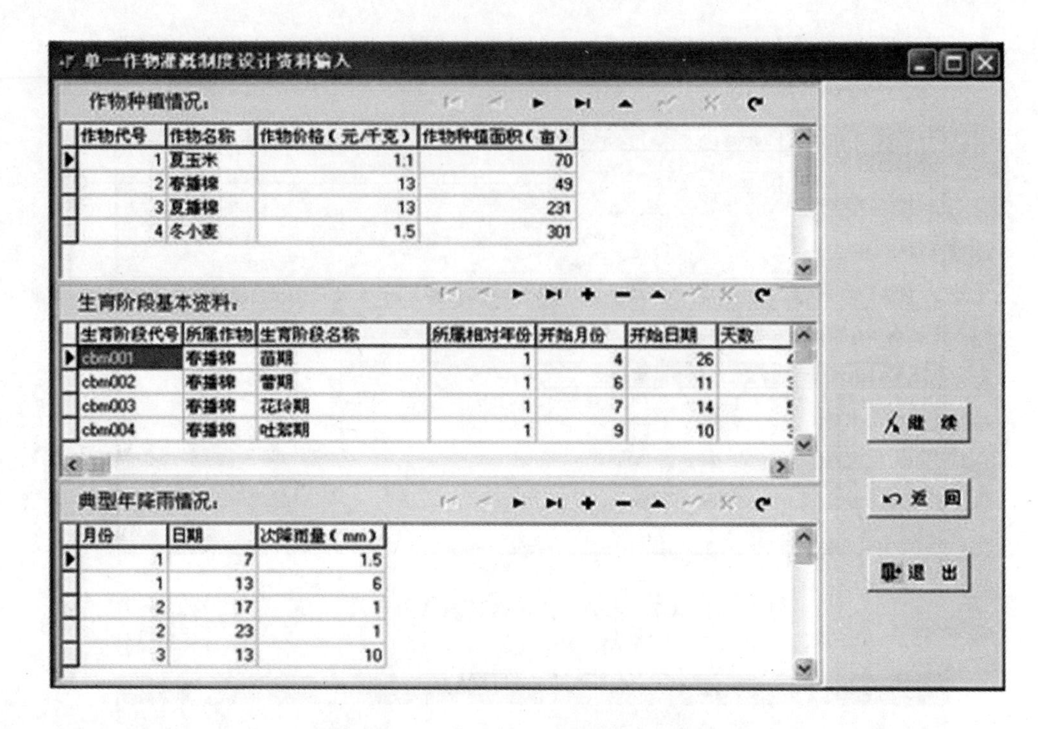

图 4-9　单一作物灌溉制度设计资料输入

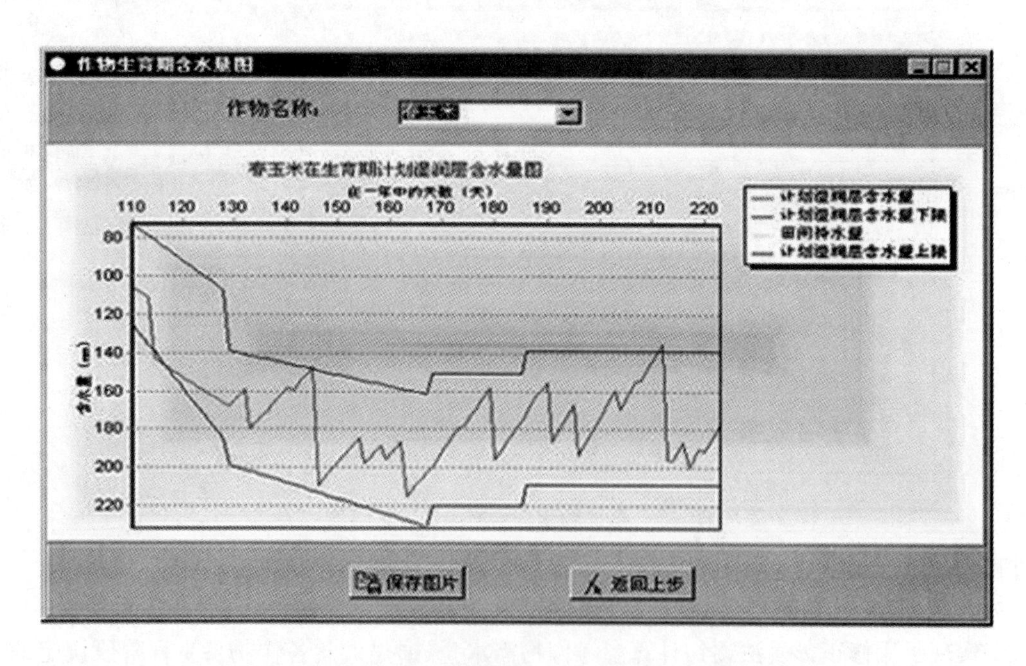

图 4-10　作物计划湿润层土壤含水率变化图

4.3.5　灌区信息管理及实时灌溉决策支持子系统

综合前述对两个子系统的分别研制，最后合成整个决策支持子系统。

4.3.5.1 系统编译及运行特点

灌区信息管理及实时灌溉决策支持系统软件为人机交互式系统,由基础资料库模块、应用模型库模块、制图制表和数据及文档处理模块构成。本着先进实用的开发原则,为避免低水平重复开发,考虑到 Windows 系统的卓越性能和广泛的应用前景,系统的开发环境及运行环境以中文 Windows 为开发平台,满足了本系统开发中对图形及文字的要求。系统软件采用 Borland Delphi 7.0 系统开发软件进行编制,软件的数据库采用 Paradox 7.0 数据库格式设计数据库。程序经相应的编译系统后形成可执行文件,脱离任何编译环境单独运行。

4.3.5.2 系统结构特点

灌区信息管理及实时灌溉决策支持系统,由人机交互界面、数据库系统和模型库系统三部分组成。其总体结构见图 4-11。

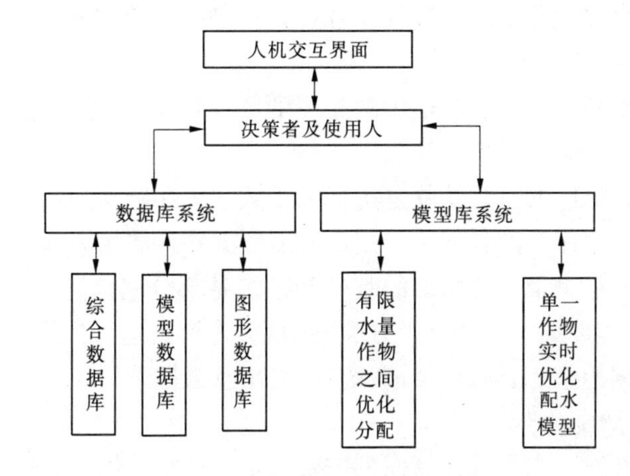

图 4-11 灌区信息管理及实时灌溉决策支持子系统总体结构图

4.3.5.2.1 人机交互界面

人机交互界面是用户与系统对话的工具,是决策者参与决策的媒介。它包括面向用户的系统菜单及辅助说明的显示,可从键盘或鼠标器接受并标识用户发出的指令,并启用相应程序完成指定任务。

人机交互界面采用条形菜单、多级下拉菜单以及操作提示行的屏幕显示,控制系统各部分的调用。菜单是交互式用户界面执行各种功能的一种基本形式,专为用户操作显示功能的选择项。在其最上端为主菜单(一级菜单),在主菜单各项中又包含了各种功能,这些功能称为二级菜单,二级菜单又包含了三级子菜单。选择各菜单功能时,可以使用鼠标、方向键、回车键(Enter)或 Esc 键取消。菜单设计力求层次清晰、显示醒目、使用灵活。

4.3.5.2.2 数据库系统

(1)数据库系统开发。数据库系统的开发目标是对决策支持系统数据库中的各类数据进行有效管理,包括:①利用计算机对各类数据(综合数据或模型数据)进行存储、查询、校核、汇总、统计和制表,提高数据检索和处理的效率及准确性,保证数据的可靠性;②有效支持模型库中各类模型的运行,存储模型计算结果。

(2)数据库系统类型分析。数据库系统的管理对象是整个系统所涉及到的数据，具有涉及面广、结构不一、类型复杂、数据量大等特征，本系统数据库从整体上可划分为三大部分：①综合数据库，存放各类基础性数据；②模型数据库，存放直接为模型库中各类模型提供支持的输入文件及模型运行结果；③图形数据库，主要存放系统的各类图形资料。

灌区综合数据，包括各个试算灌区的基础数据，包括：灌区面积、作物种植情况、灌区社会经济情况、灌区人口信息等灌区的基本资料数据；各种节水灌溉模式咨询资料数据库。

模型系统专用数据，分为模型系统输入数据及模型计算结果数据。模型系统输入数据部分由综合数据根据模型的需要，经过处理转变为模型所需的各类数据文件，部分是通过人机对话的方式动态录入的，以满足数据模型运行的需要。模型计算结果也输送到数据库中存储并可被调用处理，主要包括系统中所有进行灌区水量优化分配所需的一些基本资料、系统进行水量优化分配计算过程中各计算模型在计算过程中的部分有用数据资料和最终计算结果数据资料等。

图形数据，主要包括按用户要求输出的相应的图形信息，使信息输出更加直观形象。还有系统本身的图形数据资料。

(3)功能分析。数据库的总体功能是进行大量数据的存储，并通过快速检索对取出文件进行多种操作，为模型库中的各种模型提供所需数据并存储相应结果。

数据库管理系统，是决策支持系统的基础和系统各部分间信息的中转站。其主要功能是向决策者提供基本数据(包括图形)方面的信息，为模型运行提供数据支持并存储模型计算结果，进行数据的录入、编辑、查询、统计、输出及数据维护等。

4.3.5.2.3 模型库系统

(1)模型库系统开发。本系统计算模型主要就是灌区水量优化分配系统的计算模型，该系统的计算模型已分别在前面章节作了介绍，在此不再叙述。

(2)模型库管理系统。模型库管理系统，是决策支持系统进行决策计算的支持平台。其主要功能是根据用户要求调用计算模型，进行系统决策计算，向决策者提供计算结果，并对模型计算进行数据存储、资料调用等。

4.3.5.3 系统功能

灌区信息管理及实时灌溉决策支持子系统，以向决策者提供辅助决策信息为基本功能，具有较强的定性及定量分析能力，能够满足灌区信息管理以及灌区水资源优化分配的一般要求。

(1)人机交互功能。系统具备快速响应决策者和用户发出的指令并执行相应任务等功能，以辅助决策者较好地处理和解决决策过程中的问题，同时实现对系统各部分的控制和调用。

(2)信息支持功能。系统具备数据的录入、编辑、查询、统计、输出等功能，同时能对模型库中各种模型的运行提供支持。

(3)模型辅助决策功能。系统具备较强的定量分析能力，通过模型提供不同方面的辅助决策支持。如对系统的各种运行规则和优化配水资料进行分析评价，提供各水量实时优化分配等信息,回答决策者关心的有关问题。

能根据决策者的输入信息,针对特定灌区情况,根据要求,进行灌区的有限水量在作物之间分配、单一作物实时优化灌溉制度及渠系配水的计算、输出等。

4.3.5.4 整体系统研究成果

整个决策支持系统与以往相关软件相比有很多改进和创新的地方,两个子系统具体功能实现方面的一些成果已在前面分别作了叙述,下面重点论述两个子系统共同的以及系统整体的一些成果特点。

进行系统整体用户界面友好性的处理,在程序中适当采用右键快捷菜单功能进行部分功能的快捷实现,采用文本提示等形式对程序的操作或功能进行提示。

程序的容错性和系统性的改善。系统数据库更趋完善——元知识、计算成果及计算过程的一些阶段性数据成果的存储、调用、多方式的展示等,运用人机对话系统、结果自动汇总和统计分析等手段,采用制图制表、文本展示、报表预览等多种形式,使结果展示多样化和直观化。在将同类数据(或图表、文本)重复存入数据库时,系统自动检验数据库中是否存在旧数据(或旧图表、旧文本),询问是否覆盖原有数据,并根据用户选择作出提示。

某些菜单的动态创建。两个子系统都有一些针对具体试算区的数据信息的查看,即针对正在进行系统计算的灌区,当系统计算出具体结果时,会动态创建有关菜单,通过该菜单项进行结果查看,而如果还未通过系统计算产生结果,则不会产生该菜单项。

建立了完善的帮助系统。针对整个决策支持系统以及各个子模块制作了完善的帮助系统,通过帮助系统可以了解整个系统的结构、功能特点以及使用说明等。

4.3.6 决策支持系统使用说明

4.3.6.1 灌区水资源评价子系统

4.3.6.1.1 子系统界面

运行"灌区水资源评价信息管理系统.exe",出现系统进入画面(见图4-12),输入用户资料后,登录即可进入系统主画面。

图4-12 系统进入画面

在系统的主界面中(图4-13)可以看到系统的主菜单组成:"文件"、"视图"、"空间操作"、"工具"、"应用模型"、"水资源调查信息统计表"、"评价结果"和"帮助"。

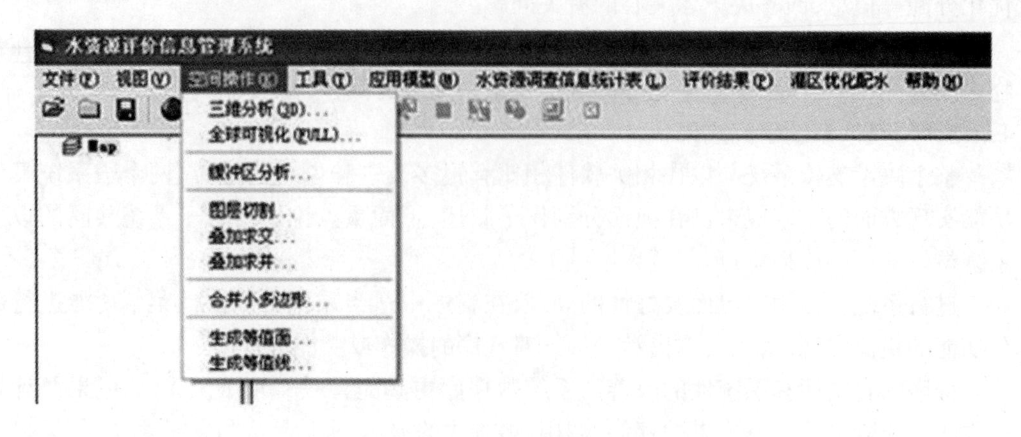

图 4-13　系统主界面(部分)

4.3.6.1.2　工具栏各项功能

工具栏针对地图数据实现操作功能和地图元素的属性查询功能,如图 4-14 所示。每个工具条按钮上都配备有一定的信息提示,用户将鼠标移动到按钮上即可知道此按钮的功能。

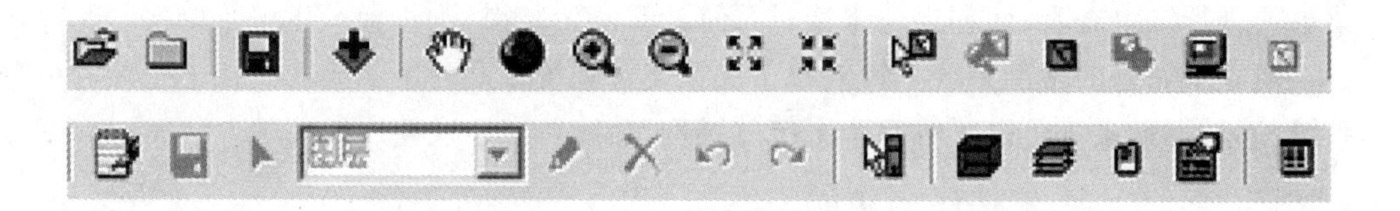

图 4-14　系统工具条

(1)地图的显示。本系统可以打开多种矢量文件格式,主要文件格式为 Shape 文件,还可以打开地图文档等。有打开 、关闭 、加载图层 等相应按钮实现打开关闭图层功能。

可以通过工具条上按钮漫游 、全景显示 、放大 、缩小 、固定放大 、固定缩小 来实现对地图的相应操作。

(2)地图编辑。系统能够对打开的地图进行编辑修改,首先点击启动编辑 按钮,进入地图编辑状态,选择编辑图层 等高线 ,就可通过编辑要素 、画要素 、删除要素 等按钮对所选图层进行编辑修改。

(3)空间选择。针对窗口中地图的某一个图层,可利用选择要素 按钮,以点击或画矩形框的形式选择一个或多个地图元素,并通过放大所选要素 按钮放大察看所选要素,根据图形选择 按钮可以对地图中所画的任意图形选择要素,清除选择 可以取消选择的要素。

(4)属性数据显示查询。单击显示属性按钮,可以显示出地图中相应要素的属性信息,如图 4-15 所示,也可通过空间关系选择要素按钮或通过属性选择要素按钮选择空间要素,然后点击显示选择要素的属性 按钮,可以查询其属性信息,如图 4-16、图 4-17、图 4-18 所示。

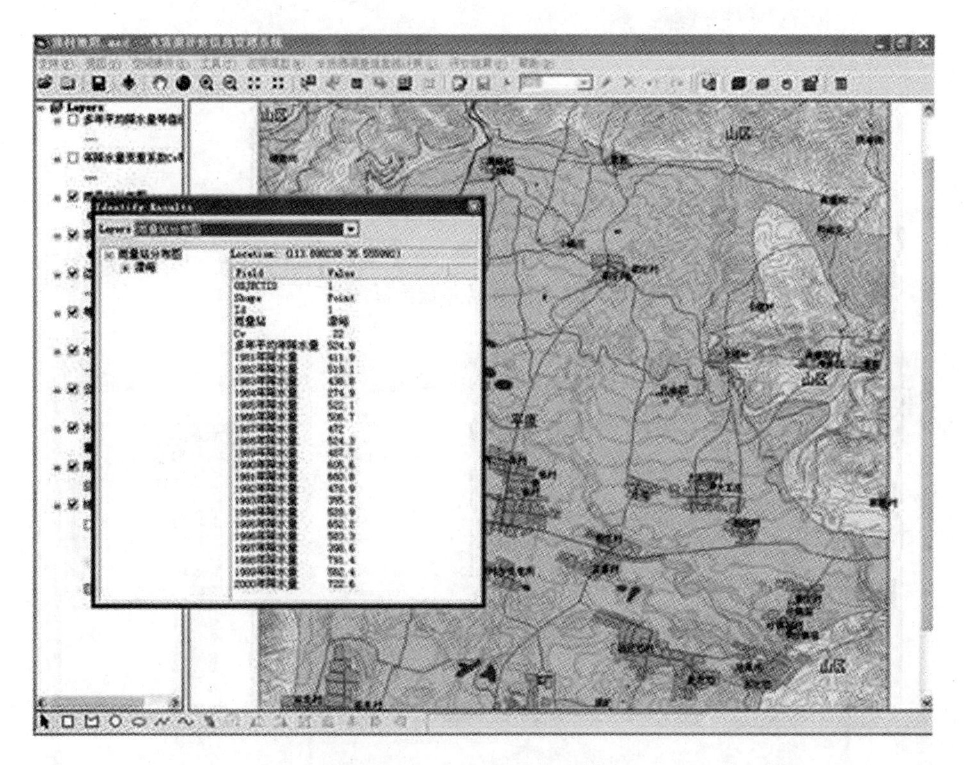

图 4-15 单击要素显示其属性

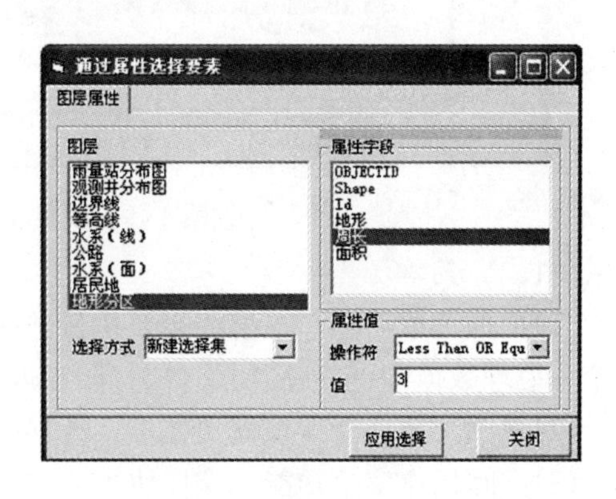

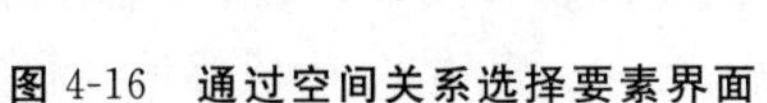

图 4-16 通过空间关系选择要素界面

图 4-17 通过属性选择要素界面

单独点击属性表按钮,可以查询图层属性,如图 4-19 所示。

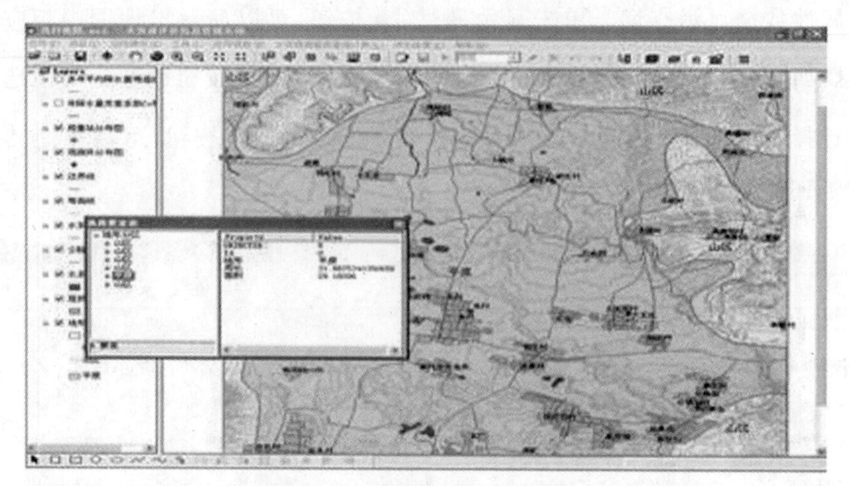

图 4-18　选择要素并查询其属性

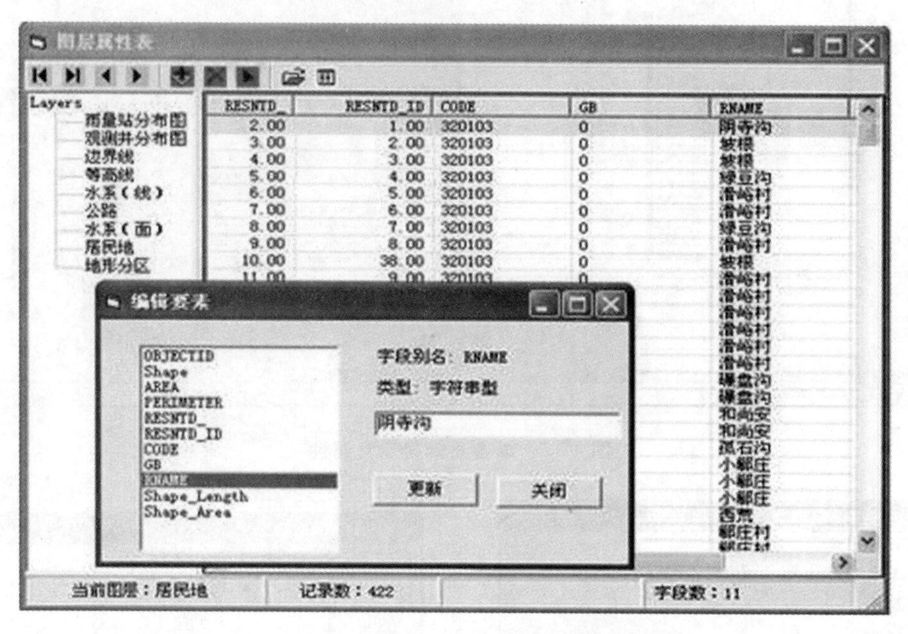

图 4-19　图层属性信息查询界面

4.3.6.1.3　菜单功能

(1)文件菜单功能。该模块主要执行地图文件的创建修改(包括打开、新建要素类、创建个人地理数据库、创建图层文件、打印和退出)。

(2)视图菜单功能。该模块提供系统视图的显示功能(包括鹰眼图)。

(3)空间操作菜单功能。该模块主要实现地图的空间操作功能(包括三维分析、全球可视化、缓冲区分析、图层切割、叠加求交、叠加求并、合并小多边形、生成等值线和生成栅格如图 4-20、图 4-21、图 4-22 所示)。

(4)工具菜单功能。该模块主要实现图层的管理和数据的导入导出功能(包括图层管理如图 4-23 所示、元数据的数据导入/导出)。

图 4-20　三维分析图

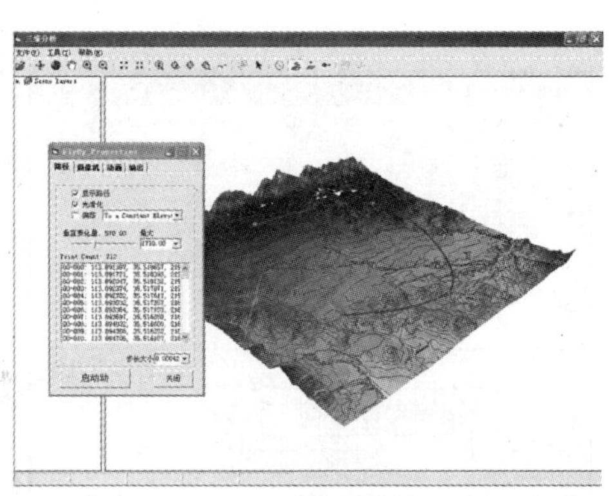

图 4-21　三维动态演示

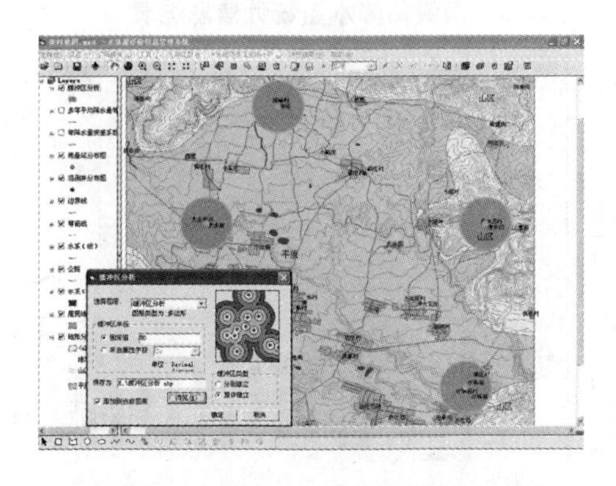

图 4-22　缓冲区分析

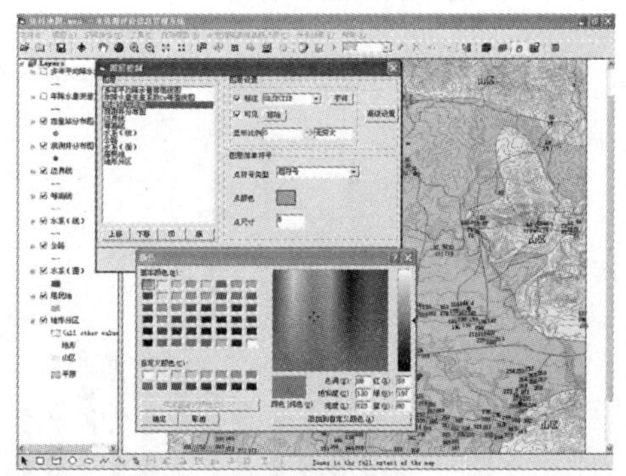

图 4-23　图层管理

(5)应用模型菜单功能。该模块主要为水资源评价的计算模型(包括灰色 Verhustm 模型预测生活需水量如图 4-24 所示、偏最小二乘回归模型预测地下水位)。

(6)水资源调查信息统计表菜单功能。该模块主要显示水资源的调查评价信息,并以图形直观显示出来(各雨量站的观测资料、观测井的水位、全区的蒸发量、干旱指数等的统计图表,如图 4-25、图 4-26、图 4-27、图 4-29 所示)。

(7)水资源评价成果菜单功能。该模块主要显示本次水资源评价的成果(包括地表水资源降水量、蒸发量、径流量评价,地下水资源量,水资源总量和可利用量及用水现状等,地形分区以及根据统计结果绘制同步期年等值线图等,如图 4-29、图 4-30 所示)。

(8)帮助。打开帮助文件。

以上为本系统的基本使用功能,由于时间问题,特别是基本数据的缺乏,使本软件尚不完善,还需要不断丰富改进。

4.3.6.2　灌区实时灌溉子系统

灌区实时灌溉子系统主界面如图 4-31 所示,通过主界面的各菜单项实现系统操作。并且在主界面还设有与系统主要功能相应的快捷工具栏,可以通过快捷工具栏进行相关功能操作。可以通过快捷工具栏按钮的标题或鼠标停顿片刻出现的提示文本了解具体按钮的功能。

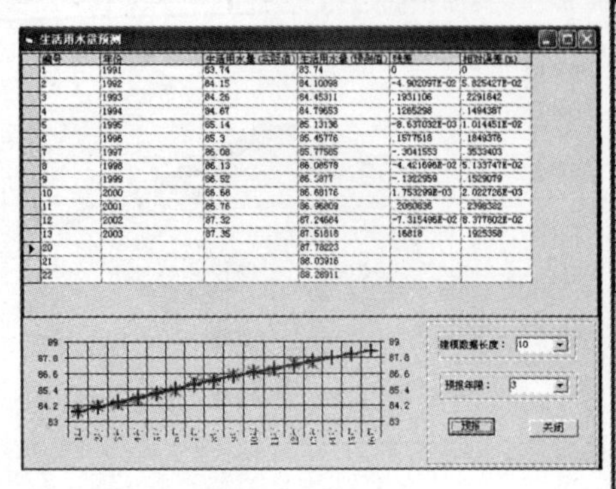

图 4-24　应用模型库

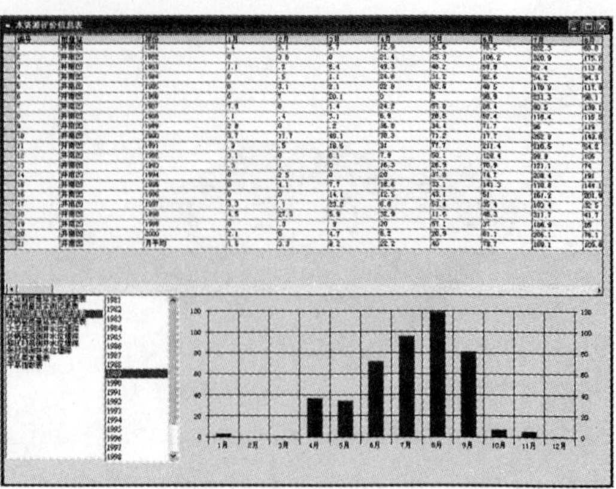

图 4-25　雨量站降水量统计信息图表

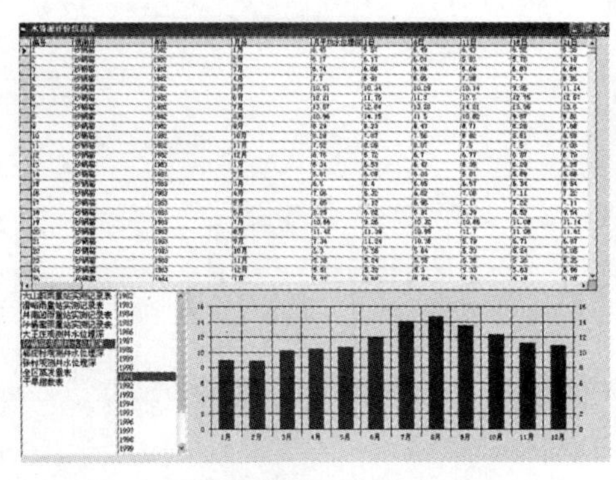

图 4-26　观测井水位统计信息图表

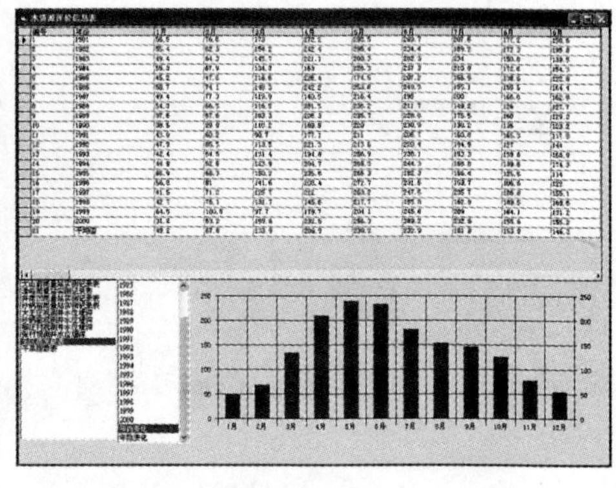

图 4-27　全区蒸发量统计信息图表

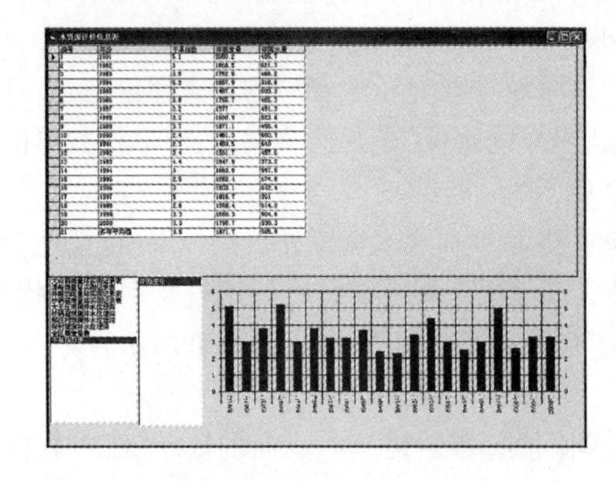

图 4-28　干旱指数图表

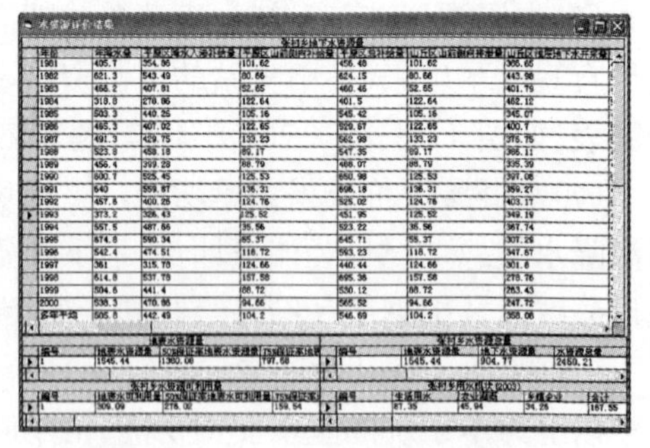

图 4-29　水资源评价结果

介绍子系统:通过〖系统维护〗|〖系统介绍〗菜单项可以了解整个决策支持系统的整体情况,包括系统组成、系统功能、系统实现等各项内容的介绍。

进行系统维护:〖系统维护〗菜单项可以选择拟进行优选计算灌区及进行灌区管理。

子系统个性设置:〖系统个性设置〗菜单项可以对系统的主界面风格根据个人喜好进

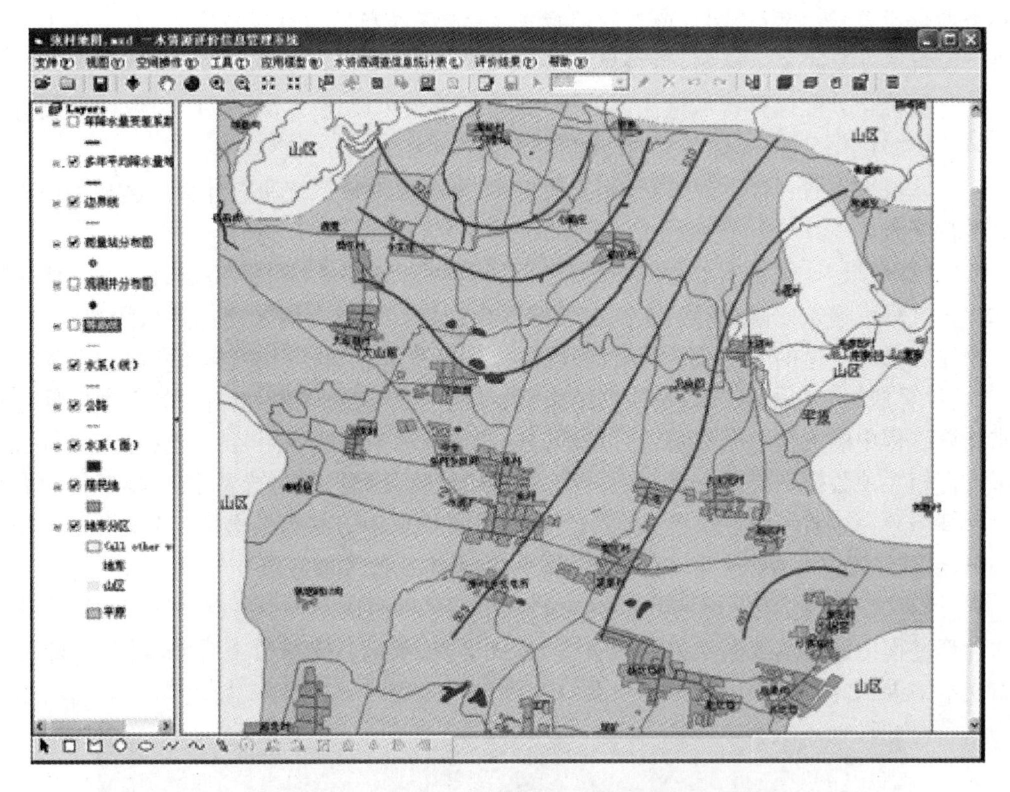

图 4-30　1981～2000 年同步期年降水量均值等值线图

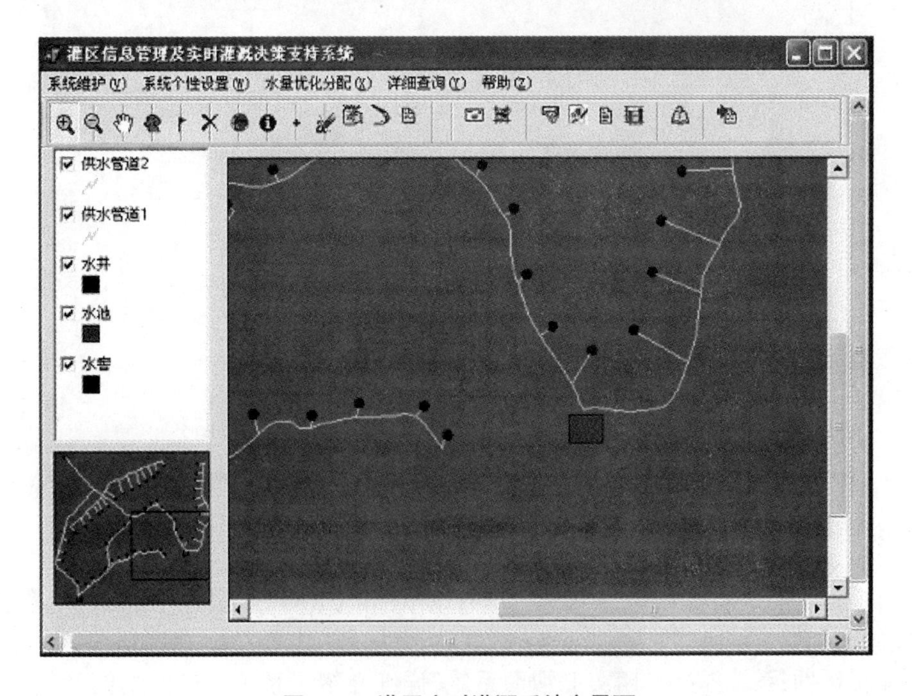

图 4-31　灌区实时灌溉系统主界面

行个性化设置,改变背景图片或者取消背景图片、背景音乐的播放与停止、对快捷工具栏进行设置——是否显示标题、是否显示工具栏。

水量优化分配计算:〖水量优化分配〗下子菜单项可以进行水分生产函数计算及有限水量的实时优化分配,具体计算过程见前述相关内容。

计算成果查看:〖计算成果〗|〖相关信息〗菜单项可对该系统所有计算灌区相关输入信息进行查看。

〖计算成果〗|〖优化配水〗|〖基础资料〗菜单项可以对该系统中所有已计算灌区优化配水计算过程中输入或修改的基本作物资料进行查看。主要有灌区作物种植情况数据、各作物灌水量—产量的灌溉试验资料、灌区各作物生育阶段基本资料、典型年降雨资料等。

〖计算成果〗|〖优化配水〗|〖数据结果〗菜单项可以对该系统中所有已计算灌区优化配水计算过程中的一些数据资料进行查看。选择拟查看资料的灌区名称,选择查看项目,即可进行相关项数据资料的查看,主要包括各作物优化分配水量的结果、逐旬参考作物需水量计算结果、总水量、当地水价、土壤干容重、田间持水率等基本参数值,各作物的灌溉效益分摊系数、不灌水单产、播前含水率与田间持水率比值等参数值。

〖计算成果〗|〖优化配水〗|〖文本结果〗菜单项可以对该系统中所有已计算灌区优化配水计算过程中的文本数据结果进行查看,如图 4-32 所示。选择拟查看文本标题,即可查看文本结果,如图 4-33、图 4-34 所示。

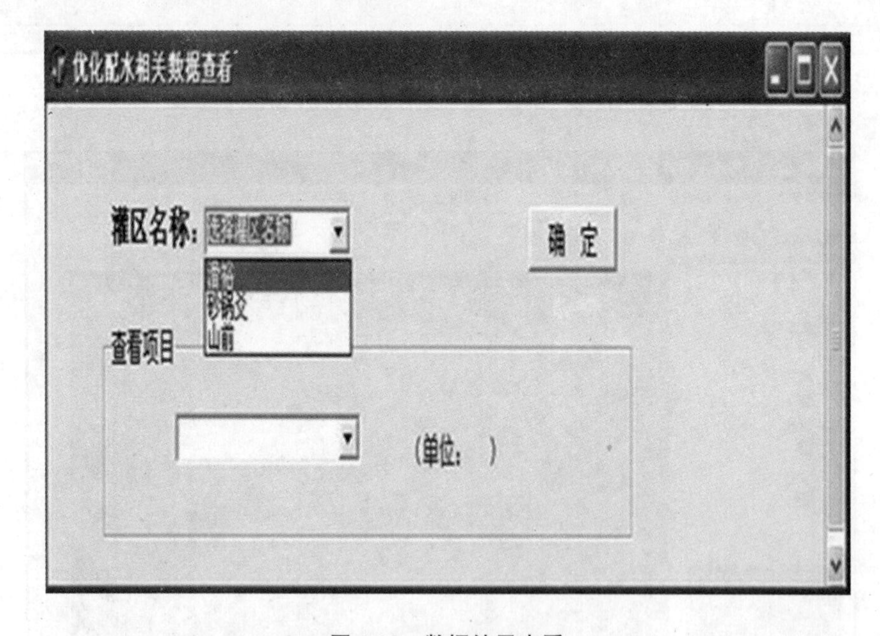

图 4-32 数据结果查看

〖计算成果〗|〖图形数据〗菜单项可以对该系统中图形数据库中所有的图形资料进行查看,如图 4-35 所示。

系统帮助:系统提供了翔实的帮助系统,详细介绍了整个系统的功能及使用方法。可通过〖帮助〗|〖内容〗菜单项进行系统帮助查看。

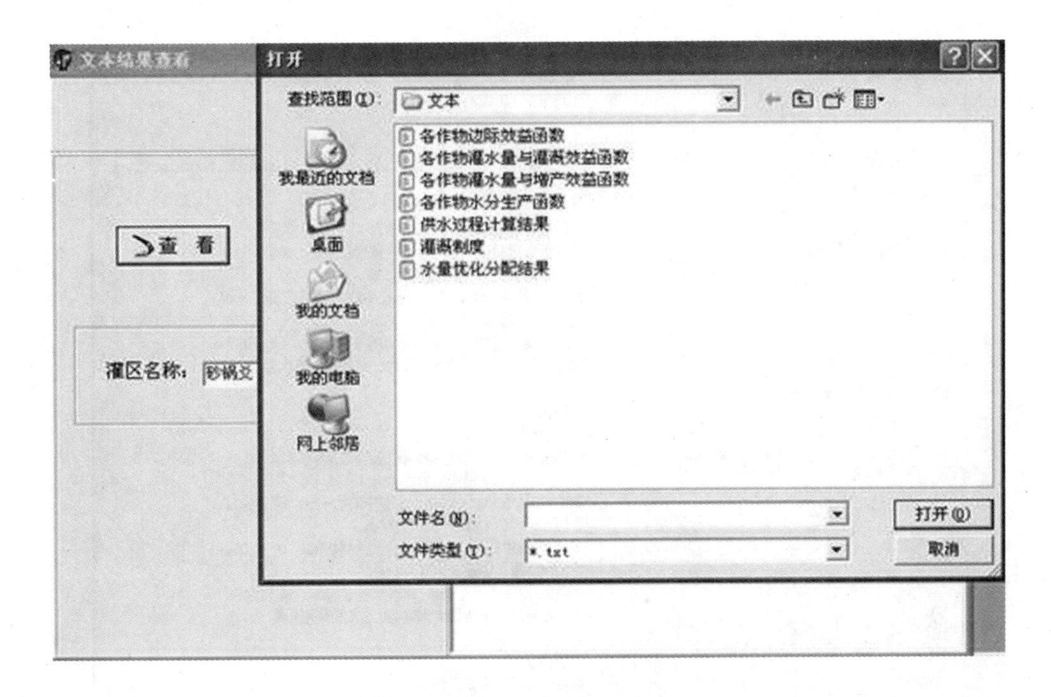

图 4-33　选择查看文本数据

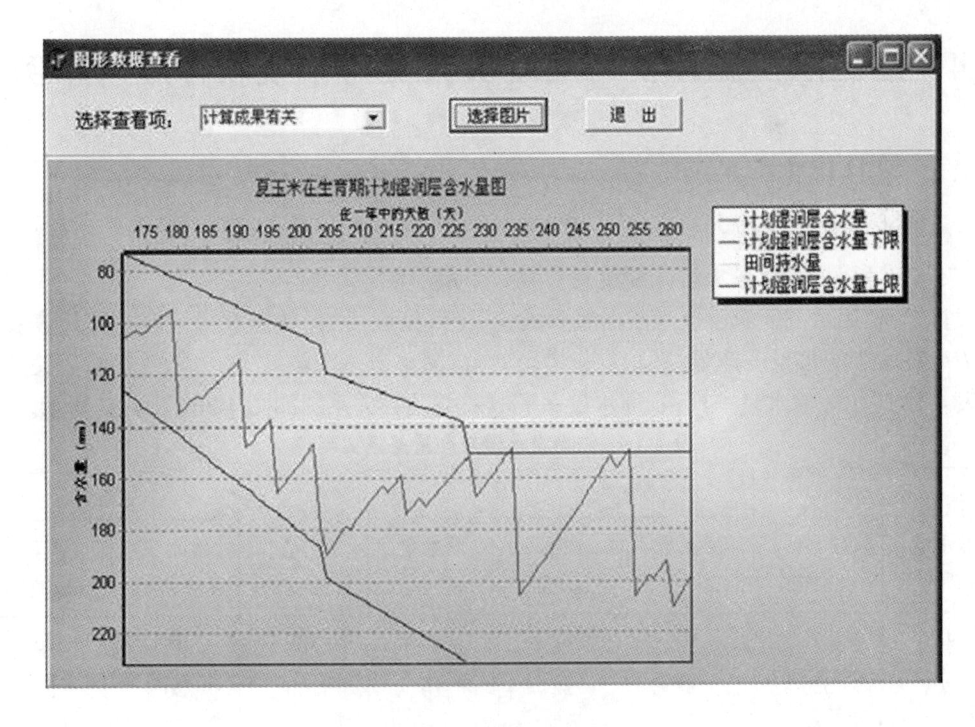

图 4-34　图形资料查看

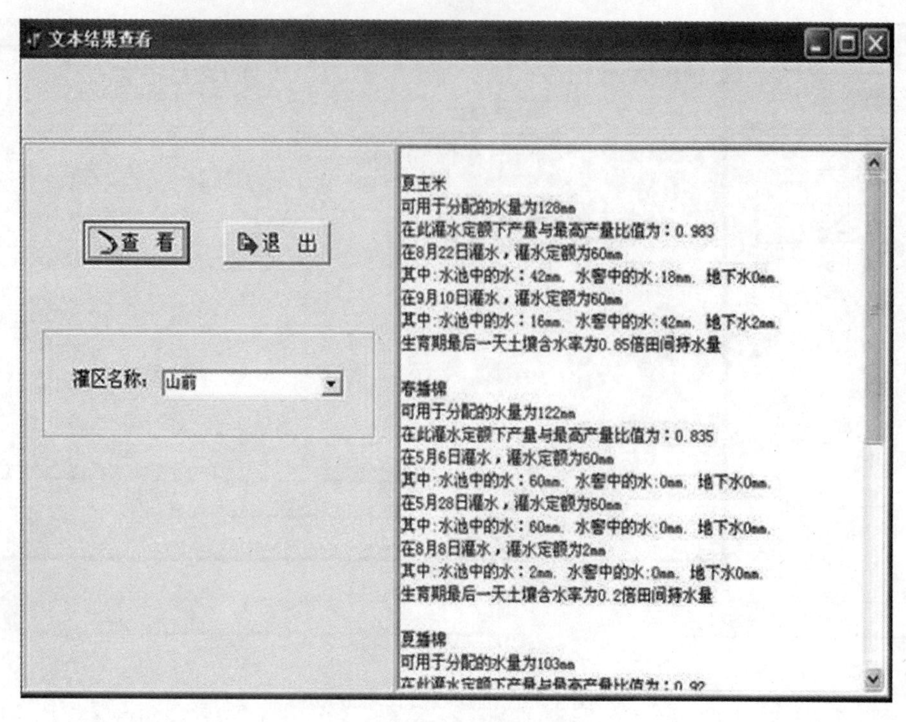

图 4-35 文本结果查看

4.4 灌区水资源评价与灌溉决策支持系统软件应用举例

4.4.1 灌区优化配水

根据前述核心示范区的降雨、水资源等基本资料，基于动态规划法，利用系统软件，以 $P=75\%$ 年为例，把有限水量分配给各作物，以期获得最大效益。

首先，利用示范区农业投入产出灌溉试验资料（见表 4-11）数据求得该区 3 种代表农作物 $P=75\%$ 年灌水量—产量、灌水量—增产效益、灌水量—灌溉效益、边际效益函数关系式如表 4-12 所示。灌水量—产量、灌水量—灌溉效益函数关系图如图 4-36、图 4-37 所示。

表 4-11 作物灌水量与产量关系实测表

夏玉米		春播棉		冬小麦		夏播棉	
灌水量（m^3/亩）	产量（kg/亩）	灌水量（m^3/亩）	产量（kg/亩）	灌水量（m^3/亩）	产量（kg/亩）	灌水量（m^3/亩）	产量（kg/亩）
0	28	0	12	0	80	0	23
20	330	50	32	16	100	20	27
50	380	70	40	250	395	50	35
70	440	100	55	210	347	70	40

续表 4-11

夏玉米		春播棉		冬小麦		夏播棉	
灌水量（m^3/亩）	产量（kg/亩）	灌水量（m^3/亩）	产量（kg/亩）	灌水量（m^3/亩）	产量（kg/亩）	灌水量（m^3/亩）	产量（kg/亩）
100	500	150	65	165	312	100	50
120	490	170	68	190	385	120	48
150	460	200	65	200	323	150	45
170	470	220	65	230	405	170	40
200	450			290	380		
220	440			370	350		
240	300			420	310		

表 4-12　主要作物水分生产函数关系表

关系式	作物名称	a	b	c
灌水量 x(m^3/亩)与作物产量 y(kg/亩)关系式：$y=a+bx+cx^2$	夏玉米	266.11	3.49	−0.013 6
	春播棉	8.31	0.68	−0.001 9
	夏播棉	16.88	0.53	−0.002 2
	冬小麦	96.14	1.68	−0.002 6
灌水量 x(m^3/亩)与增产效益 y(元/亩)关系式：$y=a+bx+cx^2$	夏玉米	−15.0	3.49	−0.015 0
	春播棉	−35.0	8.22	−0.024 2
	夏播棉	−72.0	6.36	−0.028 3
	冬小麦	9.0	1.48	−0.003 0
灌水量 x(m^3/亩)与灌溉效益 y(元/亩)关系式：$y=a+bx+cx^2$	夏玉米	−6.11	1.39	−0.006 0
	春播棉	−16.39	3.28	−0.009 7
	夏播棉	−29.15	2.54	−0.011 3
	冬小麦	4.29	0.66	−0.001 3
灌水量 x(m^3/亩)与边际效益 y(元/亩)关系式：$y=a+bx$	夏玉米	1.39	−0.012 0	
	春播棉	3.28	−0.019 4	
	夏播棉	2.54	−0.022 7	
	冬小麦	0.66	−0.002 8	

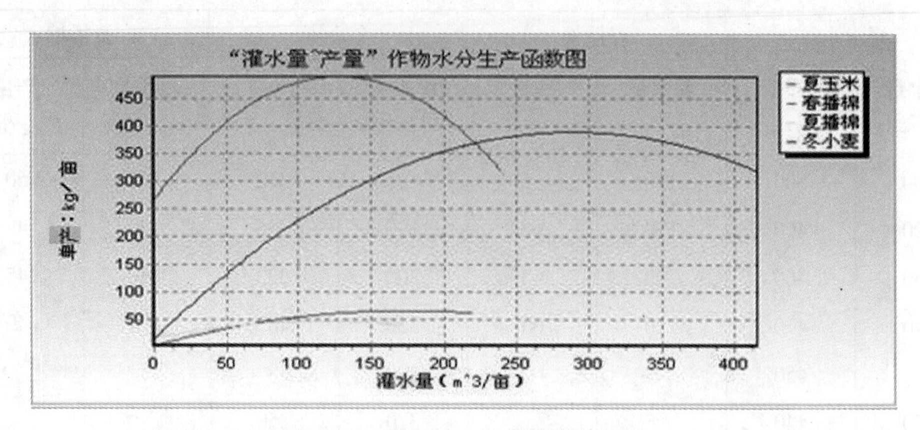

图 4-36 灌水量—产量函数关系图

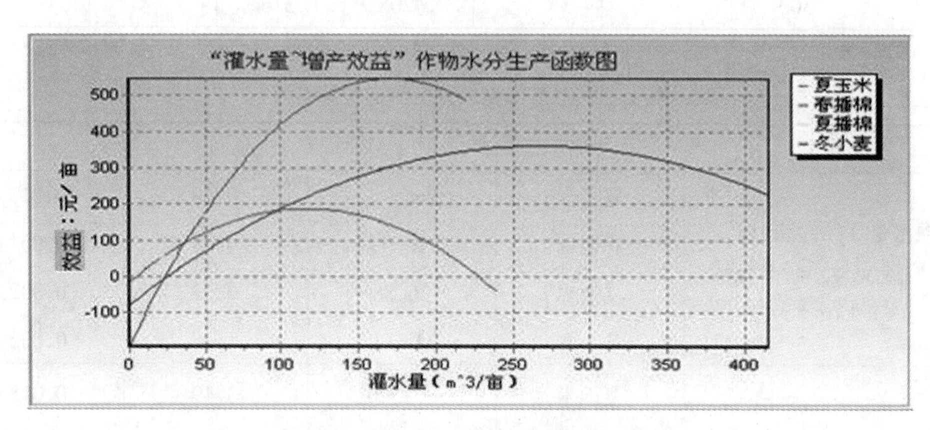

图 4-37 灌水量—灌溉效益函数关系图

然后，进行有限水量在作物间优化分配。在本灌区，考虑动态规划离散水量为 100 万 m^3，结合灌区基本资料，根据灌区设计代表年设计来水过程，确定动态规划中水量限制如表 4-13 所示。具体计算过程用系统软件实现，结果如图 4-38 所示。

表 4-13 作物全生育期可供水量统计表

多种作物可供水量(m^3)		单一作物可供水量(m^3)	
冬小麦一种作物	45 000	冬小麦	45 000
夏玉米、春播棉两种作物	65 000	夏玉米	40 000
冬小麦、春播棉、夏播棉三种作物	70 000	春播棉	46 000
冬小麦、春播棉、夏播棉、春玉米四种作物	70 000	夏播棉	43 000

根据优化配水结果，从灌水量—灌溉效益图可以看出，所有作物优化分配水量灌溉定

水量优化分配结果

水量优化分配结果:

	夏玉米	春播棉	夏播棉	冬小麦	合计
分配水量（方）	6000	4000	16000	44000	70000
灌溉定额（方/亩）	85	81	69	146	/
灌溉效益（元）	4871.74	6766.49	21432.06	36601.12	69671.41
单方水效益（元/方）	0.81	1.69	1.33	0.83	/

图 4-38　水量优化分配结果图

额均小于达到最高效益点所需水量，说明优化分配所有水量的单方水灌溉效益均大于供水成本。在各作物间，冬小麦分配总水量和灌溉定额均为最大。春播棉的单方水灌溉效益是最高的。而夏玉米由于在作物生长期有大量降水，作物在无灌溉情况下还能获得相对高产，所以单方水的经济效益是最低的。

在最优分配水量的基础上，以总水量优化分配所得各作物灌溉定额为依据，利用水量平衡方程进行作物灌溉制度的设计，并在土壤计划湿润层含水量小于 0.7 倍田间持水率时，对作物非充分供水条件下其耗水量进行修正。经过数次调整，最后初步得出各代表作物灌水计划结果。结果包括对各代表作物的灌水次数，各次灌水时间、灌水定额以及灌溉所用水资源的种类和数量。在优化配水条件下的各代表作物生育期土壤含水量变化过程模拟见图 4-39、图 4-40、图 4-41。

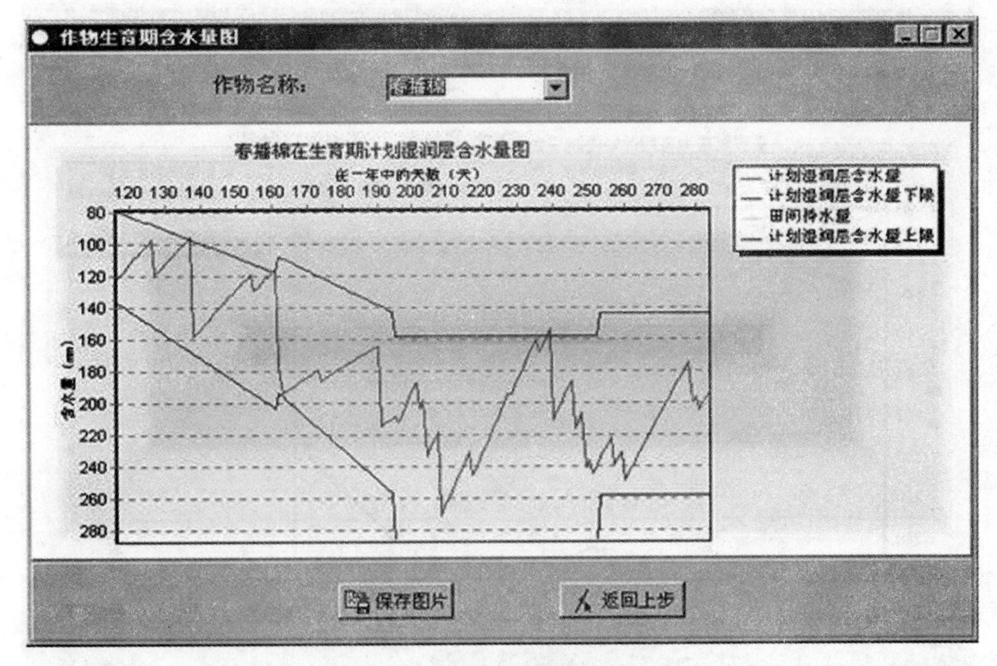

图 4-39　春播棉生育期含水量图

从灌溉计划计算结果可以看出，各作物在优化分配水量条件下，除了夏玉米在生育期初期有少量弃水外，各作物全生育期基本没有弃水，这是由于在夏玉米生长初期有大量降

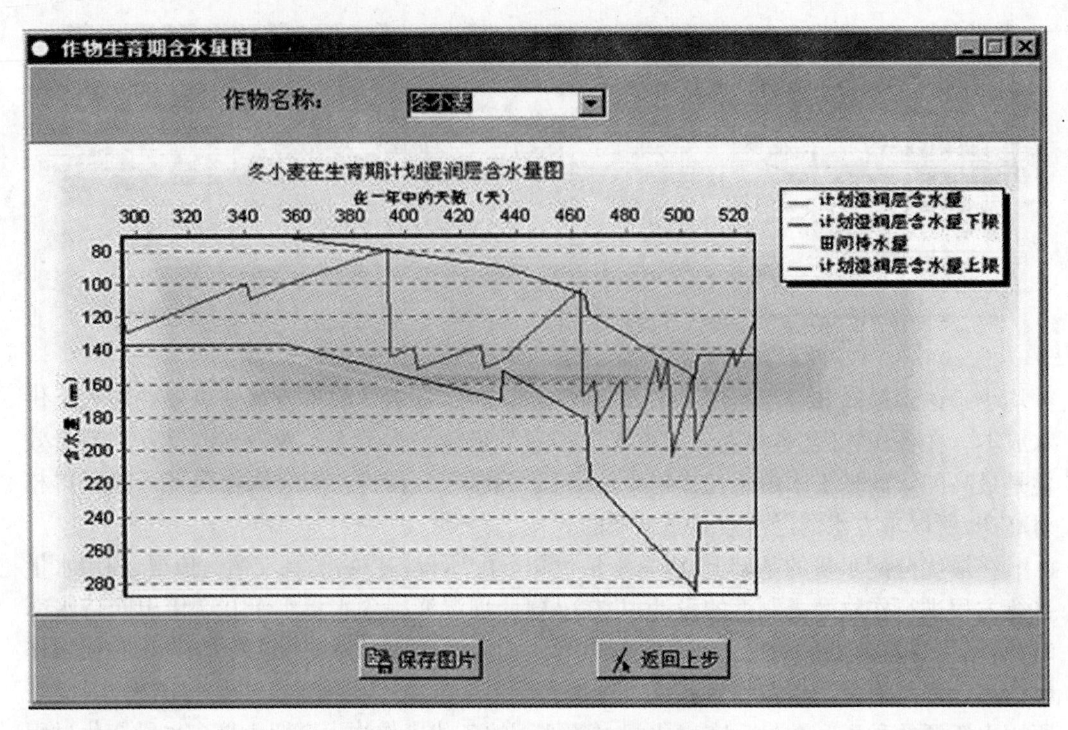

图 4-40　冬小麦生育期含水量图

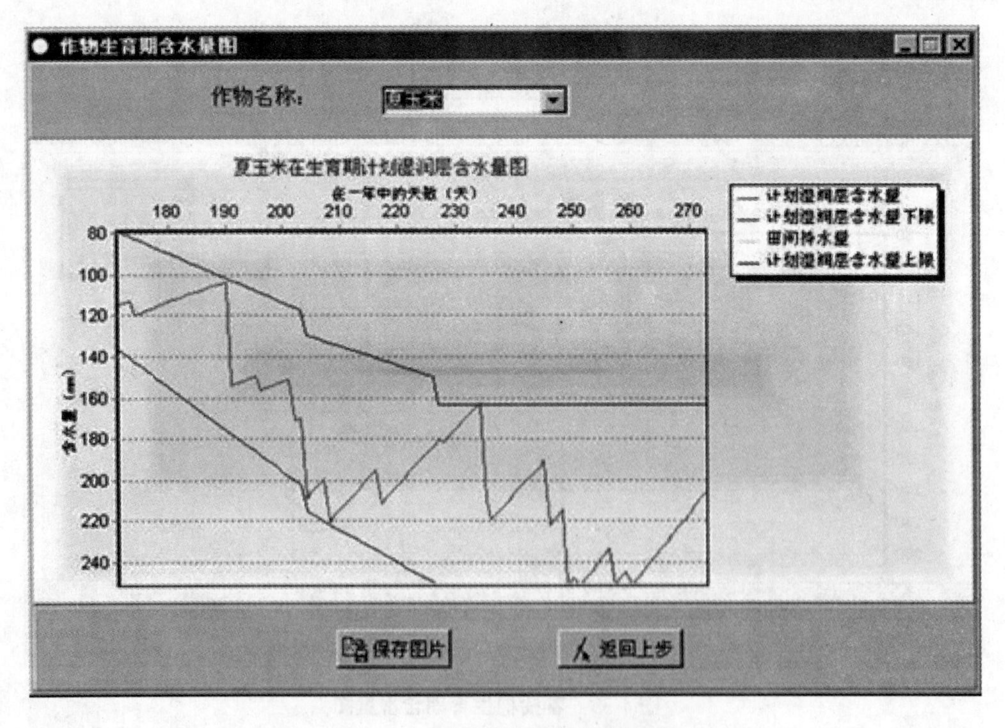

图 4-41　夏玉米生育期含水量图

雨，不能充分利用而发生弃水。而其他作物生育期降雨量较小，经过适当调节控制生育阶段含水量，可以充分利用生育期降水。在各作物生育期后期土壤实际含水量均小于田间持水量，而尽量达到适宜含水量下限，这样充分利用作物生育期的所有水量。

需要说明的是，在系统软件中，进行灌溉制度设计计算时，时间是这样设定的，相对所属年份是指相对于播种该种作物的日期，如冬小麦在 10 月 5 日播种，则本年度所处的相对所属年度为第 1 年，下一年为第 2 年。一年按 365 天计算，1、3、5、7、8、10、12 月份为 31 天，2 月份为 28 天，其余月份为 30 天。按照上述规定计算出作物生育期中某天在一年中的第几天的值，输出结果时进行反算得出具体的日期。

4.4.2 灌区信息管理系统

本软件的灌区信息管理系统引入了地理信息系统，利用 Mapobject 软件、Delphi 语言进行开发，大大提高了灌区信息管理的可视化程度和便捷性。在主界面中可以通过添加按钮来添加灌区相关地理数据层，通过 Legend 控件控制各图层的显示。

软件可以对单个图层进行查询现实，并显示图层地物的相关信息，如图 4-42 所示。然后输入所要查询的该图层中的地物的编号，该地物就会闪烁并放大显示，同时显示该地物的实体形状。如图 4-43 所示是对编号为 5 的水窖进行查询的结果。然后点击⊡按钮可以进行该地物相关信息的查询显示，如图 4-44 所示，显示编号为 5 的水窖的相关信息，点击水窖实物照片查看按钮，弹出图片查看窗体显示对应编号的实物照片；点击水窖内部及施工照片按钮，可以查看相应的有关图片（如图 4-45～图 4-47 所示）。同样，还可以查看灌区其他相关建筑物的图片，该图片可以以 bmp 或者 JPEG 的格式储存。

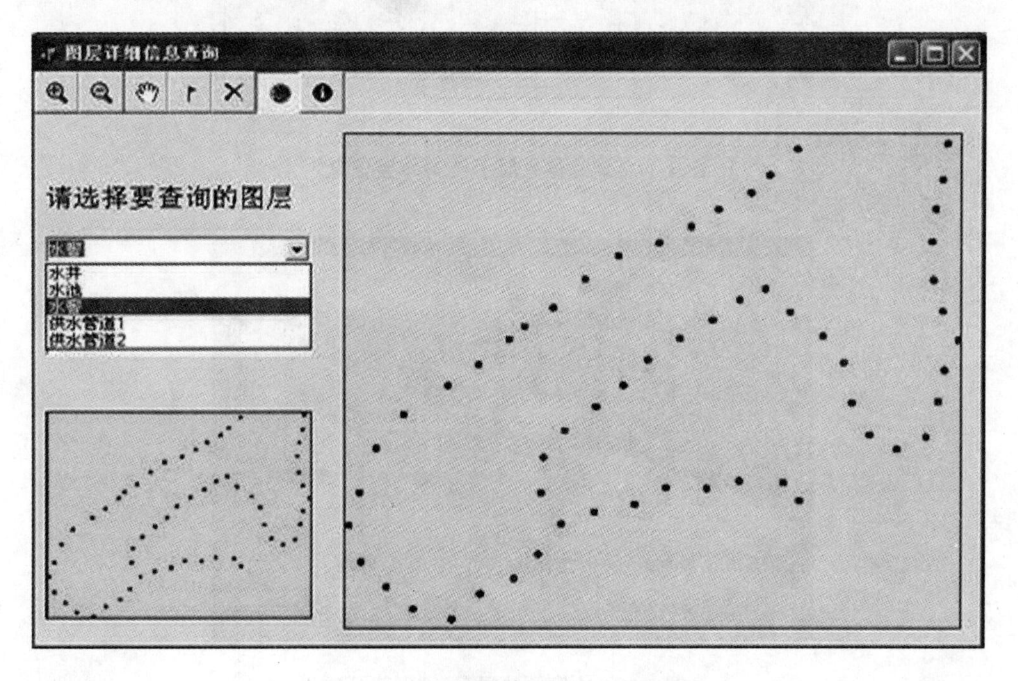

图 4-42 单个图层查询（水窖专题图层）

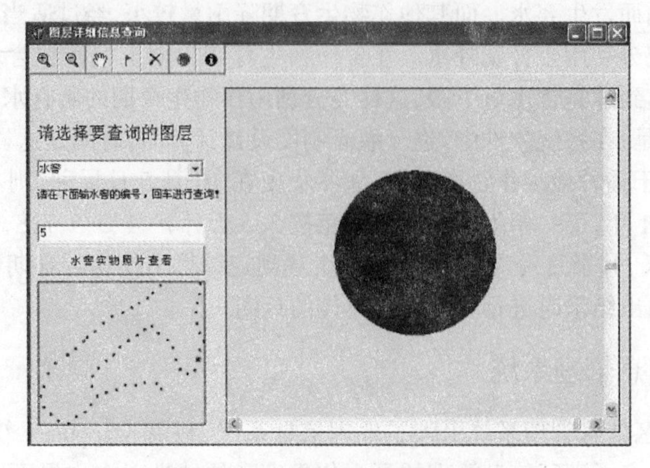

图 4-43　地物查询(5 号水窖查询)

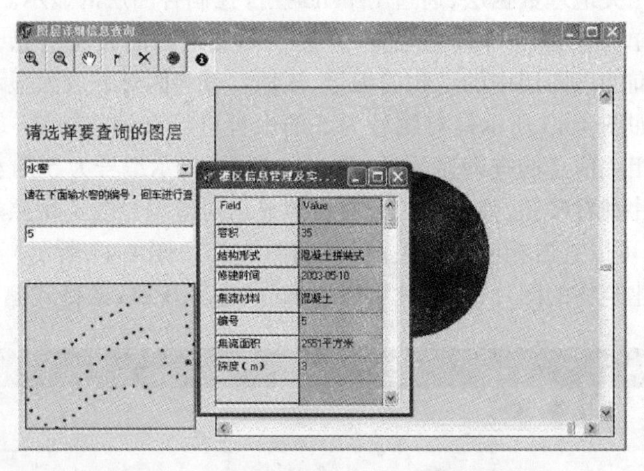

图 4-44　地物信息显示(5 号水窖信息)

图 4-45　水窖照片显示(地面部分)

图 4-46　水窖内部结构照片显示

图 4-47　水窖施工照片显示

根据示范区具体情况，将示范区供水管道、水窖、水池、水井等建筑物制作了专题图层。图4-48、图4-49、图4-50分别为各专题图层叠加后的示范区总体规划图、水利工程布置图以及示范区作物种植规划专题图层。图4-51、图4-52为相关地物信息的显示。从以上实际示范区试算结果及对结果的初步分析可以得出如下结论：在具体示范区优化配水中，该决策支持系统是可用的，其计算结果是正确的。雨水集蓄利用中所集蓄的雨水储存在田间的水窖中，可以随时进行灌溉。由于水窖储水量小，因此没有进行供水过程的设计。

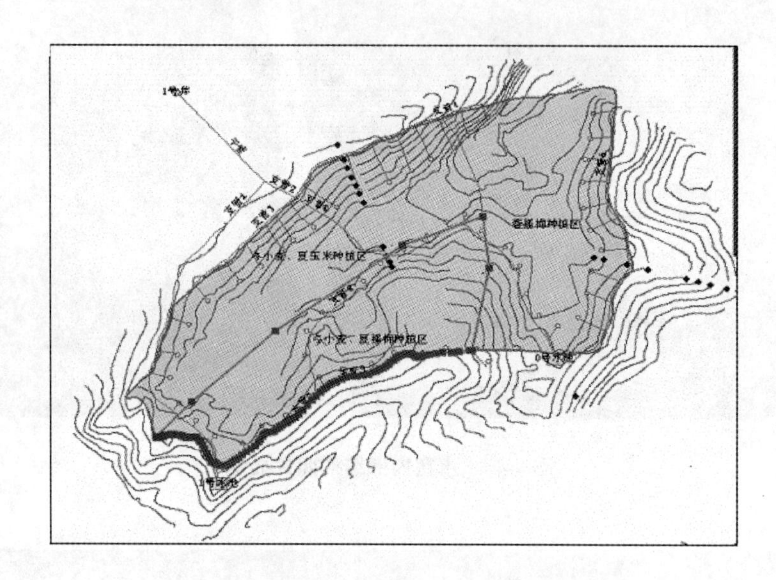

图4-48　示范区总体规划图

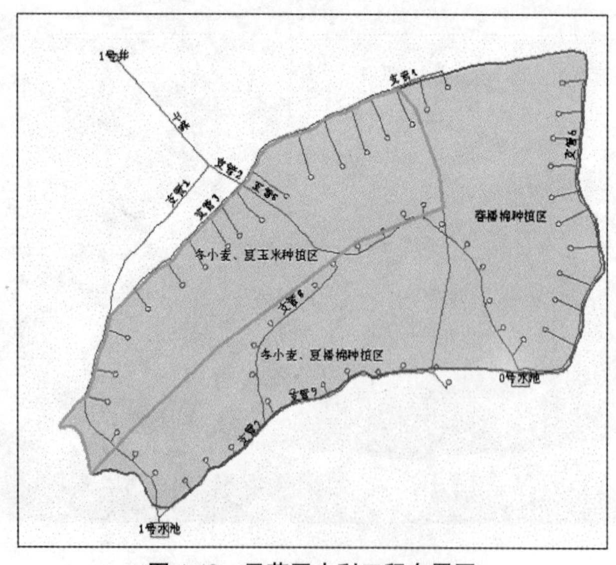

图4-49　示范区水利工程布置图

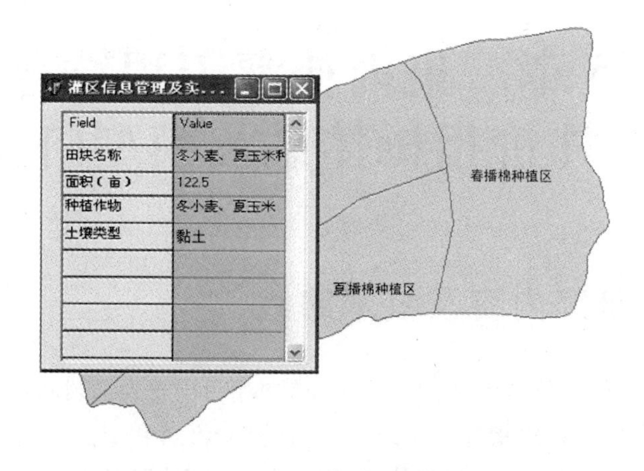

图 4-50　示范区作物种植规划图

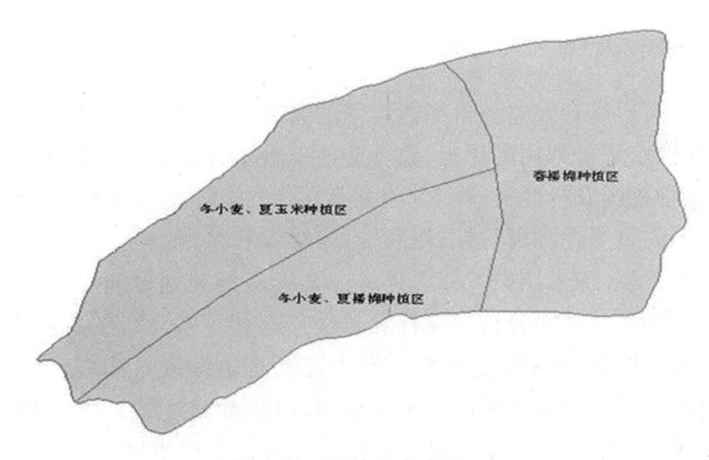

图 4-51　田块信息显示

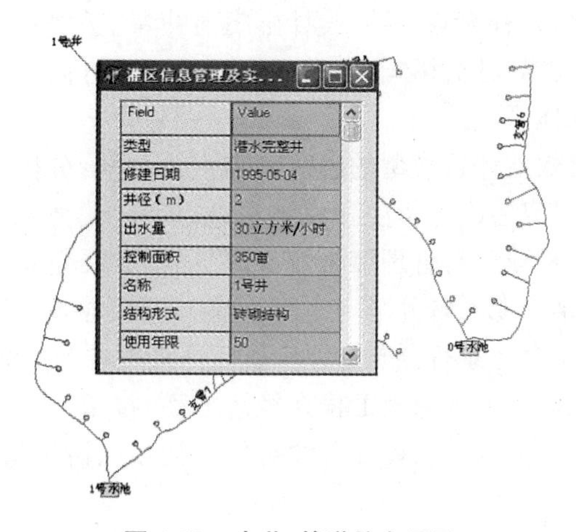

图 4-52　水井、管道信息显示

第5章　集雨补灌工程综合效益评价指标体系及模型研究

5.1　主要研究内容及技术路线

目前，我国正处于传统农业向现代农业转变的时期，农业科技的总体水平还较低。集雨补灌工程综合效益评价指标体系及模型的研究，将对我国北方缺水地区合理确定水资源的利用、正确选择节水灌溉模式及加强对工程项目的科学管理提供科学的决策依据与决策方案。

5.1.1　主要研究内容

在集雨补灌工程综合效益评价指标体系的研究过程中主要采用以下方法：首先，查阅资料，综观中外雨水集蓄利用的历史，充分分析研究雨水集蓄利用的发展、现状以及取得的成效，同时结合我国农村经济、技术、环境等方面的实际发展水平，确定建立集雨补灌工程评价指标体系的重要性和可行性，以及依据、要求和原则；其次，选择具有代表性的在建和已建集雨补灌工程，深入调查了解工程从方案确定到规划设计以及运行管理各阶段的经验、做法和存在问题，从中分析集雨补灌工程实施和正常运行的各种主客观影响因素，初步确定评价指标体系的初选指标，然后对上述初选指标进行比较分析，舍弃重复性（或交叉性）的指标，仅保留少数重要的交叉性指标，但在考虑其权重时分别赋予较低值，因此筛选出简单明了、内涵丰富、信息真度高的指标作为代表性指标；最后，经广泛征求咨询专家、行政领导和集雨补灌区管理人员以及农民的意见和建议，并借鉴已有研究成果，对初选指标经过多次反复修改、补充与完善，设计出集雨补灌工程综合效益评价指标体系。从而初步确定了从经济、技术、社会影响、生态环境和管理等方面作为评价角度的集雨补灌工程综合效益评价指标体系。

集雨补灌工程综合效益评价模型的研究内容主要包括：分析研究国内外工程的综合评价理论和方法，同时研究层次分析法和模糊理论，从经济、技术、社会影响、生态环境和管理等五个方面作为工程建设与管理综合效益评价的依据，建立多层次模糊综合评价模型；研究用层次分析法结合专家打分确定集雨补灌工程综合效益评价指标体系中各个指标的权重，用模糊理论结合专家打分确定评价指标体系中各个指标的隶属度，从而通过多层次模糊综合评价模型确定集雨补灌工程在经济方面、技术方面、社会影响方面、生态环境方面和管理方面的效益值以及工程综合效益值。初步探讨定量、定性问题模糊隶属度的确定方法。

5.1.2 研究技术路线

本章研究从分析集雨补灌工程模式入手，首先建立整体研究框架，明确需要解决的问题，将问题划分为有区别、相对独立的子问题，然后分别研究各个子问题(经济方面、技术方面、社会影响方面、生态环境方面和管理方面)，最后将子问题协调连接建立完整的集雨补灌工程综合效益评价指标体系。对子问题的研究也视研究问题的不同，分层解决。

针对集雨补灌工程建设、管理特点，从经济、技术、社会影响、生态环境和管理等五个方面作为工程建设与管理综合效益评价的依据，根据评价指标定性、定量因素混合的特点，建立具有三层：总体——分系统——因子结构特点的指标评价体系及原则，引入层次分析法、专家评分法和模糊数学等理论，建立多层次模糊综合评价数学模型，进行集雨补灌工程建设管理的综合效益评估，通过多层次模糊综合评价模型确定集雨补灌工程在经济、技术、社会影响、生态环境和管理等方面的效益值以及工程综合效益值，并确定其发展等级，以指导工程规划设计、建设及管理工作。

5.2 雨水集蓄利用概况及区域生态经济系统的优化规划

5.2.1 雨水集蓄利用综述

雨水资源的利用有广义和狭义之分。从广义上讲，凡是利用雨水的活动都可以称为雨水利用，如兴建水库、塘坝和灌溉系统等开发利用地表水的活动，打井开采地下水的活动以及人工增雨措施等活动。而狭义的雨水利用是指直接利用雨水的活动，如利用一定的集雨面收集雨水用于生活、农业生产和城市环境卫生等。

5.2.1.1 雨水集蓄利用工程的组成

本次研究所指雨水集蓄利用工程是指在干旱、半干旱及其他缺水地区，将规划区内及周围的降雨进行汇集、存储，以便作为该地区水源加以有效利用的一种微型水利工程。它具有投资小、见效快、适合家庭经济等特点。

雨水集蓄利用工程系统一般由集雨系统、净化系统、存储系统、输水系统、生活用水系统(解决人畜饮水及生活用水)及田间节水系统(解决农田补充灌溉)等部分组成。其系统构成如图 5-1 所示。

(1)集雨系统。集雨系统主要是指收集雨水的场地，按集雨方式可分为自然集雨场和人工集雨场。自然集雨场主要是利用天然或其他已形成的集流效率高、渗透系数小、适宜就地集流的自然集流面集流。人工集雨场是指无可直接利用场地作为集流场的地方，而为集流专门修建人工场地，人工集流场常用的集流防渗材料有混凝土、瓦(水泥瓦、机瓦、青瓦)、塑料薄膜、衬砌片(块)石、天然坡面夯实土等。

(2)输水系统。输水系统是将集雨场的雨水引入沉沙池的输水沟(渠)或管道。

(3)净化系统。在所收集的雨水进入雨水存储系统之前，须经过一定的沉淀过滤处理，以去除雨水中的泥沙等杂质。常用的净化设施有沉沙池、拦污栅等。

(4)存储系统。存储系统可分为蓄水池(水柜)、水窖、旱井、涝池和塘坝等。

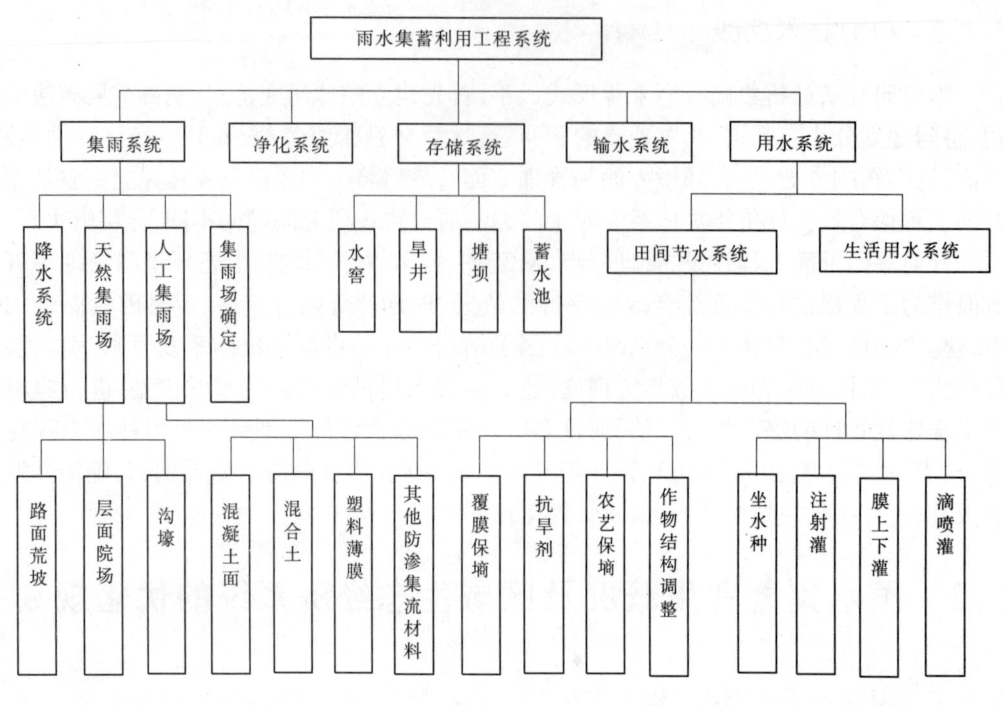

图 5-1　雨水集蓄利用工程系统图

(5)生活用水系统。生活用水系统包括提水设施、高位水池、输水管道、水处理设施等。

(6)田间节水系统。田间节水系统包括节水灌溉系统与田间农艺节水措施。节水灌溉系统包括首部提水设备、输水管道、田间灌水器等。为有效提高水的利用效率,除灌溉系统外,还常配有田间农艺节水措施,如地膜覆盖、化学制剂的施用、选用抗旱品种等。

5.2.1.2　**雨水集蓄利用工程技术的发展前景**

我国是一个水资源不丰富的国家,每亩可耕地占有量只有世界平均的1/2,而北方地区又远低于全国水平。干旱缺水已成为工农业生产发展的制约因素,特别是西北地区的陕、甘、宁、青、新等省(区)及内蒙古西部,土地辽阔,总面积占全国的40%,但水资源不足全国的10%,多数地区年降水量在400mm以下,且降水年内分配不均,多集中在6~9月,且以暴雨形式出现,造成水土流失。但这些地区却是我国重要的农牧业区,光热条件好,可供开发的耕地和草地资源潜力很大,而干旱缺水是制约这里土地和草地资源优势发挥的主要因素,相当部分耕地是没有灌溉就没有农业的地方。这里又是老少边穷地区,群众生活较贫困。南方地区虽降雨较多,但降雨分配不均,再加上地形坡度大,径流很快流入沟底,不易取用,季节性干旱几乎每年出现。西南地区石灰岩山区分布广,岩溶发育,裂隙多,漏水严重,雨水虽多,但山高水低,很难利用。沿海诸岛屿,虽然雨量丰富,但由于其面积小,河流短,雨后径流很快流入大海,再加上土层薄,地下水也很缺乏,生产、生活用水都十分困难。滨海地区地表水污染严重,地下水多为咸水,淡水资源也十分缺乏。上述这些地区,由于地形条件和经济条件的限制,兴建骨干水利工程不但投资大、工期长、施工难度大,而且难以全面解决灌溉问题。因此,如何充分利用当地降雨资源,发展灌溉,提高作物产量,脱贫致富,不但是当地迫切需要解决的问题,也是我国农业生产中一个具有战略性的问题。

5.2.2 雨水集蓄利用区生态经济系统的优化规划

随着雨水集蓄利用的发展,区域生态经济系统也发生了相应的变化。本节计划在对雨水集蓄利用区生态经济系统分析的基础上,针对其优化发展问题,运用层次分析法,构建雨水集蓄利用区生态经济系统规划的数学模型,对设定的各种方案进行优劣性评价,为解决雨水集蓄利用区复杂的生态经济规划提供决策依据,以指导实际应用,为有利于发挥当地自然优势和经济优势、有利于生态环境的改善等提供帮助。

5.2.2.1 雨水集蓄利用效益及影响

世界上许多国家和地区已将雨水收集利用作为干旱地区人畜饮水的重要手段,并在雨水收集的农业利用方面进行了有益的探索。雨水的利用主要在于通过地表微地形改变、入渗能力的改变等方式,来改变雨水在地表上的分配变化以及地表径流汇集方式,延长地表径流汇集时间或改变地表径流运动路径等达到径流局部汇集,实现雨水利用的目的。雨水利用分为三种主要方式,即微地形改变雨水就地利用、微地形改变雨水叠加利用、改变地表入渗能力雨水异地利用。

雨水集蓄利用取得了显著的经济效益和社会效益。例如,甘肃省中东部地区通过"121"雨水集流工程,在一年多时间内不仅解决了实施区131.07万人、118.77万头牲畜的饮水问题,而且发展了11.7万亩庭院经济、11 700多处养殖业和加工业,同时在利用雨水灌溉果园和大棚蔬菜方面也取得了显著的效益。

雨水集蓄利用取得了富有成效的环境效益。生产实践中,通过采取修筑梯田、鱼鳞坑、水平阶等水土保持工程措施和松耕、等高耕作等水土保持农业措施,就地拦蓄雨水径流入渗,提高作物产量和林木成活率,拦截分散了地表径流,从而防止或减轻了暴雨径流对坡面、路面、沟头的侵蚀,水土保持作用十分明显。另外,通过对干旱、半干旱地区的资料分析可知,雨水集蓄利用拦蓄了部分径流泥沙,减轻了下游的防洪和淤积,同时利用集蓄雨水节灌作物、林草,提高了作物产量和林草成活率,改善了农田生态系统,增加了区域生态系统的稳定性。庭院屋顶雨水集蓄利用可解决饮水问题,城市雨水收集可用于绿地灌溉、城市清洁等环境改善,都产生了良好的环境效益;集雨用于地下水补灌,可缓解已形成的地下水漏斗和由此产生的地下水环境问题。

总之,雨水资源的利用取得了显著的成效:一是解决了干旱缺水山区的基本生存问题;二是为农村产业结构调整、农民增收和山区经济发展创造了有利条件;三是促进了社会稳定、民族团结和农村精神文明建设;四是对保持水土和改善生态环境发挥了重要作用。

雨水集蓄利用虽然具有众多优越性,但毕竟是对正常水文循环的一种人工干预,从而影响了区域的径流、蒸发、入渗及地下水位,会对区域水环境、生态环境和局域气候造成一定的负面影响。比如说,雨水集蓄会减少河流径流量、减少地面入渗,在国道等重要道路旁边修筑大量水窑会对道路安全造成影响等。虽然一些文献提及开发利用的雨水只可能占全部雨水资源的1% ~ 2%,所减少的河川径流量也只是1‰ ~ 5‰,但我们仍需注意其带来的不良影响，尤其在降雨量少的干旱半干旱地区，要防止雨水资源的过度利用对环境的影响。有关专家指出，我国黄土高原区的雨水集蓄要谨慎，不要一味地追求经济效益，而应该尽量满足土壤储水量，使其就地入渗，雨水集蓄工程只能收集降雨产生的超渗径流，这样才能更好地保持水土，利于植被，实现生态系统的良性循环。王文元等人指出：无论是雨水直接利用还是派生资源的利用都存在着严重的问题，这些问题已导致资源、环境和生态的负面效应，使农业可持续发展面临严重的挑战。

5.2.2.2 区域生态经济系统

区域生态系统是由区域内生物群落与无机环境之间通过能量流动、物质循环和信息传递而形成的矛盾统一体。区域经济系统是区域内的各种经济成分及各种社会经济关系在一定的地理环境和社会制度下的集合。人口、环境、资源、物资、资金、科技等基本要素，各要素在空间和时间上，以社会需求为动力，通过投入产出链渠道，运用科学技术手段有机组合在一起，构成了区域生态经济系统。由此可见，区域生态经济系统是由区域生态系统和区域经济系统相互交织而成的复合系统。它是一个能够优化利用区域内各种资源，形成生态经济合力，产生生态经济功能和效益的开放系统。

综上所述，区域生态经济系统是通过物质循环、能量流动和信息传递把人口、自然、社会联结在一起，构成生态经济有机整体。其生产和再生产的目的，就是要创造出更多的使用价值流，以满足人类生存和社会发展的需要。由于内在、外在的动力以及各种影响，区域生态经济系统处于不断运动、变化和发展之中，其平衡也是一种相对的、动态的平衡。

通过以上对雨水集蓄利用和区域生态经济系统的研究分析可以发现，雨水的集蓄利用将会引起不同程度的区域环境的影响，包括对区域水环境的影响、对区域生态环境的影响等。所以，我们对雨水集蓄利用区的开发，应该一切从实际出发，在对雨水集蓄利用区生态经济系统现状调查和对资料初步分析的基础上，以当地的经济繁荣、人民富裕、生态平衡和社会进步为目标，按照对雨水集蓄利用区的有利因素、制约因素和潜力因素整体考虑、统筹兼顾的规划思路，充分考虑雨水资源的利用引起的生态经济系统的变化以及引起的一系列反应，运用层次分析法合理确定雨水集蓄利用区的生态经济系统规划，从而科学地制定出雨水集蓄利用区的宏观发展战略。

5.2.2.3 雨水集蓄利用区生态经济系统的优化规划

层次分析法(Analytic Hierachy Process，简称 AHP)又称多层次权重分析法，是国外20世纪70年代末提出的一种新的定性分析与定量分析相结合的系统分析方法。这种方法适用于结构较为复杂、决策准则较多而且不易量化的决策问题，其思路简单明了，尤其是紧密地与决策者的主观判断和推理联系起来，使决策者对复杂问题的决策思维过程系统化、模型化、数字化，从而可以有效地避免决策者在结构复杂和方案较多时逻辑推理上的失误，对系统问题的规划起到优化作用。

层次分析法的基本内容是：首先根据问题的性质和要求，提出一个总的目标，然后将问题按层次分解，对同一层次内的诸因素通过两两比较的方法确定出相对于上一层目标的各自的权系数；这样层层分析下去，直到最后一层，即可给出所有因素(或方案)相对于总目标而言的按重要性(或偏好)程度的一个排序。具体叙述如下：

第1步 明确问题，提出总目标。

第 2 步　建立层次结构，把问题分解成若干层次。第一层为总目标；中间层可根据问题的性质分成目标层（准则层）、部门层、约束层等；最低层一般为方案层或措施层。

第 3 步　求同一层次上的权系数（从高层到低层）。假设当前层次上的因素为 $A_1,\cdots,A_n$，相关的上一层因素为 C（可以不止一个），则可针对因素 C，对所有因素 $A_1,\cdots,A_n$ 进行两两比较，得到数值 a_{ij}，其定义和解释见表 5-1。记 $A=(a_{ij})_{n\times n}$，则 A 为因素 $A_1,\cdots,A_n$ 相应于上一层因素 C 的判断矩阵。记 A 的最大特征根为 $\lambda_{\max}$，属于 $\lambda_{\max}$ 的标准化的特征向量为 $W=(W_1,\cdots,W_n)^{\mathrm{T}}$，则 $W_1,\cdots,W_n$ 给出了因素 $A_1,\cdots,A_n$ 相应于因素 C 的按重要（或偏好）程度的一个排序。

表 5-1　标度说明表

相对重要程度	定义	解释
1	同等重要	目标 i 和 j 同样重要
3	略微重要	目标 i 比 j 略微重要
5	相当重要	目标 i 比 j 重要
7	明显重要	目标 i 比 j 明显重要
9	绝对重要	目标 i 比 j 绝对重要
2,4,6,8	介于两相邻重要程度间	

注：目标 i 与 j 比较得判断 a_{ij}，则目标 j 与 i 比较的判断 $a_{ji}=1/a_{ij}$。

第 4 步　求同一层次上的组合权系数。设当前层次上的因素为 $A_1,\cdots,A_n$，相关的上一层因素为 $C_1,\cdots,C_m$，则对每个 C_i，根据第 3 步的讨论可求得一个权向量 $W_i=(W_{i1},\cdots,W_{in})$。如果已知上一层 m 个因素的权重分别为 $a_1,\cdots,a_m$，则当前层每个因素的组合权系数为：

$$\sum_{i=1}^{m}a_iW_1^i,\sum_{i=1}^{m}a_iW_2^i,\cdots,\sum_{i=1}^{m}a_iW_n^i \tag{5-1}$$

如此一层层自上而下求下去，一直到最低层所有因素的权系数（组合权系数）都求出来为止，根据最低层权系数的分布即可给出一个关于各方案优先程度的排序。

由式(5-1)可知，若记 B_k 为第 k 层次上所有因素相对于上一层上有关因素的权向量按列组成的矩阵，则第 k 层次的组合权系数向量 W_k 满足：

$$W_k=B_k\cdot B_{k-1}\cdot\cdots\cdot B_2\cdot B_1\quad(\text{其中 }B_1=1)。\tag{5-2}$$

第 5 步　一致性检验。在得到判断矩阵 A 时，有时会出现判断上的不一致性。还需利用一致性指标进行检验，即要求一致性指标 $CI\leqslant 0.1$，随机一致性比率 $CR\leqslant 0.1$。其中：

$$CI=\frac{\lambda_{\max}-n}{n-1},CR=\frac{CI}{RI} \tag{5-3}$$

RI 为平均随机一致性指标，其值可以通过查表求得。对于 3～9 阶矩阵 RI 值见表 5-2。

表 5-2　RI 值

n	1	2	3	4	5	6	7	8	9
RI	0	0	0.58	0.90	1.12	1.24	1.32	1.41	1.45

对多层次判断矩阵的一致性检验，其计算道理一样。

对于判断矩阵的最大特征根和相应的特征向量，可利用和积法计算。其计算方法如下：

(1)按列将 A 规范化，有 $\overline{b}_{ij} = \dfrac{a_{ij}}{\sum\limits_{k=1}^{n} a_{kj}}$；

(2)计算 $\overline{W}_i$，$\overline{W}_i = \sum\limits_{i=1}^{n} \overline{b}_{ij}$

(3)将 $\overline{W}_i$ 规范化，有 $W_i = \dfrac{\overline{W}_i}{\sum\limits_{i=1}^{n} \overline{W}_i}$，$W_i$ 即特征向量 W 的第 i 个分量；

(4)计算 $\lambda_{\max} = \sum\limits_{i=1}^{n} \dfrac{\sum\limits_{j=1}^{n} a_{ij} W_i}{n W_i}$。

5.2.2.4 应用举例

5.2.2.4.1 问题概述

本书典型示范区属土石丘陵区。由于人们对自然资源的特点、潜力、适应性以及农、林、牧三者的相互依赖、相互促进的关系缺乏深刻认识，因此对土地的利用极不合理，农、林、牧矛盾突出，土壤瘠薄，植被稀疏，水土流失严重，生态环境日益恶化。要扭转生态经济的恶性循环，不但涉及到生态系统能量、物质的转换平衡，而且涉及到生产力的布局和生产关系的调整等问题。因此，为了更合理地发展核心示范区雨水集蓄利用区，该区域的生态经济系统规划必须结合目前的具体情况，应用层次分析的系统工程方法，提出定量的生态经济规划模型，以便于领导决策，最终加快该雨水集蓄利用区的综合治理与合理开发。

根据对雨水集蓄利用区生态经济系统现状调查，在对资料初步分析的基础上，经征求专家学者以及当地群众意见，最终确定以当地的经济繁荣、人民富裕、生态平衡和社会进步为该区域的生态经济系统规划目标，确定结构层次为三层，见图 5-2。

5.2.2.4.2 构造判断矩阵

针对核心示范区雨水集蓄利用区实际情况，结合以上确定的生态经济系统结构图，邀请相关领域专家 6 名，运用层次分析法，对各分系统（B_1、B_2、B_3、B_4、B_5）和影响因子（C_1、C_2、C_3、C_4、C_5、C_6、C_7、C_8、C_9）相对于上一层次进行两两比较，得出以下判断矩阵。

判断矩阵 $A-B$：

A	B_1	B_2	B_3	B_4	B_5
B_1	1	3	4	4	2
B_2	1/3	1	2	2	1
B_3	1/4	1/2	1	2	2
B_4	1/4	1/2	1/2	1	3
B_5	1/2	1	1/2	1/3	1

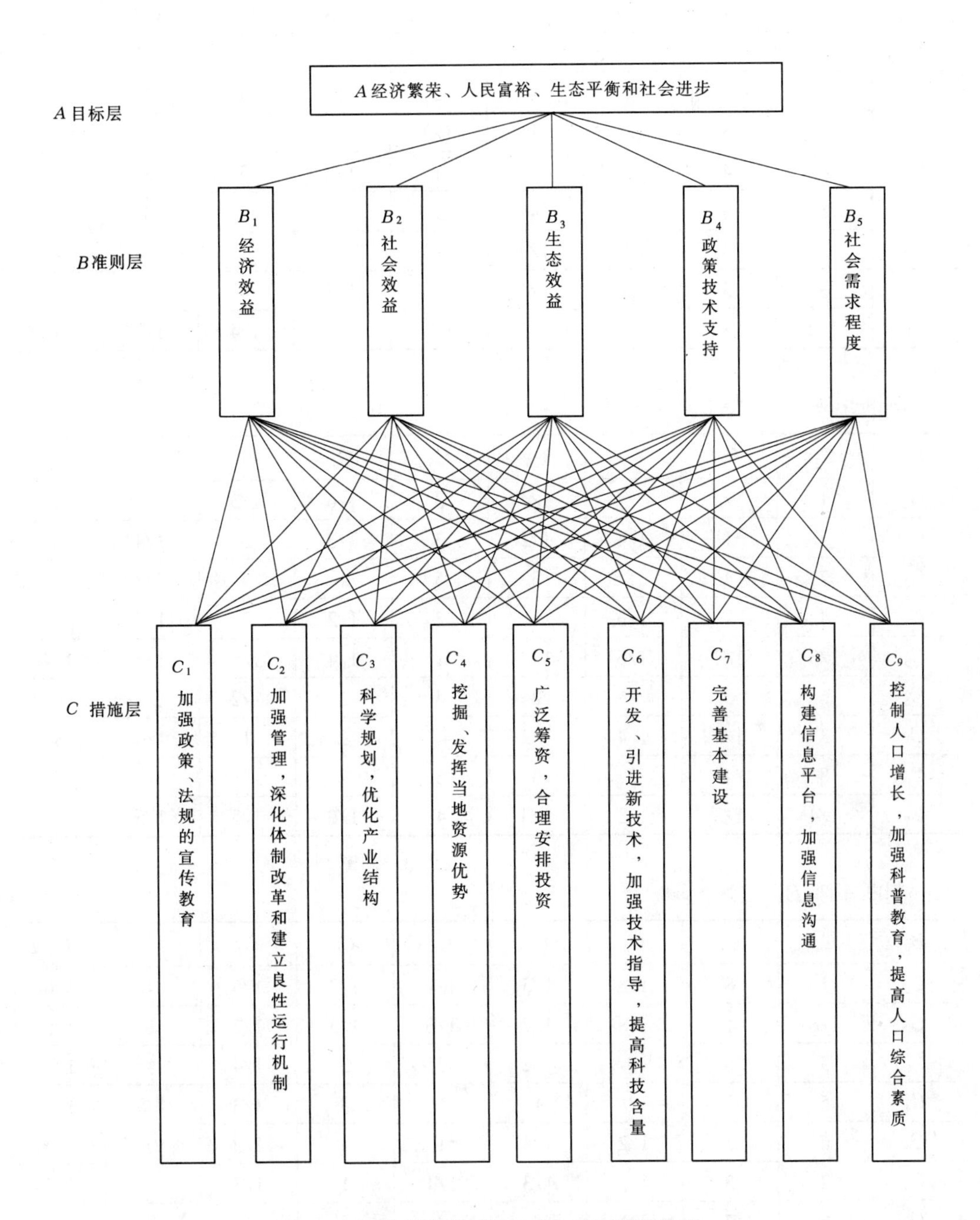

图 5-2　雨水集蓄利用区生态经济系统结构图

判断矩阵 B_1-C：

B_1	C_1	C_2	C_3	C_4	C_5	C_6	C_7	C_8	C_9
C_1	1	2	1/8	1/6	1/6	1/8	1/2	1/3	2
C_2	1/2	1	1/9	1/5	1/4	1/6	1/3	1/5	3
C_3	8	9	1	4	2	1	5	4	8
C_4	6	5	1/4	1	1/3	1/4	3	2	5
C_5	6	4	1/2	3	1	1/2	5	3	4
C_6	8	6	1	4	2	1	5	3	7
C_7	2	3	1/5	1/3	1/5	1/5	1	1/4	4
C_8	3	5	1/4	1/2	1/3	1/3	4	1	7
C_9	1/2	1/3	1/8	1/5	1/4	1/7	1/4	1/7	1

判断矩阵 B_2-C：

B_2	C_1	C_2	C_3	C_4	C_5	C_6	C_7	C_8	C_9
C_1	1	1/5	1/7	1/4	3	1/6	1/3	1/8	4
C_2	5	1	1/4	1/2	3	1/3	3	1/4	3
C_3	7	4	1	3	5	1	4	1/2	5
C_4	4	2	1/3	1	2	1/2	2	1/3	3
C_5	1/3	1/3	1/5	1/2	1	1/4	1/4	1/5	1/4
C_6	6	3	1	2	4	1	1/2	1/2	6
C_7	3	1/3	1/4	1/2	4	2	1	1/4	3
C_8	8	4	2	3	5	2	4	1	5
C_9	1/4	1/3	1/5	1/3	4	1/6	1/3	1/5	1

判断矩阵 B_3-C：

B_3	C_1	C_2	C_3	C_4	C_5	C_6	C_7	C_8	C_9
C_1	1	8	1/3	1/5	1/6	1/2	1/6	4	1/6
C_2	1/8	1	1/8	1/7	1/3	1/3	1/7	1	1/8
C_3	3	8	1	1/2	2	3	1/4	4	1/5
C_4	5	7	2	1	4	3	1/3	1/5	1/3
C_5	6	3	1/2	1/4	1	4	1/3	6	1/5
C_6	2	3	1/3	1/3	1/4	1	1/3	3	1/4
C_7	6	7	4	3	3	3	1	5	2
C_8	1/4	1	1/4	1/5	1/6	1/3	1/5	1	1/6
C_9	6	8	5	3	5	4	1/2	6	1

判断矩阵 $B_4 - C$：

B_4	C_1	C_2	C_3	C_4	C_5	C_6	C_7	C_8	C_9
C_1	1	7	3	4	6	4	3	5	8
C_2	1/7	1	1/4	1/2	1/4	1/2	1/4	1	2
C_3	1/3	4	1	2	3	4	1/2	3	5
C_4	1/4	2	1/2	1	2	1/2	1/3	3	3
C_5	1/6	4	1/3	1/2	1	1/2	1/4	2	2
C_6	1/4	2	1/4	2	2	1	1/2	2	4
C_7	1/3	4	2	3	4	2	1	2	3
C_8	1/5	1	1/3	1/3	1/2	1/2	1/2	1	1/2
C_9	1/8	1/2	1/5	1/3	1/2	1/4	1/3	2	1

判断矩阵 $B_5 - C$：

B_5	C_1	C_2	C_3	C_4	C_5	C_6	C_7	C_8	C_9
C_1	1	1/4	1/5	1/3	1/5	1/4	1/8	1/6	1/9
C_2	4	1	2	4	1/2	3	1/2	2	1/4
C_3	5	1/2	1	2	1/2	1	1/2	1/2	1/3
C_4	3	1/4	1/2	1	1/2	1/2	1/4	1	1/2
C_5	5	2	2	2	1	2	1/2	1	1/4
C_6	4	1/3	1	2	1/2	1	1/2	1/2	1/3
C_7	8	2	2	4	2	2	1	1	1/3
C_8	6	1/2	2	1	1	2	1	1	1/3
C_9	9	4	3	2	4	3	3	3	1

5.2.2.4.3 *层次权系数排序*

$A - B$ 矩阵：

最大特征值 $\lambda_{max} = 5.223\ 2$，对应的特征向量为

$B_2 = (0.420\ 482, 0.181\ 265, 0.151\ 581, 0.134\ 053,\ 0.112\ 62)^T$。

矩阵的最大特征值和其对应的特征向量如下。

经检验，矩阵均满足一致性。

属性	B_1-C	B_2-C	B_3-C	B_4-C	B_5-C
最大特征值	9.731 8	10.348	10.198 0	9.687 7	9.653 7
特征向量 B_3	0.030 0	0.041 1	0.048 0	0.323 6	0.020 0
	0.028 0	0.094 1	0.019 8	0.039 4	0.124 1
	0.261 6	0.204 9	0.102 0	0.157 7	0.072 5
	0.107 5	0.098 8	0.142 9	0.080 4	0.058 0
	0.168 6	0.027 4	0.099 9	0.063 0	0.115 2
	0.241 1	0.152 6	0.052 3	0.091 7	0.068 3
	0.048 2	0.089 9	0.255 4	0.166 7	0.155 9
	0.094 3	0.255 7	0.023 2	0.041 7	0.102 5
	0.020 7	0.035 5	0.256 6	0.035 9	0.283 3

5.2.2.4.4　总排序结果及结果分析

$$W_9 = B_3B_2$$

$$= (0.073, 0.051\,1, 0.191\,9, 0.102\,1, 0.112\,4, 0.157, 0.115\,2, 0.106\,7, 0.090\,7)^T$$

总排序结果可以绘制成图 5-3,各指标的权重大小排序一目了然。由计算结果和图 5-3 可见,针对雨水集蓄利用区生态经济系统发展规划问题,在以上所列的几条措施中,根据总权重值排序应按以下顺序优化规划:①科学规划,优化产业结构(总权重值为 0.191 9);②开发引进新技术,加强技术指导,提高科技含量(总权重值为 0.157);③完善基本建设(总权重值为 0.115 2);④广泛筹资,合理安排投资(总权重值为 0.112 4);⑤构建信息平台,加强信息沟通(总权重值为 0.106 7);⑥挖掘发挥当地资源优势(总权重值为 0.102 1);⑦控制人口增长,加强科普教育,提高人口综合素质(总权重值为 0.090 7);⑧加强政策、法规的宣传教育(总权重值为 0.073);⑨加强管理,深化体制改革和建立良性运行机制(总权重值为 0.051 1)。

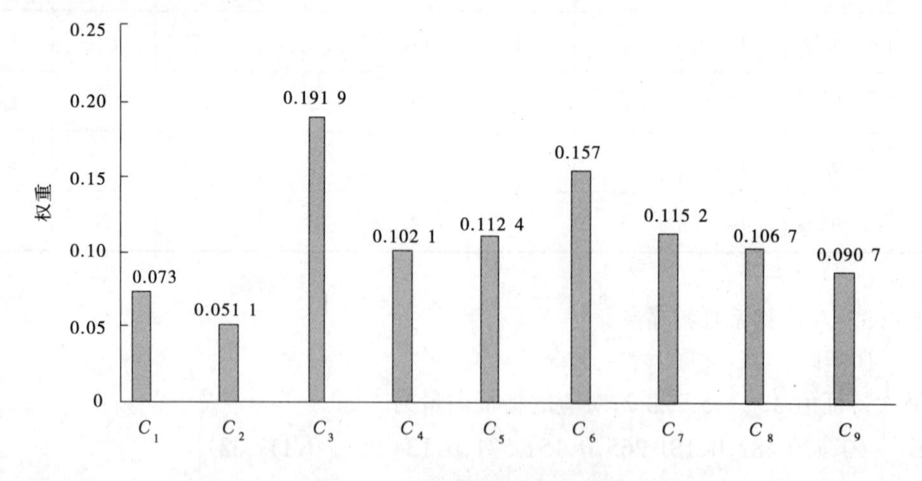

图 5-3　各指标排序结果柱状图

5.2.2.4.5　小结

由实例可见,层次分析法应用在雨水集蓄利用区生态经济系统发展规划中,有助于我们对复杂的雨水集蓄利用区生态经济系统发展规划问题,不仅从质的方面,而且从量的方面,对解决该问题的各种措施进行优劣性评价,从而为更加合理有效地利用宝贵的雨水资源,发挥当地自然优势和经济优势,改善生态环境,实现生态经济的可持续发展提供科学决策。目前,我国的雨水集蓄利用工程即将全面展开,以上研究成果将更好地指导实际雨水利用区的工作。这对于普及、推广雨水集蓄利用,缓解日益突出的水资源紧张局面,将起到推动作用,对推动农业生产发展和实现我国农业的可持续性发展,将产生一定的影响和体现出实际价值。

5.3 集雨补灌工程综合效益评价指标体系

对于一项工程或一个管理单位,管理与建设的评价都需要根据其工程大小、管理的繁简,建立一套相应的指标体系。这个体系是由若干单项指标组成的,而每个单项指标都有相对的独立性,用以反映某一方面的管理质量。但是要对一个工程进行全面的评价,就需将系列内的各个单项指标有机地联系起来,组成一个整体,进行综合的评价。我国的雨水集蓄利用已经得到了充分的重视和积极的推广应用,但是它毕竟是最近几年才大规模发展起来的新的水资源利用模式,在推广应用的过程中还需要不断地总结经验,所以本节计划以一些成功雨水集蓄利用工程为参照,同时结合专家学者的有关研究,拟初步建立一套集雨补灌工程综合效益评价指标体系,并应用于实际,以对以后的雨水集蓄利用起到指导作用。

5.3.1 建立评价指标体系的重要性和可行性

5.3.1.1 建立评价指标体系的重要性

雨水集蓄利用工程是一项系统工程,涉及因素多,投资大,其决策是否科学合理、实施方案是否经济可行、项目实施是否按质按量、实施后是否真正发挥了效益等,均需要予以科学的评价分析。通过评价可以发现问题,总结经验,同时有效监督项目实施过程与效果,使雨水集蓄利用工程项目充分发挥效益,实现水资源的可持续利用与国民经济的可持续发展。

为了提高雨水集蓄利用工程项目决策的科学水平,全面分析项目的实际效果,需要研究探讨适合雨水集蓄利用工程项目特点以及新形势下项目管理要求的新的评价方法,研究雨水集蓄利用工程项目实施效果、实施后效益的综合评价指标体系,提出合理的定性指标量化方法。在各种量化指标的基础上,提出综合评价的计算方法,指导实施方案制订与项目建设。

有了科学合理的评价指标体系,就能为项目科学规范管理提供理论支撑,为项目实施与效益评价提供科学依据,促进雨水集蓄利用工程在我国的顺利实施与推广。

(1)保证雨水集蓄利用工程的科学性与合理性。雨水集蓄利用工程具有明确的指导原则与目标,从示范区现状条件、水土资源状况等出发,对项目规划实施方案以及项目的必要性进行评价,考察项目规划与实施方案的合理性,进行分析比较,选择经济效益、社会效益、生态效益等效益显著的最佳方案,保证雨水集蓄利用工程技术合理、措施可行,保障示范区提高水资源利用率与增强为农业服务功能的总体目标的实现。

(2)指导示范区节水改造规划设计,强化项目管理。从示范区改造技术可行性、水资源紧缺程度、国家政策以及前期项目完成情况几个方面评价项目的紧迫性与必须性,通过直观量化的指标,对需要改造项目方案进行排序,为项目安排与选择提供依据,提高项目管理的科学水平。

(3)为示范区节水改造提供方向性导向。在节水改造评价中,对项目执行情况从不同角度进行评估,掌握项目投资、工程建设与管理体制改革等方面的执行情况,从而为示范区的发展方向与重点提供决策和规划,指导各示范区项目的实施。

(4)保障项目实施后效益发挥。对实施方案、项目安排、项目执行,以及项目完成后目标实现程度与效益的评价,从不同环节对改造项目进行了科学指导与决策,同时使项目建设完成后,真正实现预期目标,提高水资源有效利用率,减缓生态系统恶化,改善农业基础设施,为农业与国民经济可持续发展提供有力支撑。

5.3.1.2 建立评价指标体系的可行性

近年来,雨水集蓄利用越来越受到人们的重视,政府倡导,政策支持,人民积极踊跃参与,取得了可喜的成绩,同时也积累了丰富的经验。

(1)西南四省(区)雨水集蓄利用工作开展情况。四川、云南、贵州、广西干旱山区和石山区是我国有名的"老、少、边、穷"地区。作为典型的喀斯特地貌发育地区,区域内石山面积占63%,大部分地区山高坡陡,岩石裸露,岩溶洞穴纵横交错,保水性能差。加之河谷深切,地表水稀少,地下水埋藏深,缺乏修建骨干水源工程的条件,雨季大量的降水,大多白白流走。又由于山区地形破碎,耕地和农民居住都比较分散,即使有大型水利工程,也很难把水引到分散的耕地和农民家中,水资源开发利用难度大。多年来,这里水利基础设施建设发展滞后,严重制约了农业和社会经济的发展。为了生存和发展,这里的群众很早就开始在房前屋后零星地修窖建池,集蓄雨水,供人畜饮用。四省(区)不约而同地把发展雨水集蓄利用作为主攻方向和首要措施,加强组织领导,加大工作力度,使雨水集蓄利用工作逐步由试点示范转入成片发展、全面推广阶段。雨水集蓄利用工程作为干旱山区农民生活、生产的基础设施,近几年在促进当地农业和区域经济发展方面发挥了巨大作用,主要表现在如下方面:一是解决了人畜饮水的历史性难题;二是走出了干旱山区农业发展的新路子;三是促进了农村经济发展和农民增收;四是有利于保持水土,促进退耕还林,建设生态农业。

(2)雨水集蓄利用对华北干旱山丘区经济、社会发展有着至关重要的影响,为干旱山丘区寻求新的水源提供了重要途径。内蒙古、山西两省(区)境内山丘多属干旱、半干旱区,由于受客观自然条件的限制和其他因素的影响,没有大的径流和不具备修建骨干水源工程的条件,区域性、季节性干旱缺水突出,地表水和地下水开发利用难度大,水资源贫乏,水土流失严重,生态环境恶劣。多年来,为了改变和摆脱干旱山丘区缺水和贫困的状况,山丘区各族人民在各级党委、政府的领导下进行了长期不懈的努力和实践探索,根据山丘区秋季雨量比较集中的特点,因地制宜,通过修建路边、场边、地边、河边、院边小水窖、小水池、小水柜、小塘坝、小水库等"五小"形式的微型水利工程,大搞雨水集流工程建设,拦蓄天上水,有效地解决了当地人畜饮水和农田灌溉缺水的困难,实践效果很好,很成功，为干旱山区水源利用、开发提供了重要途径和可能，探索出了一条干旱山区农业和经济、社会发展的新路子。雨水集蓄利用在山区产生着社会、经济效益：一是促进了山区的稳定；二是促进了当地农村经济的发展；三是找到了丘陵山区、半干旱农牧区发展的一条重要途径；四是促进了农村产业结构的调整及农业增长方式的转变。

总之，雨水集蓄利用工程在我国广大地区的广泛开展，促进了区域生态经济系统的良性发展，它不仅促进了地方经济发展，还取得了巨大的社会效益。有利于减少水土流失，有利于小流域综合治理，在一定程度上减轻了下游的防洪负担，减少了灌溉对其他地表水及地下水的依赖，有利于充分利用水土资源和保护生态环境。

研究雨水集蓄利用工程在经济、技术、社会影响、生态效益和管理等方面的评价问题，对促进雨水集蓄利用工程的建设和生态经济系统建设的健康发展有着非常重要的意义。虽然，农业、林业、水利和水土保持等方面的研究工作者采用不同的评价方法，在各自的领域提出了许多评价指标，但是，如何把雨水集蓄利用工程的建设同生态经济系统建设、可持续性发展建设等结合起来，尚缺乏完整的综合评价指标体系。所以，有必要从雨水集蓄利用工程的建设同生态经济系统建设、可持续性发展建设相结合的角度出发，提出一套综合评价雨水集蓄利用工程的涵盖技术、经济、社会和生态效益的评价指标体系及其标准，为雨水集蓄利用工程的建设同生态经济系统建设、可持续性发展建设向规范化、科学化发展提供依据。

5.3.2 建立评价指标体系的依据、要求和原则

5.3.2.1 建立评价指标体系的依据

集雨补灌工程是一项涉及方方面面的复杂的系统工程，评价的主要依据有：

(1)水利部发布的《大型水利工程项目后评价实施暂行办法》(修改稿)。

(2)国家计委、建设部发布的《建设项目经济评价方法与参数》(第二版)。

(3)水利部发布的《水利建设项目经济评价规范》(SL72—94)。

(4)水利部发布的《关于试行财务基准收益率和年运行费标准的通知》。

(5)国家和地方政府及有关部门颁布的有关法律、法规、规范、规章条例、办法及现行财税政策等。

(6)经上级主管部门批准的可行性研究报告、设计任务书、初步设计、施工图、竣工验收报告和决算报告。

(7)工程运行管理、生产运行情况的有关资料。

5.3.2.2 建立评价指标体系的要求

研究集雨补灌工程综合效益评价指标体系，需要提出判断、评价一个地区在雨水集蓄利用工程方面实用的一套指标体系。这一指标体系应满足以下基本要求：

(1)能够全面反映雨水集蓄利用工程的状况。既要有反映经济、技术、社会、生态环境、管理各系统本身主要情况的指标，又要有反映其间协调程度的指标，指标体系具有系统性、完整性。

(2)静态指标与动态指标相结合。经济系统、社会系统、环境系统、管理方面本身都处于不断变化之中，其间的关系也是动态的，因此要求“协调发展”的指标体系既能反映其现

状，又能反映其主要变动趋势。

(3)定量指标与定性指标相结合。为了能够运用指标体系对雨水集蓄利用工程的各主要方面作出确切的评价和判断，指标应尽可能量化，同时对一些有重要意义而又难以定量的方面，用定性指标进行描述。

(4)指标体系应该具有实用性和针对性。所选指标应该比较易于获取或测定，并且适合本区域的发展情况。

(5)所选指标应该与集雨补灌工程有密切关系或对其有直接影响。影响因素很多，只有那些与评价结果有密切关系、有直接影响的指标才应被选入。

5.3.2.3 建立评价指标体系的原则

建立指标体系是综合评价工作的基础，评价指标体系的建立要做到系统性、可比性、通用性、简洁性。集雨补灌工程是一个多层次、多方位、多约束和多功能的"自然—社会—经济"复合系统，要对其进行十分深入、十分具体的评价具有很大的难度。指标体系科学与否，直接关系到评价结果的客观性和正确性。因此，集雨补灌工程经济、技术、社会影响、生态环境和管理综合效益评价指标体系的建立应遵循如下原则：

(1)评价指标体系必须简明扼要，具有相对独立的内涵，能够充分反映雨水集蓄利用工程的本质特征，且不存在重复设置。所选指标要能反映目前效果与长远效果、单项效果与综合效果、局部效果与整体效果、微观效果与宏观效果等。

(2)评价指标体系必须能够全面反映集雨补灌工程的综合效益。即设置指标既能用来反映集雨补灌工程建设前的效益现状，又能用来反映集雨补灌工程建设后的效益；既要反映集雨补灌工程的经济效益，又要反映雨水集蓄利用工程的社会效益和生态环境效益等多个方面。

(3)评价指标体系必须科学合理，所选指标要有可靠依据，能够用于定量分析，便于收集、整理、统计和建立指标分析标度。有些必不可少而又难以定量的评价指标，也可用定性的方式予以表述，并设置相应的标准。

(4)评价指标体系要有可操作性。即指标数值的计算要简单明了，既不失科学性，又能为实际工作者尽快掌握，并在具体实践中加以应用。

(5)评价指标体系必须尊重实践，较好地反映雨水集蓄利用工程建设的区域特征。

5.3.3 评价指标的确定方法

集雨补灌工程综合效益评价指标体系的建立方法是，首先选择具有代表性的在建和已建集雨补灌工程，深入调查了解工程从方案确定到规划设计以及运行管理各阶段的经验做法和存在问题，从中分析集雨补灌工程实施和正常运行的各种主客观影响因素，初步确定评价指标体系的初选指标，然后对上述初选指标进行比较分析，舍弃重复性(或交叉性)的指标，仅保留少数重要的交叉性指标，但在考虑其权重时分别赋予较低值，筛选出简单明了、内涵丰富、信息真度高的指标作为代表性指标。其次，广泛征求咨询专家、行政领导和集雨补灌区管理人员以及农民的意见和建议，并借鉴已有研究成果，在此基础上经过多次反复修改补充与完善，确定出集雨补灌工程综合效益评价指标体系。

本研究主要确定一个比较典型的在应用中作为一个模板式的指标体系。而对于其他类似工程来说，应根据相应的工程具体情况，对指标体系作进一步的修正和最后的确定。下面对集雨补灌工程中的评价指标体系作一介绍。

为了明确各指标在系统中的作用，参考有关专家研究成果，按照指标（影响因素）属性的不同，将其归纳分类，全部指标及相应归类参见评价指标体系结构图（图 5-4）。根据影响因子建立的雨水集蓄利用工程综合评价指标体系层次结构，第一层为目标层，第二层为指标分系统层，第三层为指标因子层。共建立五个分系统 21 个指标因子。

按照指标特征，雨水集蓄利用工程综合评价指标体系中具体指标因子可分为两类：定量指标和定性指标。定量指标是可以直接量化的指标；定性指标只有通过统计分析、经验判断和有关其他数学方法才能量化确定。

5.3.3.1 评价指标体系的构成

指标体系的结构，主要就是指形成指标组合的逻辑结构。这一逻辑结构直接反映了体系对象的系统性质，因而也就决定着指标体系的科学性和系统目标的实现。一个科学的指标体系，不仅要有一个合乎科学原理的指标，更重要的是要有一个科学的结构，依靠科学的结构分散的指标才能排列和组合成系统，真实地描述雨水集蓄利用工程的评价面貌，并由此而最终实现系统的目标。

由于集雨补灌工程的涉及范围很广，涉及影响评价结果的因素非常复杂，很难通过一个固定的指标体系和参数来进行广泛的评价。通过对大量指标（因素）的分析与综合，按照指标属性的不同，将其归纳为五大类：经济方面指标、技术方面指标、社会方面指标、环境方面指标以及管理方面指标。每一大类指标根据所表征问题性质的不同，可以分为若干子类指标，如果需要，子类指标根据其内涵的宽窄又可进一步分为次级子类指标。本节根据上述集雨补灌工程的内容和设置原则同时结合项目实际情况，采用二级指标体系来描述雨水集蓄利用工程综合效益评价指标体系的递阶层次结构：第一层为总目标 A，第二层是分目标层 B，分别为经济效益 B_1、技术效益 B_2、社会效益 B_3、环境效益 B_4 和管理效益 B_5，第三层是因子指标 C，共 21 个。各分目标的作用及因子指标构成分述如下：

（1）经济效益。经济效益评价指标主要反映集雨补灌工程的财务收益、国民经济收益和社会收益的状况，是以现有实际条件为依据，对雨水集蓄利用工程的经济效益状况进行评价。经济效益评价是反映本目标体系的第一个子目标，一般工程项目经济评价分为国民经济评价和财务评价，本研究主要结合集雨补灌工程为地方农业项目服务的实际情况，确定了以下具有代表性的综合指标。它由下列指标组成：效益费用比（C_1），工程投资承受能力（C_2），投资回收期（C_3），农民人均收入提高（C_4），这四项指标反映该项目在经济方面的情况。

（2）技术效益。技术效益主要是从技术角度反映技术引进后集雨补灌工程技术能力的增强程度，是反映目标体系的第二个子目标。技术效益的主要评价对象是技术引进中与技术的选择、获得及使用推广有较大关系的部分。该子目标由下列指标组成：技术先进性（C_5），技术适应性（C_6），消化吸收水平（C_7），技术创新能力（C_8），技术扩散程度（C_9）。

（3）社会效益。社会效益主要反映集雨补灌工程对社会发展目标的贡献和影响，也就是对社会的各项发展目标所带来的益处，是目标体系的第三个子目标。它由下列指标组

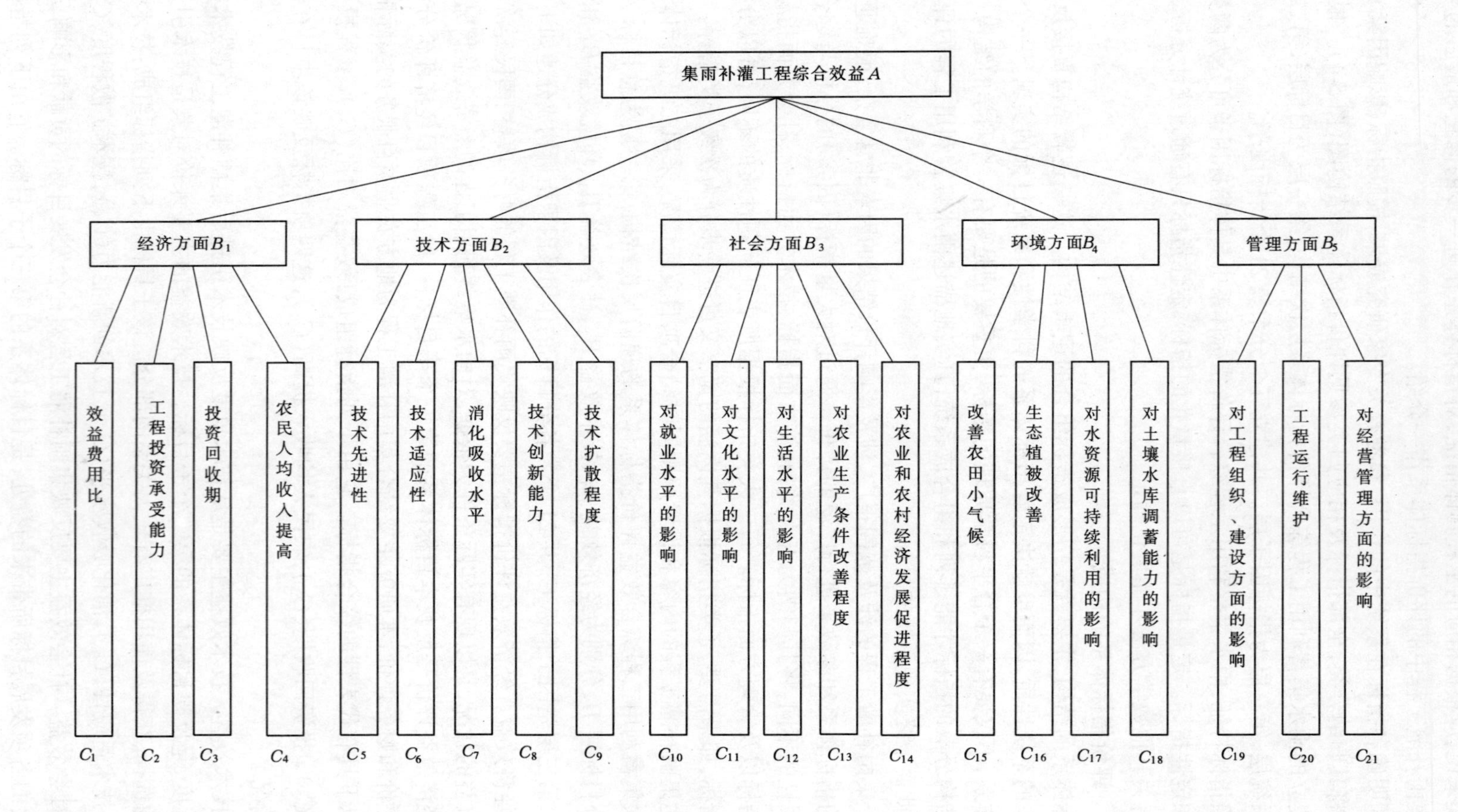

图 5-4 集雨补灌工程综合效益评价指标体系

成：对就业水平的影响(C_{10})，对文化水平的影响(C_{11})，对生活水平的影响(C_{12})，对农业生产条件改善程度(C_{13})，对农业和农村经济发展促进程度(C_{14})。

(4)环境效益。环境效益是指集雨补灌工程修建、运行过程中对自然与生态环境的影响，是反映目标体系的第四个子目标。这些本可以放在社会效益里评价。但目前大家普遍在加强环境保护，更加重视资源利用以及可持续性发展，因此单列为一个子目标。它由下列指标组成：改善农田小气候(C_{15})，生态植被改善(C_{16})，对水资源可持续利用的影响(C_{17})，对土壤水库调蓄能力的影响(C_{18})。

(5)管理效益。管理效益是指在集雨补灌工程的修建、运行过程中在管理方面产生的影响，是反映目标体系的第五个子目标。它由下列指标组成：对工程组织、建设方面的影响(C_{19})，工程运行维护(C_{20})，对经营管理方面的影响(C_{21})。

本指标体系发出专家问卷若干份，访问专家后，通过征求专家意见最后确定集雨补灌工程综合效益评价指标体系构成见图5-4。

5.3.3.2 各指标计算及定性分析

由于雨水集蓄利用工程是一个复杂的系统，需要从不同的角度、各个方面去评价其综合效果。所选指标涉及经济、技术、社会、环境和管理等各个因素，必须全面反映工程项目的效益及影响状态，它们是互相联系、互相依存的整体。综合效果评价的本质是通过对项目建设过程中的效益和费用的计算分析，对项目建设生产过程中的诸多因素给出数量概念。因此，在评价指标中凡能量化的都应进行定量分析和计算，但由于项目的复杂性和广泛性，许多指标难以量化，只能定性地分析。这就要求进行实事求是地、准确地定性分析和描述，采用定性和定量相结合的方法得出评价结论，参考有关领域研究成果，各指标分述如下。

5.3.3.2.1 经济效益

集雨补灌工程主要是为了缓解当地水资源供需矛盾，工程的直接效益为增产效益。经济效益分析主要根据水利部《水利建设项目经济评价规范》(SL72—94)和有关资料，采用动态分析法进行计算，分别计算其效益费用比、投资回收年限，以及分析当地对工程的分摊投资承受能力和工程的修建对当地群众收入的提高。

(1)经济效益费用比。经济效益费用比 R 按下式计算：

$$R = \frac{B_0}{K_0 + C_0} \tag{5-4}$$

式中 B_0——年效益，元；

C_0——年费用，元；

K_0——工程投资折算年值，元，$K_0 = \frac{i(1+i)^n}{(1+i)^n - 1} \cdot K$，其中 i 为年资金利率(取7%)，n 为工程使用年限，K 为工程总投资，元。

经济效益费用比应大于1。

(2)工程投资承受能力。有些工程按照投资计划，其资金来源一部分来源于国家财政，一部分来源于地方财政资金配套，还有一部分可能来源于当地群众的分摊。工程投资承受能力程度就是分摊到当地政府、群众的资金相对于当地政府、群众的实际收入的比例,它应该体现在具体相对数值上,一般不超过人年均收入的7%。

(3)投资回收期,指从项目开工之日起,项目每年获得净收入收回全部项目投资所需要的时间。投资回收期 T 按下式计算:

$$T = \frac{\lg(B_0 - C_0) - \lg(B_0 - C_0 - iK)}{\lg(1 + i)} \tag{5-5}$$

式中 $i = 7\%$,其他符号含义同前。

计算的投资回收期应小于限定的回收期。

(4)农民人均收入提高。通过项目的实施,为当地群众的农业生产创造了便利条件,改善了农作物的种植结构,提高了当地群众的经济收入,对当地群众的生活产生积极的改善作用,它主要在数值上体现为农民的增产增收。

5.3.3.2.2 技术评价

技术评价指标主要反映在集雨补灌工程技术引进过程中,引进技术的实用性、先进性、消化吸收能力、创新和扩散能力等情况。引进先进的适用技术和设备,采用和推广此项新技术后,不但能使项目本身得益,而且能在消化、吸收、创新的基础上,扩散到全行业和地区,因此技术评价反映了技术引进对项目乃至对整个国民经济的技术进步做出的贡献水平。这些指标都是一些主观评价的指标,由于主观指标是反映人们主观认识差异和变化的指标,是定性指标,也即软指标,这些差异和变化的内涵和外延不是很明确,其概念具有模糊性。因此,对技术效益采用专家咨询的办法进行评价。

(1)技术的先进性。技术的先进性是一个相对的、动态的概念。由于各国的经济、技术发展水平不同,确定技术先进性的客观标准亦不相同。通俗地讲,采用的技术应高于本地区、本行业现有的技术水平,并具有较长的寿命周期和较广泛的应用前景。具体到某一引进项目技术的先进性应主要体现在项目的具体性能参数和具体指标上。

(2)技术的适用性。新技术引进(如关键技术、工艺、原材料和原器件等),不仅可以大大缩小同国外的技术差距,而且可以节约资金,提高劳动生产率。适用性主要从两个方面考虑:①引进技术与我国资源因素的适应性,应能充分利用本地区的丰富资源,而不是那些特殊、稀缺资源或依赖进口资源;②对我国人口资源的适用性,我国人口众多,劳动力丰富,但劳动力素质较差,引进技术应多考虑劳动密集型的生产。

(3)消化吸收水平。在引进技术工作中,"消化"是对引进技术或设备的结构、特点、使用方法的理解和掌握过程;"吸收"是指引进方能独立地按照自己的要求熟练地使用该引进技术或设备的过程。消化吸收评价就是对引进的新技术、新工艺、新设计思想等的消化吸收程度进行评价,其内容有技术培训、生产设计、实际能力、原器件国产化程度等。

(4)技术创新能力。在引进的技术中虽然都具有一定的先进性,但由于资源和环境的差异,实施起来会存在这样那样的问题。因此,在对引进技术消化吸收的基础上,再根据自己的条件与特点,不断地对其进行必要的改造创新,使技术水平逐步赶上或超过输出方。创新评价就是对引进技术进行再创新能力的分析,即在引进技术的基础上是否发展了新技术、新工艺、新的管理方法、新产品等。

(5)技术扩散程度。技术扩散是指对技术引进在本地化的基础上进行创新后,实现技术推广、扩散,从而真正实现技术竞争力的持续增强。从微观角度讲,就是引进技术通过消化、吸收、创新后在行业内部的技术应用范围的扩散。扩散评价就是对引进技术扩散程度的评价,评价的内容是对引进的新技术、新工艺、新思想等对领域、行业或地区的扩散程度的分析。通俗地讲,也就是引进的这项技术是否能积极推广应用在国内的其他地区、相关项目,应用的程度如何等。

5.3.3.2.3　社会效益

社会效益评价指标主要反映集雨补灌工程对社会发展的影响和贡献水平,主要由下列指标组成。这些指标仍以定性分析为主,由专家咨询法得到其评价结果。

(1)对就业水平的影响。对就业水平的影响是指新项目的单位投资所创造的新的就业机会。在劳动力充分的条件下,集雨补灌工程应尽可能地以一定数量的资金创造更多的就业机会。同时,项目的实施改善了以往的劳动力分布结构,可以通过改善劳动条件改善从业结构。

(2)对文化水平的影响,是指集雨补灌工程对所在行业或地区文化适应性的分析。注重评价项目是否有助于促进文化教育的发展,是否有助于促进科学技术的传播,是否有助于文化素质的整体提高。

(3)对生活水平的影响,是指集雨补灌工程对当地群众收入、地方收益、国家收益等的提高所引起的群众生活质量的改善与提高。农民生活水平的提高包括多方面,包括物质和精神等方面的变化。

(4)农业生产条件改善程度。农业生产条件好坏主要是看农业生产对各种自然灾害尤其是对水旱灾害的抗御能力。不同的灌水技术因其耗水量不同、对水资源持续利用影响不同,在很多方面存在着差异。所以,在水资源比较紧缺的地区,上述情况会影响到水源的灌溉保证率以及作物的生态环境,从而影响到农业生产条件的改善程度。

(5)农业和农村经济发展促进程度。发展集雨节水灌溉的根本目的是改善农业生产条件、促进农业和农村经济的持续稳定发展。一项节水灌溉工程技术对农业和农村经济发展促进作用如何,关键是看是否符合当地现阶段生产力发展水平的要求。

5.3.3.2.4　环境效益

环境评价指标主要反映集雨补灌工程项目对自然环境、生态平衡的影响程度。其主要内容包括改善农田小气候、生态植被改善、对水资源可持续利用的影响、对土壤水库调蓄能力的影响。这类指标难以定量,仍采取定性分析法。

(1)改善农田小气候,是指工程建设运行期间对灌区气候等方面产生的一些影响而引起的变化。雨水的集蓄利用改变了原来局部地区的循环状态,也就是一定程度上改变了原来的大气—土壤—植物系统。

(2)生态植被改善,是指工程建设运行期间对灌区内的动物、植物等生态系统产生的影响而引起的变化。工程的实施引起了土壤含水量的变化,对本地的植物生长会产生一定的积极作用,从而有利于水土保持工作。

(3)对水资源可持续利用的影响,是指雨水的集蓄利用对原来地表、地下、土壤水的循环系统产生的影响,应采取综合措施,引导其向良性方面发展。

(4)对土壤水库调蓄能力的影响。土壤水库是指地表以下潜水位以上的土壤孔隙蓄水容积。土壤水库调蓄能力大小主要取决于地下水埋深。合理调控地下水位及其相应的土壤水库库容,对于蓄存雨水,解决降雨年际年内分配不均,实现降雨多年调节,以丰补歉,充分利用降雨资源,发展节水农业,减轻或免除洪涝渍灾害,防治土壤盐碱化具有重要作用。

5.3.3.2.5 管理效益

管理效益评价是对集雨补灌工程项目的在组织建设、投入使用、发挥效益和运行维护过程中的评价。由于评价指标难以定量,主要结合实际情况采取定性分析法。

(1)工程组织、建设方面。主要是对集雨补灌工程的组织、建设过程的各个方面的评价。包括项目组织机构的人员配备、项目的组织实施、施工过程中对各项规定的严格执行等方面。

(2)工程运行维护方面。主要是对集雨补灌工程在建设完工后的正常运行过程中的定期检查、维修保养、保持良好运行状态进行评价,以及对工程为用水区供水状况进行分析评价,考察其是否满足用水区的用水要求。

(3)经营管理评价。主要是对管理单位的水、电费的计价标准和收取等进行综合评价,以及考察其如何改进、提高供水效益,是否达到了良性循环。

5.4 多层次模糊综合评价理论与方法

5.4.1 综合评价方法简述

在前面的章节,我们已初步探讨、建立了集雨补灌工程综合效益评价指标体系,对每一个指标分别进行了描述,这些分散的描述缺乏整体性,特别是在某些指标值较好、另一些指标值较差的情况下,很难判别项目综合效益的优劣,而本节的最终目的是要评价一项雨水集蓄利用工程综合效益的大小。如果说,上一节明确了评价的对象,那么进一步的工作就是要寻找如何运用这一指标体系来评价综合效益的评价方法,通过这种方法,将各指标值量化,求出综合效益总的数值。

目前国内外建立的综合评价方法有许多种,常用的方法有S图评判法、价值工程原理方法、层次分析法、模糊综合评价法等,简述如下。

5.4.1.1 **S图评判法**

S图是联邦德国订立的一套正规评价新产品技术经济价值的方法和指标体系,它分别从技术角度、经济角度以及技术经济综合效益的角度对产品进行评价,并把这套研究评价指标体系列入工业标准(VD12225)号。

5.4.1.2 **价值工程原理方法**

用价值工程原理评价技术经济效益的公式为:

$$V = \frac{F}{C} \tag{5-6}$$

式中 V——价值系数;

F——功能;

C——成本。

式中的“功能”应理解为产品的必要功能,“成本”应是保持该必要功能所需要的最低成本,价值系数体现了产品的功能与成本之间的匹配程度,即技术与经济的综合价值。

5.4.1.3 层次分析法(AHP)

以上两种方法确实解决了技术经济的定量评价问题,计算方法都不复杂,适合于从一系列功能角度评价某一产品的技术经济价值。对于已建立的如图 5-4 所示的这样一个较为复杂的技术引进评价指标体系,单纯地用前面的这两种方法就显得“力不从心”。其一,因为指标个数较多;其二,在评价某一产品的性能时只用到平行的一组指标,而上述指标体系同时具备若干个子目标,且每个指标、子目标之间又牵扯到了纵向、横向的制约关系。

近年来,在系统的综合评价问题中,尤其是在涉及到较多定性因素时,层次分析法得到了广泛应用。在目前所有确定指标权重方法中,层次分析法是一种比较科学合理、简单易行的方法,被世界各国普遍采用。雨水集蓄利用工程综合效益评价体系中,各个指标所起的作用是不同的,就像在物价的变动中,粮食和副食品价格变动对居民生活的影响要比其他种类价格变动的影响大得多。因此,为了评价的科学性,通常需要对具有不同的指标赋予不同的权数。指标的重要性主要从指标包含的信息量、敏感性和独立性这几个方面来进行判别。本研究采用层次分析法来确定权重,其主要原理是把复杂的问题分解为各个组成元素,将这些元素按支配关系分组形成有序的递阶层结构。根据一定的比率标度,通过两两比较的方式,将判断定量化,形成比较判断矩阵,计算确定层次中诸元素的相对重要性,确定出各指标相对于上层的相对权重。

5.4.1.4 模糊综合评价法

雨水集蓄利用工程综合效果评价是一个比较典型的涉及到多因素多指标的综合判断问题。而有许多难以定量的指标都是根据专家们的经验主观判断确定的,这种评价还存在着结论的模糊性。如雨水集蓄利用综合效果好还是不好,往往是不能用一个具体的点值来表现的,只能用一个数值区域来表示,因而其评价结果具有模糊性。模糊评价法能够较好地处理多因素、模糊性以及主观判断等问题。

对工程建设管理综合效益方面的评价是一项重要的基础性工作,其评价方法也比较多,如综合指数法、属性识别法、模糊数学法、物元法和人工神经网络法等,这些评价方法各有其特点,但在进行综合评价时,由于各单项指标的评判结果往往是不相容的和独立的,直接利用评价常常造成遗漏一些有用的信息,甚至得到错误结果。例如,综合指数法主观性就比较强,当评价指标值介于两个相邻级别之间时,很难准确判断其属于哪个级别;多因子综合评价中确定因子权重也存在主观性,缺乏比较客观可靠的确定环境因子权重的方法。灰色关联度法对样本多少和有无规律都无限定,而且思路清晰,计算量小,不会出现量化结果与定性分析结果不符的情况。但是,灰色关联度分析评价中权重的计算一般采用简单算术平均方法和均方差法等来确定权重,这会在一定程度上影响计算的结果。因此,引入模糊评价法是评价集雨补灌工程综合效益的一个有效的方法。

综上所述,本书计划运用系统工程、模糊数学、层次分析的有关理论原理,结合集雨补灌工程的实际要求,综合专家意见,建立层次模糊综合评价模型来评价集雨补灌工程的综合效益。复杂系统的分析评估,需要考虑的因素较多,而这些因素(或指标)可以划分为不同层次,形成一个多层次的结构模型。多层次模糊综合评价模型,是将层次分析法

(AHP)与模糊决策方法有机结合,形成多层次模糊综合评价方法,从而为复杂系统的综合评估提供了一种新方法。本节通过建立二级评价指标体系,分解成层次结构。利用层次分析法,确定评价指标的权重,选用模糊数学的方法,对多层次的主观指标评价问题建立模糊综合评价模型,将模糊因素数量化。层次分析法和模糊评价法,也就是将两种方法结合起来,再引入等差打分法,利用向量的乘积,最后求出综合效益评价结果的代数值。

5.4.2 多层次模糊综合评价原理及模型

雨水集蓄利用工程是一个复杂系统,由图 5-4 集雨补灌工程综合效益评价指标体系的递阶层次结构图可见,集雨补灌工程综合效益的评价问题,涉及到经济、技术、社会影响、环境、管理等多个效益目标因素。为了全面正确地评价其综合效益,需要考察多方面的指标,但是,因评价指标较多,若不进行综合就难以清晰概括地反映集雨补灌工程的综合效益,同时也不便于不同工程间的横向比较和单个工程的纵向时间序列比较。为了对其进行合理可行的评价,在参考以往专家学者的研究成果的基础上,计划采用多层次模糊综合评价模型来解决这一问题。

5.4.2.1 多层次模糊综合评价原理与模型

多层次模糊综合评价就是先把要评判的同一事物的多种因素,按某一属性分成若干层次,然后对每一层次进行综合评判,在此基础上再对初层次综合评判的结果进行高层次的综合评判。

一个被评对象相对于这些指标的评价(优、良、中、差、劣)具有一定的模糊性,需要运用模糊集合论来研究。将评价因子即因素集 U 根据某种属性分成 m 个因素子集,记作 $u_1, u_2, \cdots, u_m$,设 $U = \{u_1, u_2, \cdots, u_m\}$为评价因素集(即指标集),$V = \{v_1, v_2, v_3, v_4, v_5\}$ = {优、良、中、差、劣}为评价语集,即评价等级的集合,则模糊矩阵

$$\underline{R} = \begin{pmatrix} \underline{R_1} \\ \underline{R_2} \\ \vdots \\ \underline{R_m} \end{pmatrix} = \begin{pmatrix} r_{11} & r_{12} & \cdots & r_{1n} \\ r_{21} & r_{22} & \cdots & r_{2n} \\ \vdots & \vdots & & \vdots \\ r_{m1} & r_{m2} & \cdots & r_{mn} \end{pmatrix}_{m\times n}$$

为评价矩阵。

$R_i = \{r_{i1}, r_{i2}, \cdots, r_{in}\}$为相对于评价因素 u_i 的单因素模糊评价,它是评价语集 V 上的模糊子集。r_{mn} 为相对于第 u_m 个评价因素给于 v_n 评语的隶属度($n = 1,2,3,4,5$)。

U 上的模糊子集 $A = (a_1, a_2, \cdots, a_i, \cdots, a_m)$称为权重。其中 a_i 为第 i 个评价因素对应的权值,且 $a_i \geqslant 0$, $\sum_{i=1}^{m} a_i = 1$。

模糊综合评价数学模型的标准形式为:

$$B = A \times R$$

A 是论域 U 上的模糊子集,即模糊向量,而评价结果 B 是 V 上的模糊子集,把模糊关系矩阵(即单因素评价矩阵)R 看成模糊变换器,A 为输入(总因素),B 为输出(总评价结果)。开始对每个 u_i 模糊综合评价一级模型分别进行评价。u_i 的单因素评价矩阵为 R_i,

于是，第一级的模糊综合评价就可以进行了。再将 u_i 作为一个元素看待，用 v_i 作为它的单因素评价矩阵，这样就构造了新的评价矩阵，这样层层计算下去就可以了。

对于集雨补灌工程综合效益评价而言，因评价因素(指标)、需要考察的方面甚多，需建立多级模糊层次综合评价模型，见图 5-5。

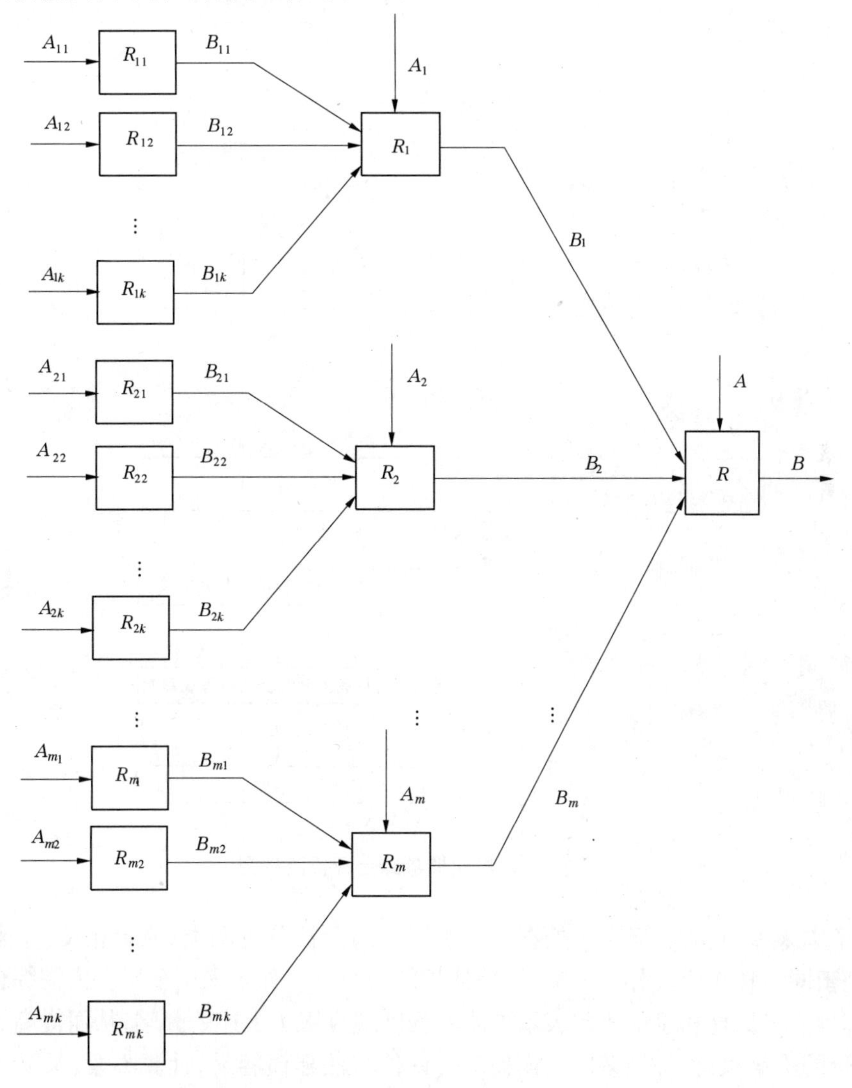

图 5-5　多层次模糊综合评价模型图

按照层次结构和多级综合评价模型框图，由低层到高层逐层确定权重分配并进行该层的综合评价，将其所得结果作为高层次的模糊矩阵，进行高层次的综合评价。这样既反映了各评价因素间客观存在的层次关系，又克服了评价因素过多难以分配权重的弊病。具体评价流程见图 5-6。

由此可见，运用多层次模糊综合评价模型来评价集雨补灌工程的综合效益，简单易行，精确度高。传统评分法，要对评审因子划分等级、规定档次和给出分数，这样就会出现

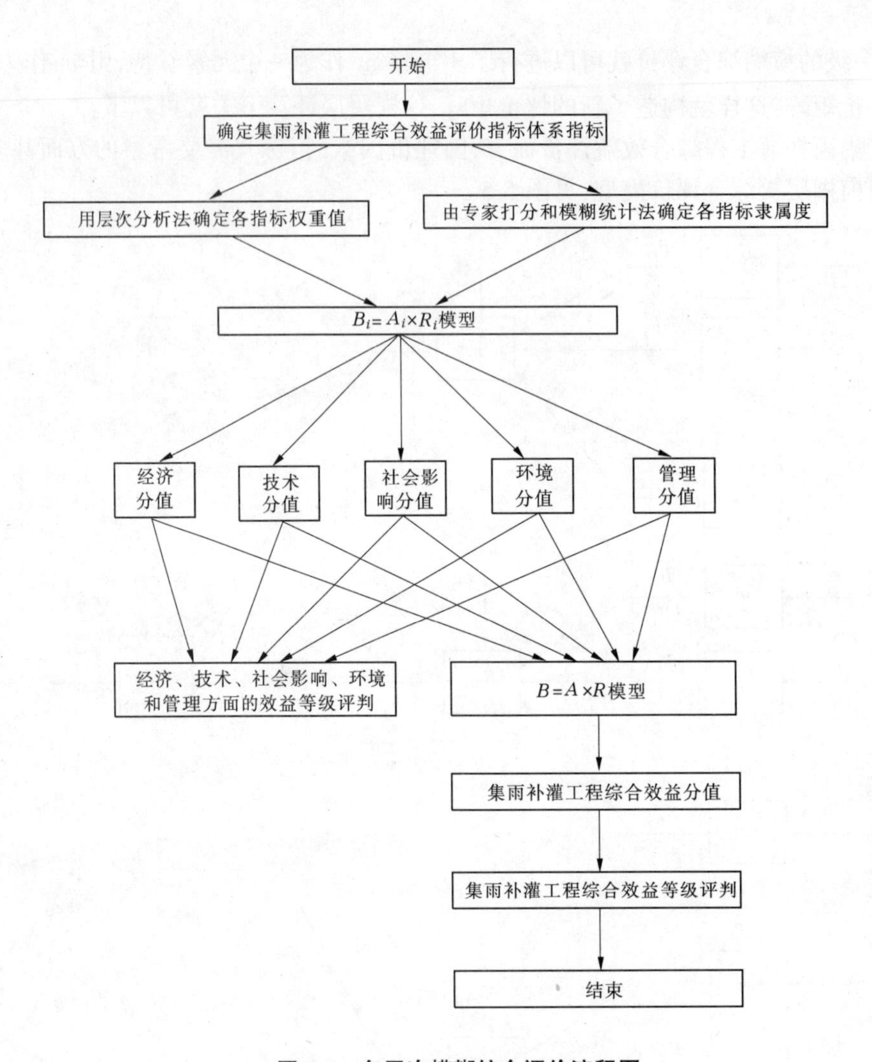

图 5-6　多层次模糊综合评价流程图

同一因子本来差距不大,但由于处在两个不同档次而被分为两类;或者相反,本来差距较大,但处于同一档次而被分为一类,而得到相同的级分。如果采用多层次模糊综合评价方法,用模糊变换原理和隶属函数表示可能的程度就克服了上述的弊端,从而提高了分类精度和评价的准确性;另外用多层次模糊综合评价方法建模容易,计算不繁,又易于指标量化。采用多层次模糊评价方法,为解决多因素综合评价权重不好分配找到一个有效途径。多因素的综合评价问题,若采用单层次评价法,评审因子多,其中有的权重必然很小,再经过复合运算,又损失部分信息,最后计算结果必然不够精确;若采用多层次评价,把因子分属各个层次,然后再作权重分配,就不感到困难了。因此,这一方法比对单层确定权值的评价方法更具有优越性和实用价值。

多目标、多层次的综合评价系统将一个复杂的目标系统按属性横向归类,按递阶要求纵向分层,从而使系统内诸因素间及诸因素与总目标间的相互关系清晰明了,再采用恰当的方法确定出各因素的权重组,就可以对复杂系统进行较全面科学的评价。模糊数学的出现,是基础领域研究的重大突破,它摆脱了传统数学理论“非此即彼”的确定性,反映出“亦此亦彼”的模糊性。雨水集蓄利用工程是一个系统工程,涉及到方方面面许多因素,有许多因素因条件尚不成熟而显得扑朔迷离,或因其自身的特点而难以明确其值,在这个阶段,专家的个人经验往往就显得必需和重要,他们往往能够透过纷纭复杂的表面现象抓住问题的本质,通过看似支离破碎、互不相干的问题寻求规律,从而高效、迅速地解决实践中的具体问题。

5.4.2.2 **评价指标权重的确定**

权重是表示因素重要性的相对数值。所谓重要性,缺乏精确的定义和明确的外延,因此是一个模糊的概念,它可以有许多程度不同的等级,例如非常重要、很重要、重要、比较重要、有点重要、不太重要、不重要等,这些等级均属于有弹性的软划分。在雨水集蓄利用工程综合效益评价中,由于各个评价指标对综合效益的影响程度是不同的,直接分析多个指标对综合效益的影响非常困难,本项研究在确定评价指标权重时,运用了美国学者T.L.Saaty提出的将定性问题定量化的科学方法——层次分析法(Analytic Hierachy Process,简写AHP)。

层次分析法又称多层次权重分析法,是国外20世纪70年代末提出的一种新的定性分析与定量分析相结合的系统分析方法。这种方法适用于结构较为复杂、决策准则较多而且不易量化的决策问题,其思路简单明了,尤其是紧密地和决策者的主观判断和推理联系起来,使决策者对复杂问题的决策思维过程系统化、模型化、数字化,从而可以有效避免决策者在结构复杂和方案较多时逻辑推理上的失误,对系统问题的决策起到优化作用。

层次分析法的基本内容是:首先根据问题的性质和要求,提出一个总的目标;然后将问题按层次分解,对同一层次内的诸因素通过两两比较的方法确定出相对于上一层目标的各自的权系数,结合本书也就是通过专家分析,对评价指标进行两两比较,确定其相对重要性,得到比较判断矩阵,再计算矩阵的标准化特征向量,并进行一致性检验,这样层层分析下去,先由下而上对各指标用矩阵向量法确定权重后,再将最下层权重向上传递,直到最后一层,即可给出所有因素(或方案)相对于总目标而言的按重要性(或偏好)程度的一个排序,也就是确定了各评价指标的权重。

例如有如下层次结构:

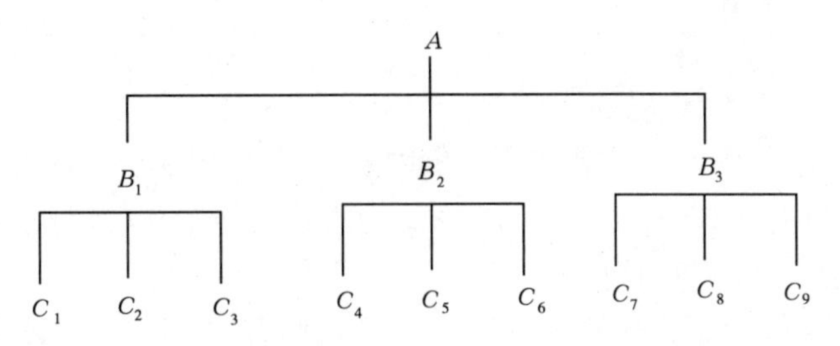

设B_1、B_2、B_3相对于A的权重$W_{B1}A=0.3$,$W_{B2}A=0.3$,$W_{B3}A=0.4$,C_1、C_2、C_3相对于B_1的权重$W_{C_1}B_1=0.5$,$W_{C_2}B_1=0.3$,$W_{C_3}B_1=0.2$,则C_1、C_2、C_3相对于A的权重就分别为:

$$W_{C_1}A = W_{C_1}B_1 \times W_{B_1}A = 0.5 \times 0.3 = 0.15$$

$$W_{C_2}A = W_{C_2}B_1 \times W_{B_1}A = 0.3 \times 0.3 = 0.09$$

$$W_{C_3}A = W_{C_3}B_1 \times W_{B_1}A = 0.2 \times 0.3 = 0.06$$

依次类推，可得到层次结构中各个指标因素相对于终极目标的权重。本部分在前面已经有了详细的叙述，故此处只作简单介绍。

5.4.2.3 评价指标隶属度的确定

一般情况下，评价指标集中的指标可以分为两类：一类为定量指标，另一类为定性指标，在多层次模糊综合评价过程中，用传统的数值定量方法难以客观、准确地作出前后一致的评价，例如项目对生态环境的影响，一般难以精确计量，而只能用“很好”、“较好”、“一般”、“较差”及“很差”等带有模糊属性的语言来表示。这些概念之间的划分，本身亦具有明显的模糊性。因此，本节采用模糊技术与专家系统理论，把工程实践中难以定量描述的问题采用专家经验或数学理论先模糊化，再运算前后一致的明确答案。

各单因素隶属度的确定采用模糊统计与特尔菲(Delphi)相结合的方法，现把确定评价指标隶属度的单因素模糊评价方法介绍如下：

(1)确定评价因素集。将评价因子即评价因素集 U 根据某种属性分成 m 个因素子集，记作 $u_1, u_2, \cdots, u_m$，设 $U = \{u_1, u_2, \cdots, u_m\}$ 为评价因素集(即指标集)。

(2)确定评语集 V 及标准隶属度集 W。设 $V = \{V_1$(很好)，V_2(较好)，V_3(一般)，V_4(较差)，V_5(很差)$\}$ 为评语集，即评价等级的集合，例如取值 $W = \{W_1(1.0), W_2(0.75), W_3(0.5), W_4(0.25), W_5(0)\}$ 为某一隶属度集。

(3)专家评语。发放印有评价指标与评价等级的表格给专家。由 s 个专家对 t 个指标打分，打分时并不要求给出具体的分值，而是在5个评语级别：“很好”、“较好”、“一般”、“较差”、“很差”中认为最合适的级别上打“√”即可。

(4)隶属度的计算。根据 s 位专家的评语，作模糊统计分析计算，就可以得到关于 t 个评价指标的从 U 到 V 的模糊关系，即评价矩阵 R，用模糊评价矩阵 R 来描述：

$$\underline{R} = \begin{pmatrix} \underline{R_1} \\ \underline{R_2} \\ \vdots \\ \underline{R_m} \end{pmatrix} = \begin{pmatrix} r_{11} & r_{12} & \cdots & r_{1n} \\ r_{21} & r_{22} & \cdots & r_{2n} \\ \vdots & \vdots & & \vdots \\ r_{m1} & r_{m2} & \cdots & r_{mn} \end{pmatrix}_{m \times n}$$

其中 $R_i = \{r_{i1}, r_{i2}, \cdots, r_{i5}\}$ 为相对于评价因素 u_i 的单因素模糊评价，它是评语集 V 上的模糊子集。$r_{ij}(i=1,2,\cdots,m; j=1,2,\cdots,n)$ 为相对于第 u_i 个评价因素给于 V_j 评语的隶属度($j=1,2,\cdots,n$)，计算如下：

根据回收整理后专家的评语，得到对 i 个评价指标有 V_{i1} 个 V_1 级评语、V_{i2} 个 V_2 级评语、…、V_{in} 个 V_n 级评语。那么，对 $i=1, 2, \cdots, m$ 有：

$$r_{ij} = V_{ij} / \sum_{j=1}^{n} V_{ij} \quad (j = 1,2,\cdots,n)$$

5.4.3 综合效益评价结果的推求以及效果等级的确定

5.4.3.1 **综合效益评价结果的推求**

根据图 5-4 确定的集雨补灌工程经济、技术、社会影响、环境和管理综合效益评价指标体系，按照上述介绍的方法，对拟进行综合效益评价的集雨补灌工程打分，将权向量矩阵中的总排序权值 A 和评价矩阵 R 代入多层次模糊综合评价数学模型，通过模糊矩阵的合成运算，就可以通过以下多层次模糊综合评价模型逐层进行计算：

$$B_i = A_i \times R_i = (b_1, b_2, \cdots, b_n)_i (i = 1, 2, \cdots, m)$$

在计算过程中若 $\sum_{j=1}^{n} b_j \neq 1$，则采用"归一化"处理为 $\bar{b} = (\bar{b}_1, \bar{b}_2, \cdots, \bar{b}_n)$，其中：

$$\bar{b}_j = b_j / \sum_{j=1}^{n} b_j$$

设分数值按以下档次划分：

$$F = (f_1, f_2, f_3, f_4, f_5) = (100, 80, 60, 40, 20)$$

这样就可以根据以上的初步计算结果按以下方法得出最终结果：

$$Z_1 = \overline{B}_1 \times F; Z_2 = \overline{B}_2 \times F; Z_3 = \overline{B}_3 \times F; Z_4 = \overline{B}_4 \times F; Z_5 = B_5 \times F;$$

$$Z = (Z_1, Z_2, Z_3, Z_4, Z_5)^{\mathrm{T}}$$

最终评价结果 $Q = A \times Z = \sum_{i=1}^{5} A_i \times Z_i$ 。

这样通过层层计算，就可以得出某集雨补灌工程在经济方面、技术方面、社会影响方面、环境方面和管理方面的效益评价的具体数值，再通过同样道理进行综合叠加运算，就可以得出工程整体综合效益评价的具体数值。

上面的计算结果(包括某集雨补灌工程在经济方面、技术方面、社会影响方面、环境方面和管理方面的效益评价的具体数值和工程整体综合效益评价的具体数值)是选择了某集雨补灌工程的一个时间作为评价切入点，如果选择不同的时间序列，例如，把时间点选为工程建设初期、工程建设中期、工程建设运行期，就可以得出一个按照时间序列发展的经济方面、技术方面、社会影响方面、环境方面和管理方面的效益评价的具体数值和工程整体综合效益评价的具体数值，这样就可以比较该集雨补灌工程在不同时间的分指标和综合指标的动态效益，根据这些分指标和综合指标的动态效益的数值，可以绘制出动态曲线，可以清楚地分析出各分指标和综合指标效益的变化，同时也可以根据该动态曲线对该工程以后在各分指标和综合指标效益的发展效果作出预测。

同样道理，如果把上述集雨补灌工程综合效益评价指标体系以及评价模型应用于不同的集雨补灌工程，可以计算出各个集雨补灌工程在经济方面、技术方面、社会影响方面、环境方面和管理方面的效益评价的具体数值和工程整体综合效益评价的具体数值，这样就可以作出一个横向比较，利于总结各集雨补灌工程的优劣，总结经验，改善不足。

如果对不同的集雨补灌工程再引入不同的时间序列，那将是一个囊括横向、纵向的时空大系统复杂评价，可以更深层次地剖析各个集雨补灌工程的综合情况，如加以推广应用，必将产生重大影响，对于提高雨水集蓄利用工程综合效益具有重要的实际应用价值。

5.4.3.2 综合效益效果等级的确定

本项研究中，评价指标的量化和确定是从经济、技术、社会影响、环境和管理等五个方面进行的综合评价，一个经济、技术、社会影响、环境和管理等考虑到社会和生态综合效益最佳、生态系统建设接近完全理想化的集雨补灌工程，其评价指标满分的总得分值为100（考虑到集雨补灌工程在经济方面、技术方面、社会影响方面、环境方面和管理方面的效益评价的具体数值和工程整体综合效益评价的具体数值介于[100,0]，所以规定综合效益效果等级的分值范围为[100,0]），一个综合效益最差、生态经济系统建设完全达不到有关标准最低限度的雨水集蓄利用工程，其评价指标总得分值为0分。根据雨水集蓄利用工程实践、区域社会经济发展和我国农业生态经济建设试点的有关要求，参照水土保持、环境保护、国土整治、农业、林业及畜牧业等有关部颁标准情况的研究，雨水集蓄利用工程经济、社会和生态综合效益评价指标总分值超过80分，可确认该集雨补灌工程已经达到比较理想的程度。雨水集蓄利用工程的综合效益分数越高，说明综合治理效益越好，工程越成功，生态经济系统建设越完善，经济、社会、生态效益越好。

综合分析国内集雨补灌工程的整体情况，同时紧密结合我国集雨补灌工程的实际水平，经征求专家系统成员的意见，把集雨补灌工程系统按照综合效益情况划分为五个等级：

总分数 Q 在80～100为优等工程；

总分数 Q 在70～80为良好工程；

总分数 Q 在60～70为中级成功工程；

总分数 Q 在60以下为失败工程。

通过多层次模糊综合评价模型计算出的雨水集蓄利用工程综合效益的分值，再根据以上专家对分值的划分，可以确定工程综合效益的总体水平。

5.4.4 专家打分工作中应注意的问题

5.4.4.1 参加打分的专家选聘应注意的问题

采用专家参与评判确定指标量化值或优选权重过程中，专家选聘的合理与否，直接影响最后结果的准确程度，所以在专家的选聘过程中应该注意：

(1)所选专家必须对待评价的指标所涉及的各方面情况非常熟悉，且有经验，所选专家在评价指标领域应该有一定的权威。

(2)所选专家在专业分布上要全面、合理，有代表性。

(3)专家人数要适当(一般取6～10人)，各类专家比例应合理，专家人数过少，代表性不好，而且易于造成个人好恶偏见对最终评价结果的影响过大；人数过多，则数据处理工作量过大，评判周期过长，而最后结果的准确性不一定能够提高。

5.4.4.2 采用专家打分应注意的问题

对专家打分可以采取调查问卷的形式，也可通过函询的方法，应避免权威、资历、口才、劝说、压力等的影响。

在请各专家进行打分时，应针对不同方案对各专家的打分结果进行专家意见的一致性程度检验，即要采用专家的倾向性意见，对于意见不集中的方案，应重新打分，或另请专家进行打分。可以采用如下特尔菲(Delphi)法进行打分,并对打分结果进行评估。

特尔菲法是国内外十分流行的一种方法,其实质就是反馈与函询的调查,它的主要特点是函询与反馈,而且通过函询的方法还可以避免权威、资历、口才、劝说、压力等的影响。该法还必须保证反馈的过程自始至终采用匿名的方式,而且允许专家在反馈意见中后一次修改前一次的意见。这就更有利于专家消除顾虑,对定性问题给出更合理的量值。

特尔菲法评估的结果,主要由两种统计方式获得,如果对调查的问题希望专家回答的是准确的数据,就用调查结果的中位数表示倾向性意见,并以上四分位数和下四分位数之差表示意见一致性的程度。如果只要求专家对评价方案给出优劣评价或排序,则可把不同专家评定的对不同方案的名次相加,得到该方案的排序和。哪个方案排序总和值最小,则该方案就是专家的倾向性方案。例如,有5个待选择方案,现由6位专家独立地按自己的意见给方案排序,其结果列于表5-3。

表5-3 专家评分排序结果表

方案	1号专家	2号专家	3号专家	4号专家	5号专家	6号专家	排序总和
A	1	2	1	2	2	1	9
B	2	1	2	3	1	3	12
C	3	4	5	1	6	2	21
D	4	3	3	4	4	5	23
E	5	5	4	5	5	4	28

由表5-2可以看出,方案A的排序结果最优,因此在方案决策时应选择方案A。但是,仅仅如此还不够,我们还需要知道参加排序的几位专家的意见是否集中,也就是所谓的"一致性"。通常用一个0~1之间的系数来表示专家意见一致性的程度,称为"一致性系数",该系数愈接近于1,说明专家意见愈集中。一致性系数的计算公式为:

$$C = \frac{12S}{m^2(n^3 - n)} \tag{5-7}$$

式中 C——一致性系数;

S——专家排序总和的方差和,用下式计算:

$$S = \sum x^2 - \frac{(\sum x)^2}{n} \tag{5-8}$$

式中 x——某方案的专家排序之和;

m——专家数目;

n——方案数目。

按式(5-7)可以求得表5-2的 $C = 0.65$。这个值相对偏低,说明专家意见不够集中,因此我们在确定采用方案A时应持慎重态度,或者让专家重新进行优选排序。

上述专家排序方法,可以直接扩展到数值的评定。即如果在定性指标中,要求专家给出量值,可先按方案数将量值划分为 n 个档次。若要求量值越大越好,可将数值最大的档排序为1,数值最小的档排序为 n,反之则倒过来。然后即可按上述方法计算一致性系数,进而作出选择或确定所要求的指标的量值。

5.5 应用举例

5.5.1 基本数据资料

河南豫北核心示范区集雨补灌工程作为试点示范工程建设,主要为满足示范区350亩地的农田用水和经济作物用水。

5.5.1.1 主要工程及投资

(1)水窖。水窖根据集雨场的分布而选择合适地方建造,尽量沿等高线围绕示范区布置,这样大部分水窖可以实现自流灌溉,其余不能实现自流灌溉的水窖通过水泵提水来灌溉。该工程共修建水窖58个,每个水窖容积为 $35m^3$,造价为2 500元,合计14.5万元。

(2)蓄水池。主要为了蓄积开矿过程中排出的地下水,对雨水不足时起到调节作用。该工程修建大型蓄水池两个,容积分别为1 $500m^3$ 和 $500m^3$,蓄水池造价合计6万元。

(3)水保工程。根据当地地形特点修建的鱼鳞梯田和坡改梯工程,同时结合降雨特点,为充分集蓄利用雨水而对地表集雨场的处理工程,共计投资30万元。

(4)田间配套工程。为配合水窖、蓄水池充分发挥水源的有效使用率,需要建设田间配套工程,主要是田间输水管网和蓄水池输水管网的配套。该项投资计18万元。

(5)其他费用按工程造价的10%计。

(6)资金筹措。工程总投资合计75.35万元,其中国家投资60万元,省(市、县)配套15.35万元,考虑到该地区经济条件比较落后,故群众出工参与工程建设,不参与投资分摊。

5.5.1.2 效益分析

5.5.1.2.1 经济方面

核心示范区集雨补灌工程主要是为了缓解当地水资源供需矛盾,工程的直接效益为增产效益。经济效益分析主要根据水利部《水利建设项目经济评价规范》(SL72—94)和有关资料,采用动态分析法进行计算,分别计算其效益费用比、投资回收年限,以及分析当地对工程的分摊投资承受能力和工程的修建对当地群众收入的提高。基准年为2003年,分析期为工程使用年限,按25年计,示范区当年投资完工,不计施工期投资利息。

(1)增产效益。集雨补灌示范区的直接效益为增产效益。示范区实施后,350亩的示范区每亩增收1 000～1 500元,分别为高效粮食作物和高效经济作物的情况,取粮食作物每亩增收1 000元,水利增产效益分摊系数取0.6,故每年增产效益为 $B_0=0.1\times350\times0.6=21$(万元)。按1.5亩/人计算,由增产效益可以计算出人均收入提高901.29元。

(2)示范区投资折算年值。示范区投资折算年值计算公式如下:

$$K_0=\frac{i(1+i)^n}{(1+i)^n-1}\cdot K=\frac{7\%\times(1+7\%)^{25}\times75.35}{(1+7\%)^{25}-1}=6.47(\text{万元})$$

(3)示范区年运行费。①大修费:示范区大修费费率按总投资的2%计算,平均年大修费为1.51万元;②年维修费用:根据其他示范区经验,年维修费费率按工程投资的0.8%计算,平均年工程大修费为0.6万元;③管理费用:按管理人员3人,每人年补助工资3 000元,全年管理费为0.9万元;④能源费用:示范区年抽水量7万 m^3,按费用0.2元/m^3 计算,年能源费为1.4万元。以上合计年运行费为:$C_0 = 4.41$ 万元。

(4)经济效益费用比。经济效益费用比 R 按下式计算:

$$R = \frac{B_0}{K_0 + C_0} = \frac{21}{6.47 + 4.41} = 1.93$$

(5)投资回收期。投资回收期 T 按下式计算:

$$T = \frac{\lg(B_0 - C_0) - \lg(B_0 - C_0 - iK)}{\lg(1 + i)}$$

$$= \frac{\lg(21 - 4.41) - \lg(21 - 4.41 - 7\% \times 75.35)}{\lg(1 + 7\%)} = 5.6(\text{年})$$

经济效益费用比 $R = 1.93 > 1$,投资回收期 $T = 5.6$ 年,可以看出,工程经济合理,工程效益较好。

5.5.1.2.2 技术方面

核心示范区集雨补灌工程实施过程中,引进了水窖这一新工艺。其主要特点是质量可靠、成本低廉、省材省工和建设工期短。该示范区引进的水窖是雨水集蓄利用的一种很有效的方式,水窖在国内其他地区虽有一定的应用,但是水窖在核心示范区集雨补灌区还是一种比较先进的工艺。结合示范区气候、土质等客观条件,水窖的原材料简单方便,低廉的建设成本适应了贫困地区农村的投资水平,利于饮水解困项目的有效实施。在参考其他地区应用的前提下,结合核心示范区实际情况,对其直径、高度进行了适当的调整,进一步提高了它的施工便利性。本技术是该地区的首次引进,它产生的良好效益将推动该技术的推广应用,其经济效益是随着应用范围的扩大而扩大的,并将在国内饮水解困示范区和旱地集雨示范区更加凸显出来,也必将推动雨水集蓄利用工作。

5.5.1.2.3 社会影响方面

集雨补灌示范区的实施,极大地改善了当地农业生产条件,提高了农业的综合生产能力,提高了示范区内作物的灌溉保证率。由于采取了综合的节水措施,减少了单位面积灌溉用水量,扩大了灌溉面积,降低了农业生产成本,增加了农民收入。随着农民收入的提高,农业各项政策及规定也能够得到落实,乡级财政收入也能够得到保障。这样也就对丰富当地群众的生活、文化产生不同程度的积极作用,同时,也调整了当地劳动力的行业分布结构,例如可以开展多种经营等。项目的实施和先进技术的推广应用,可促进示范区农业结构调整,加快农业先进技术的推广应用,提高科学技术在农业生产中的贡献率,引导当地农业生产的发展方向,使农业逐步向优质、高效、节水、增产型农业发展。同时引导广大农民更新观念,改变陈旧的灌溉模式和生产模式,进一步增强水患意识和节水意识,改善水资源开发利用环境,实现水资源可持续性利用和优化配置,提高水的利用率和水分生产率,使有限的水资源最大限度地为农业增产、农民增收以及国民经济和社会发展服务。

5.5.1.2.4 生态环境方面

集雨补灌示范区的实施,在很大程度上缓解了当地水资源紧张,促进了水资源的统一管理,改变了地下水过度开采和无序开采的被动局面,遏制了水资源紧缺地区地下水日益下降的趋势,从而改善了该区的水环境和区域生态环境。它推动了生态植被改善,使作物及时灌溉得到了保障,提高了作物灌溉保证率,增强了作物抗病虫能力,对本地的植物生长会产生一定的积极作用,从而有利于水土保持工作。使地下水资源得以回升,大大降低了大风中的风沙挟带量,减少了空气中的浮尘含量。它改变了原来局部地区的循环状态,推动了原来的大气—土壤—植物循环系统向良性状态发展。

5.5.1.2.5 管理方面

集雨补灌示范区的组织实施,得到了各级政府的充分重视,当地群众热情高涨,积极配合项目进展。在项目的实施过程中,严格按照审批的示范区建设内容使用资金,建立健全了资金使用管理的各项规章制度,实行专款专用,杜绝了截留、挤占和挪用,同时还加强了对建设资金使用的监督和检查。在水窖、水池的建设中,实行了责任包干到人制度,同时加大了工程质量监督检查力度,有力地保证了工程建设质量。示范工程竣工后,成立了工程管理小组(由地方干部和用水户代表联合组成),负责工程的运行维护,水费、电费的征收等具体工作,从而有效地避免了以前水利工程普遍重建设、轻管理的弊病,为最大程度发挥工程效益、满足补灌区用水提供了保障。

5.5.2 利用多层次模糊综合评价模型对工程项目进行综合效益评价

根据本章所讨论的集雨补灌工程综合效益评价指标体系,在此评价指标选择的基础上,确定各指标的权重。指标权重的推求,采用特尔菲法与层次分析法相结合的方法。先采用德尔菲法确定指标间的相对重要性,通过一致性检验后,再采用层次分析法进行统计计算,推算出各项评价指标的权重。为此,需要发出评价指标两两之间相对重要性确定征询意见表,见附录2。填写调查表的专家包括水利、农业、工业、经济、环保、文教卫生、社会学等方面的专家,人员组成有政府官员、大学教授、科研人员、工程技术人员、工程管理人员等。因此,可以认为这些专家的意见具有一定的代表性,这样求得的权重值是比较客观的、公正的。具体过程为:①建立评价指标体系;②邀请10名专家填写问卷调查表;③发放印有评价指标与等级的表格及两两比较矩阵的表格给各位专家,见附录2和附录3;④回收表格,整理后计算各个指标权重;⑤整理附录3表格中的数据后,建立模糊评价矩阵,进行多层次模糊综合评价计算。

(1)经济、技术、社会影响、环境、管理各分系统相对总系统的权重计算。

A—B_1、B_2、B_3、B_4、B_5 对 A 相对重要程度判断矩阵:

A	B_1	B_2	B_3	B_4	B_5
B_1	1	2	3	3	3
B_2	0.5	1	2	3	3
B_3	0.33	0.5	1	2	2
B_4	0.33	0.33	0.5	1	1
B_5	0.33	0.33	0.5	1	1

经计算可以得出以上判断矩阵的最大特征值及其对应的特征向量,即指标权重:

$$\lambda_{max} = 5.0769, A = (B_1, B_2, B_3, B_4, B_5) = (0.39, 0.26, 0.15, 0.1, 0.1)$$

一致性检验： $CI = (5.0769 - 5)/(5-1) = 0.019$

$$CR = CI/RI = 0.019/1.12 = 0.017$$

因为 $CR = 0.017 < 0.1$，A 一致性可接受，则 B_1、B_2、B_3、B_4、B_5 相对于 A 权重为：

$$A = (B_1, B_2, B_3, B_4, B_5) = (0.39, 0.26, 0.15, 0.1, 0.1)$$

各分系统指标权重如图 5-7 所示。

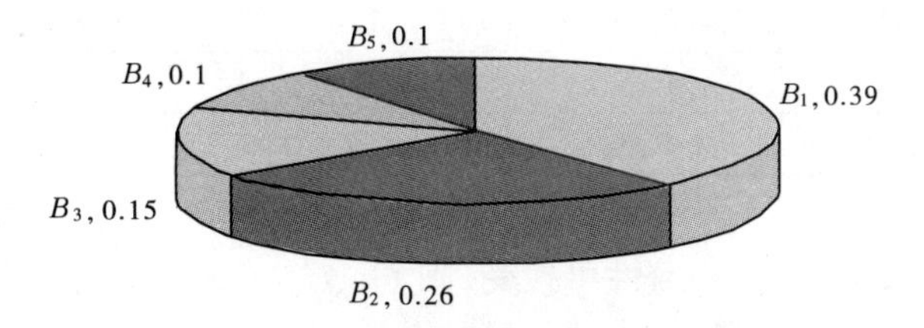

图 5-7　各分系统指标权重示意图

(2)经济效益分系统内各指标的权重计算。

B_1—C_1、C_2、C_3、C_4 对 B_1 相对重要程度判断矩阵：

B_1	C_1	C_2	C_3	C_4
C_1	1	1	2	2
C_2	1	1	1	1
C_3	0.5	1	1	1
C_4	0.5	1	1	1

同上，可以求出以上判断矩阵的最大特征值及其对应的特征向量，即指标权重：

$$\lambda_{max} = 4.0606, B_1 = (C_1, C_2, C_3, C_4) = (0.35, 0.25, 0.2, 0.2)$$

一致性检验： $CI = (4.0606 - 4)/(4-1) = 0.0202$

$$CR = CI/RI = 0.0202/0.9 = 0.022$$

因为 $CR = 0.022 < 0.1$，B_1 一致性可接受，则 C_1、C_2、C_3、C_4 相对于 B_1 权重为：

$$B_1 = (C_1, C_2, C_3, C_4) = (0.35, 0.25, 0.2, 0.2)$$

经济方面指标权重如图 5-8 所示。

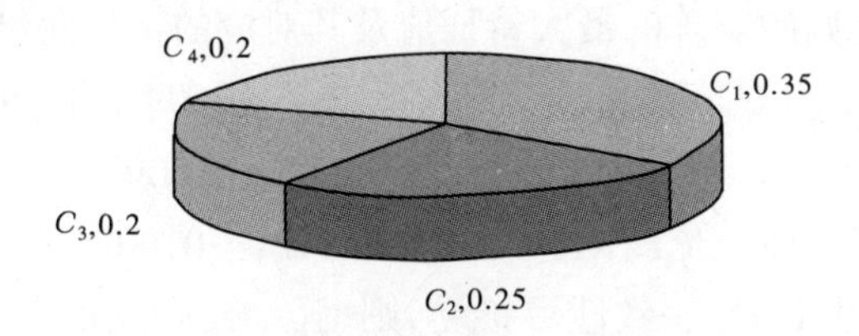

图 5-8　经济方面指标权重示意图

(3)技术效益分系统内各指标的权重计算。

同上，可以求出以上判断矩阵的最大特征值及其对应的特征向量，即指标权重：

$$\lambda_{max} = 5.2276, B_2 = (C_5, C_6, C_7, C_8, C_9) = (0.26, 0.3, 0.12, 0.19, 0.13)$$

一致性检验：　　　$CI=(5.2276-5)/(5-1)=0.057$

$$CR = CI/RI = 0.057/1.12 = 0.051$$

B_2—C_5、C_6、C_7、C_8、C_9 对 B_2 相对重要程度判断矩阵：

B_2	C_5	C_6	C_7	C_8	C_9
C_5	1	1	3	1	2
C_6	1	1	3	2	2
C_7	0.33	0.33	1	0.5	2
C_8	1	0.5	2	1	1
C_9	0.5	0.5	0.5	1	1

因为 $CR=0.051<0.1$，B_2 一致性可接受，则 C_5、C_6、C_7、C_8、C_9 相对于 B_2 权重为：

$$B_2 = (C_5,C_6,C_7,C_8,C_9) = (0.26,0.3,0.12,0.19,0.13)$$

技术方面指标权重如图 5-9 所示。

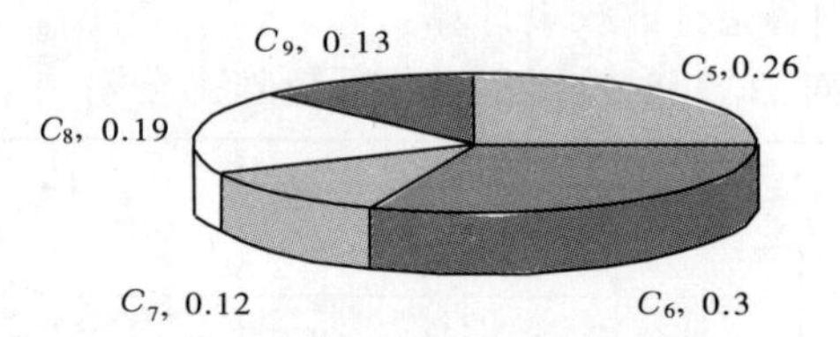

图 5-9　技术方面指标权重示意图

(4)社会效益分系统内各指标的权重计算。

B_3—C_{10}、C_{11}、C_{12}、C_{13}、C_{14}对 B_3 相对重要程度判断矩阵：

B_3	C_{10}	C_{11}	C_{12}	C_{13}	C_{14}
C_{10}	1	1	0.25	0.33	0.5
C_{11}	1	1	0.25	0.33	0.5
C_{12}	4	4	1	1	2
C_{13}	3	3	1	1	1
C_{14}	2	2	0.5	1	1

同上，可以求出以上判断矩阵的最大特征值及其对应的特征向量，即指标权重：

$\lambda_{max} = 5.0355$，$B_3 = (C_{10},C_{11},C_{12},C_{13},C_{14}) = (0.09,0.09,0.35,0.27,0.2)$

一致性检验：　　　$CI=(5.0355-5)/(5-1)=0.009$

$$CR = CI/RI = 0.009/1.12 = 0.008$$

因为 $CR=0.008<0.1$，B_3 一致性可接受，则 C_{10}、C_{11}、C_{12}、C_{13}、C_{14}相对于 B_3 权重为：

$$B_3 = (C_{10},C_{11},C_{12},C_{13},C_{14}) = (0.09,0.09,0.35,0.27,0.2)$$

社会影响方面指标权重如图 5-10 所示。

(5)环境效益分系统内各指标的权重计算。

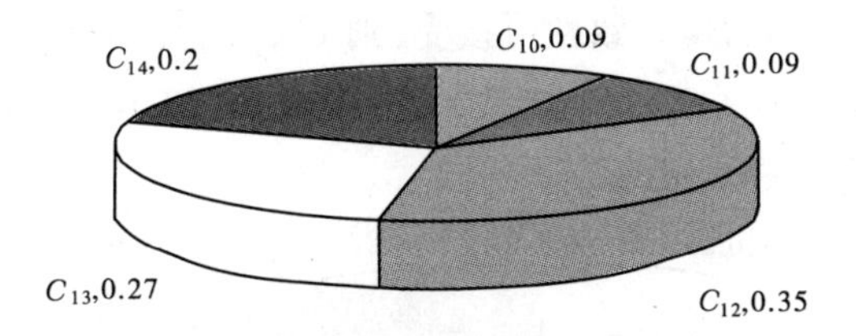

图 5-10　社会影响方面指标权重示意图

B_4—C_{15}、C_{16}、C_{17}、C_{18}对 B_4 相对重要程度判断矩阵：

B_4	C_{15}	C_{16}	C_{17}	C_{18}
C_{15}	1	0.33	0.25	0.5
C_{16}	3	1	1	2
C_{17}	4	1	1	2
C_{18}	2	0.5	0.5	1

同上，可以求出以上判断矩阵的最大特征值及其对应的特征向量，即指标权重：

$$\lambda_{max} = 4.0075, B_4 = (C_{15}, C_{16}, C_{17}, C_{18}) = (0.1, 0.34, 0.37, 0.19)$$

一致性检验：

$$CI = (4.0075 - 4)/(4 - 1) = 0.0025$$

$$CR = CI/RI = 0.0025/0.9 = 0.003$$

因为 $CR = 0.003 < 0.1$，B_4 一致性可接受，则 C_{15}、C_{16}、C_{17}、C_{18}相对于 B_4 权重为：

$$B_4 = (C_{15}, C_{16}, C_{17}, C_{18}) = (0.1, 0.34, 0.37, 0.19)$$

环境方面指标权重如图 5-11 所示。

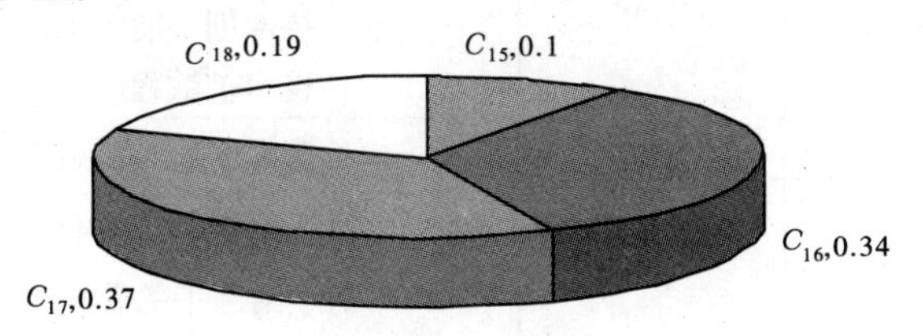

图 5-11　环境方面指标权重示意图

(6)管理效益分系统内各指标的权重计算。

B_5—C_{19}、C_{20}、C_{21}对 B_5 相对重要程度判断矩阵：

B_5	C_{19}	C_{20}	C_{21}
C_{19}	1	1	2
C_{20}	1	1	1
C_{21}	0.5	1	1

同上，可以求出以上判断矩阵的最大特征值及其对应的特征向量，即指标权重：

$$\lambda_{max} = 3.0536, B_5 = (C_{19}, C_{20}, C_{21}) = (0.41, 0.33, 0.26)$$

一致性检验：

$$CI = (3.0536 - 3)/(3 - 1) = 0.0268$$

$$CR = CI/RI = 0.0268/0.58 = 0.046$$

因为 $CR=0.046<0.1$，B_5 一致性可接受，则 C_{19}、C_{20}、C_{21} 相对于 B_5 权重为：

$$B_5 = (C_{19}, C_{20}, C_{21}) = (0.41, 0.33, 0.26)$$

管理方面指标权重如图 5-12 所示。

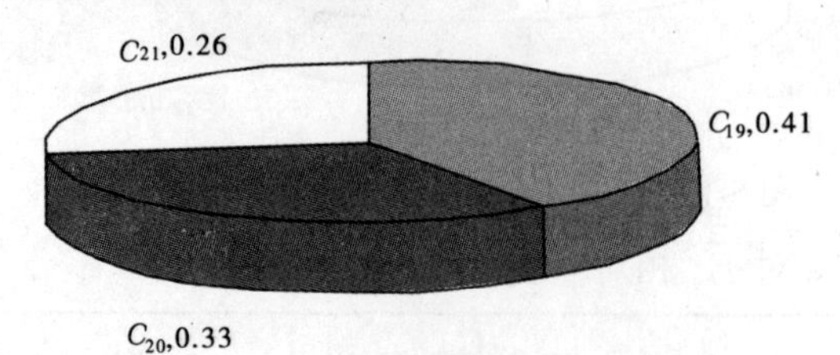

图 5-12　管理方面指标权重示意图

(7)汇总后，可得各权重指标如下(见表 5-4)。

表 5-4　各指标权重

总目标	一级指标	权重	二级指标	权重
综合效益	经济效益	0.39	效益费用比 C_1	0.35
			工程投资承受能力 C_2	0.25
			投资回收期 C_3	0.2
			农民人均收入提高 C_4	0.2
	技术效益	0.26	技术先进性 C_5	0.26
			技术适应性 C_6	0.3
			消化吸收水平 C_7	0.12
			技术创新能力 C_8	0.19
			技术扩散程度 C_9	0.13
	社会效益	0.15	对就业水平的影响 C_{10}	0.09
			对文化水平的影响 C_{11}	0.09
			对生活水平的影响 C_{12}	0.35
			对农业生产条件改善程度 C_{13}	0.27
			对农业和农村经济发展促进程度 C_{14}	0.2
	环境效益	0.1	改善农田小气候 C_{15}	0.1
			生态植被改善 C_{16}	0.34
			对水资源可持续利用的影响 C_{17}	0.37
			对土壤水库调蓄能力的影响 C_{18}	0.19
	管理效益	0.1	对工程组织、建设方面的影响 C_{19}	0.41
			工程运行维护方面 C_{20}	0.33
			对经营管理方面的影响 C_{21}	0.26

(8)整理附录 3 表格中的数据后，建立模糊评价矩阵。

根据专家打分,可得:

$$R_1=\begin{bmatrix}0.2&0.4&0.4&0&0\\0.4&0.5&0.1&0&0\\0.3&0.3&0.3&0.1&0\\0.4&0.5&0.1&0&0\end{bmatrix}\qquad R_2=\begin{bmatrix}0.5&0.3&0.2&0&0\\0.6&0.3&0.1&0&0\\0.6&0.3&0.1&0&0\\0.4&0.5&0.1&0&0\\0.5&0.3&0.2&0&0\end{bmatrix}$$

$$R_3=\begin{bmatrix}0.4&0.3&0.2&0.1&0\\0.2&0.3&0.4&0.1&0\\0.4&0.3&0.3&0&0\\0.3&0.3&0.2&0.2&0\\0.3&0.4&0.3&0&0\end{bmatrix}\qquad R_4=\begin{bmatrix}0.2&0.7&0.1&0&0\\0.4&0.5&0.1&0&0\\0.3&0.5&0.2&0&0\\0.4&0.5&0.1&0&0\end{bmatrix}$$

$$R_5=\begin{bmatrix}0.3&0.5&0.2&0&0\\0.4&0.5&0.1&0&0\\0.3&0.4&0.3&0&0\end{bmatrix}$$

由以上可以得到:

$$A=(B_1,B_2,B_3,B_4,B_5)=(0.39,0.26,0.15,0.1,0.1)$$
$$B_1=(C_1,C_2,C_3,C_4)=(0.35,0.25,0.2,0.2)$$
$$B_2=(C_5,C_6,C_7,C_8,C_9)=(0.26,0.3,0.12,0.19,0.13)$$
$$B_3=(C_{10},C_{11},C_{12},C_{13},C_{14})=(0.09,0.09,0.35,0.27,0.2)$$
$$B_4=(C_{15},C_{16},C_{17},C_{18})=(0.1,0.34,0.37,0.19)$$
$$B_5=(C_{19},C_{20},C_{21})=(0.41,0.33,0.26);$$

(9)运用多层次模糊综合评价模型 $P_i=B_i\times R_i$,计算可得:

$$P_1=B_1\times R_1=(0.31,0.425,0.245,0.02,0)$$
$$\overline{P}_1=(0.31,0.425,0.245,0.02,0)$$
$$P_2=B_2\times R_2=(0.523,0.338,0.139,0,0)$$
$$\overline{P}_2=(0.523,0.338,0.139,0,0)$$
$$P_3=B_3\times R_3=(0.335,0.32,0.273,0.072,0)$$
$$\overline{P}_3=(0.335,0.32,0.273,0.072,0)$$
$$P_4=B_4\times R_4=(0.343,0.52,0.137,0,0)$$
$$\overline{P}_4=(0.343,0.52,0.137,0,0)$$
$$P_5=B_5\times R_5=(0.333,0.474,0.193,0,0)$$
$$\overline{P}_5=(0.333,0.474,0.193,0,0)$$

(10)最终计算结果。将权向量矩阵中的总排序权值 C(经济、技术、社会影响、环境和管理等方面所包含的 21 个指标的权重)和评价矩阵 R(经济、技术、社会影响、环境和管理等方面所包含的 21 个指标的隶属度)代入多层次模糊综合评价数学模型,河南豫北核心示范区集雨补灌工程在经济、技术、社会影响、环境和管理等方面的效益评价值和工程整体综合效益评价值计算结果如下:

$$F = (f_1, f_2, f_3, f_4, f_5)^{\mathrm{T}} = (100,80,60,40,20)^{\mathrm{T}}$$

经济方面：$Z_1 = \overline{P}_1 \times F = 80.5$；

技术方面：$Z_2 = \overline{P}_2 \times F = 87.68$；

社会影响方面：$Z_3 = \overline{P}_3 \times F = 78.36$；

环境方面：$Z_4 = \overline{P}_4 \times F = 84.12$；

管理方面：$Z_5 = \overline{P}_5 \times F = 82.8$。

$$Z = (Z_1, Z_2, Z_3, Z_4, Z_5)^{\mathrm{T}} = (80.5, 87.68, 78.36, 84.12, 82.8)^{\mathrm{T}}$$

根据以上可以计算工程整体综合效益：$Q = B \times Z = 82.64$。

表5-5和图5-13即为河南豫北核心示范区集雨补灌工程在经济、技术、社会影响、环境和管理等方面的效益评价值和工程综合效益评价值的计算结果和柱状图。

表5-5　分值结果汇总

经济效益得分值	$Z_1 = 80.5$
技术效益得分值	$Z_2 = 87.68$
社会效益得分值	$Z_3 = 78.36$
环境效益得分值	$Z_4 = 84.12$
管理效益得分值	$Z_5 = 82.8$
综合效益得分值	$Q = 82.64$

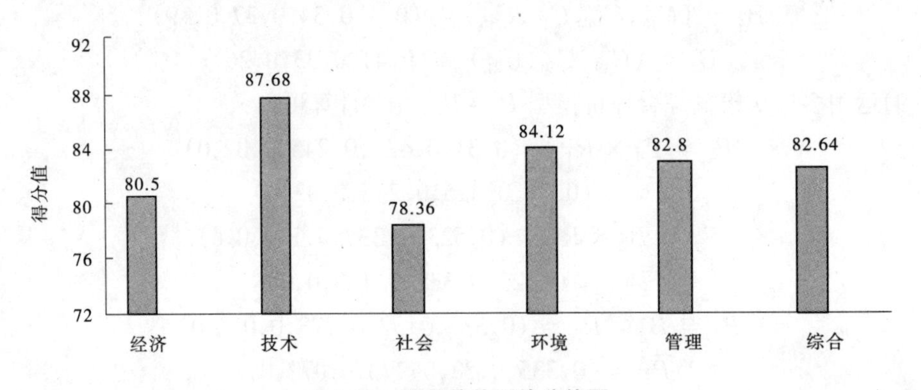

图5-13　项目效益评价分值图

5.5.3　结果分析

根据以上河南豫北核心示范区集雨补灌工程在经济、技术、社会影响、环境和管理等方面的效益评价分值和项目的综合效益评价分值，可以清晰地看出河南豫北核心示范区集雨补灌工程在经济、技术、社会影响、环境和管理等五个方面的具体情况，从而可以分析出该集雨补灌工程的总体成功度。

根据计算可知，河南豫北核心示范区集雨补灌工程综合效益的分值为82.64，参照工程综合评判等级的分类标准，该工程整体上达到了优质级别，这说明该项目的实施整体上是成功的，在总的方面产生了明显的效益。另外从各个单方面分析，该集雨补灌工程还取得了良好的经济效益，切实在农民增产增收方面发挥了作用，对促进农业结构调整和农村经济发展起到了促进作用。从技术角度看，其效益分值最高，说明新技术工艺的引进是成功的，深受群众欢迎，并且已经发挥作用，产生了良好效益，这也符合当地实际情况，水窖的引进很大程度上改变了当地群众的生产生活条件，因此受到较高评价。项目的实施还在很大程度上改善了当地的生态环境，对小流域内的生态环境改善起到了显著作用，尤其是在水资源的时空调控、土壤水分涵养等方面。工程的实施得到了各级政府的大力支持和指导，建设和运行维护都达到了较高标准，工程效益得到了充分发挥。总之，该集雨补灌工程的实施在经济、技术、环境改善等方面都取得了显著效果，对当地经济发展产生了明显的推动作用。当然，由于是初次在本地区应用推广新技术工艺，该项目还存在着不太完善的地方，主要是跟当地实际情况有关，其成长和完善还需要一定时间，在使用过程中，其不足将会逐步得到改进。

若以此综合评价为依据进行同类工程的评比，可以清楚地看出各个集雨补灌工程在综合效益方面的差异。这种横向比较由于比较客观地反映了各集雨补灌工程的实际情况，可以激励各工程管理单位争先夺优的积极性。实际运用表明，本章提出的模糊综合评价模型是合理可行的。它能客观地反映集雨补灌工程在各个方面的真实情况，指出集雨补灌工程的优势及存在的薄弱环节，并可以给出综合评价结果和相对排序。如果进行逐年评价，还可以展现集雨补灌工程综合效益的动态变化。

第6章 结 论

雨水集蓄节灌技术在农业上的运用是国际节水农业的发展趋势。通过对北方集雨补灌、多水源联合优化配置,进行旱作区节水农业综合技术体系集成与示范研究,对提高水资源利用效率,实现降水利用与生态环境改善的有机整合,推动我国北方旱地集雨补灌节水农业的高效、持续发展,具有积极意义。本项研究取得了如下主要成果:

(1)基于 GIS 理论与方法,利用 Visual Basic 6.0 和 ArcGIS 9.0 基于 ArcObjects 的组件模块进行 ArcGIS Engine 系统二次开发,结合河南豫北示范区中心示范区水资源利用现状,对其区内水资源分析评价,包括降水、蒸发、地表水资源、地下水资源、水资源总量以及水资源的可利用量,对水资源要素的预测模型进行了研究,建立管理水资源评价结果的数据库、图形库和模型库,在对数据库编程技术进行研究的基础上,将空间数据与属性数据相关联,构建地理数据库 Geodatabase,实现空间数据与属性数据的双向查询功能,能够直观显示区域水资源状况和实时预测水资源要素变化趋势。

(2)以核心示范区为典型示范区,将雨水汇流、地下水、土壤水库、水土保持、节水灌溉等综合考虑,建立了所有水资源可联合调度的机井、水池、水窖、集雨场及调度管网系统。解决了雨水分散集蓄与多水源联合调控一体化问题,建立了具有区域特色的雨水高效利用模式。配以节灌工程措施、农艺节水措施。在水资源评价及优化水资源分配的基础上,通过工程措施,大大提高了蓄水池、窖的水资源调节能力,扩大了蓄水池、窖的水资源调节功能。将地下水和集蓄雨水在灌溉区域内进行合理的分配与节水灌溉,实现了水资源的最优利用,有效地提高了降水利用率和利用效率。本工程是一项具有超前性质的理论与工程综合技术研究,其研究成果实现了理论研究与工程技术措施的完美结合。

(3)以动态规划法求得总水资源量在各种作物之间的优化分配结果,依据非充分灌溉理论,通过调整作物不同生育期设定的灌水定额、土壤计划湿润层含水量的上下限值,推求灌水时间,同时根据来水情况,在一定的规则下实现了多水源的联合运用,以期实现水资源最大限度地利用及获得最大效益。根据实际来水与降雨过程进行最优结果的调整,解决了以往水资源优化结果只是根据理想数据进行模拟优化,而在实际条件往往不能与理想数据一致时难以处理的问题。利用计算机软件进行不同作物不同生育期计算作物需水量,实现了用詹森连乘模型计算作物在最优配水条件下的实际产量与最高产量的比值问题。

(4)在对作物非充分灌溉理论、灌区信息管理及灌区水资源优化调度、实时优化配水等系统分析的基础上,利用 Delphi 语言进行 MapObject 的二次开发,进行了基于 GIS 的灌区信息管理系统研制,提高了灌区管理过程中获取信息的便捷性、准确性以及灌区信息管理的可视化程度。该软件系统可以为用户提供灌区信息管理,指导灌区优化灌溉等问题,与以往相近研究成果相比,最后成果的实用性、程序的可操作性都有了很大的提高。

(5)研究探讨雨水集蓄利用区生态经济系统的优化规划、集雨补灌工程综合效益评价指标体系及其评价模型。结合中心示范区雨水集蓄利用的实际情况，确定了从经济、技术、社会影响、环境和管理等五个方面21个因子的雨水集蓄利用综合效益评价指标体系。同时结合综合评价定性、定量因素相混合的特点，建立了多层次模糊综合评价模型。引入专家评分、层次分析法和模糊数学等理论，通过确定指标权重、隶属度，最终求出集雨补灌工程多目标的、动态的综合效益评价结果。根据"863"核心示范区集雨补灌工程在经济、技术、社会影响、环境和管理等方面的综合效益评价可知，核心示范区集雨补灌工程综合效益的分值为82.64，参照工程综合评价等级的分类标准，该工程整体上达到了优质级别，这说明该项目的实施整体上是成功的。从单方面分析，该集雨补灌工程取得了良好的经济效益，切实在农民增产增收方面发挥了作用，对促进农业结构调整和农村经济发展起到了促进作用。从技术角度看，其效益分值最高，说明新技术工艺的引进是成功的，深受群众欢迎，产生了良好效益，这也符合当地实际情况，水窖的建设很大程度地改变了当地群众的生产生活条件，受到较高评价。同时，项目的实施对小流域内生态环境改善起到了显著作用，尤其是在水资源的时空调控、土壤水分涵养等方面。工程的实施得到了各级政府的大力支持和指导，建设和运行维护都达到了较高标准，工程效益得到了较充分发挥。总之，该集雨补灌工程的实施在经济、技术、环境改善等方面都取得了显著效果，对当地经济发展产生了明显的推动作用。

在实施过程中，始终坚持建设内容与用户需求的紧密联系，根据农户的需要完善示范区建设方案，研究与应用推广同步，搞好示范区的特色建设和工程利用效益。2002～2005年在核心示范区建成集雨补灌区400亩，在滑峪建成中心示范区10 640亩，在全乡建成技术辐射区12.3万亩。完成土壤增容、集雨、节灌、双池连调、水池修缮等多项工程，并且使各项工程的实施与当地农业经济的发展紧密地结合在一起，开展技术讲课26次，向核心示范区、中心示范区和技术辐射区散发技术资料21.2万份。无论是工程建设、技术培训和新技术的引进，课题组时刻想用户之所想，急用户之所急，通过省、市、乡各级部门的紧密配合，圆满地实施了课题计划，并将所研究的技术成果成功地运用到核心示范区、中心示范区和技术辐射区。

4年来，课题成果累计在核心示范区、中心示范区和技术辐射区推广应用13.4万亩，取得了显著的经济效益、社会效益和生态环境效益。区内水分利用效率由1.00 kg/m^3 提高到1.23kg/m^3，增加社会经济效益2 070万元，节水268万 m^3。经过推广应用，中心示范区的降水利用率由36.2%提高到52.9%，提高16.7个百分点；单位综合产量提高21.2%，人均收入提高458元；技术辐射区的降水利用率则由36.2%提高到47.5%，提高11.3个百分点，单位综合产量提高16.2%，人均收入增加235元。减少了水土流失，改荒治坡，增加了土壤蓄水量，提高了作物产量、农民收入和林木的成活率，从而促进了居民饮水质量和生存环境的不断改善。

附 录

附录1 集雨补灌工程综合效益评价指标体系问卷调查表Ⅰ

尊敬的各位专家：

根据我国雨水利用现状以及集雨补灌工程有关实际情况（主要针对河南豫北示范区核心示范区），为对集雨补灌工程的综合效益进行评价，特列出以下初步确定的评价指标体系，望各位专家评判。

1. 请在您认为重要的程度上画 √。

2. 您认为还有更重要的评价指标，请填入空格。

评价指标（一层）	评价指标(二层)	很重要	重要	一般	不重要	很不重要
经济方面	效益费用比					
	工程投资承受能力					
	投资回收期					
	农民人均收入提高					
技术方面	技术先进性					
	技术适应性					
	消化吸收水平					
	技术创新能力					
	技术扩散程度					
社会效益方面	对就业水平的影响					
	对文化水平的影响					
	对生活水平的影响					
	对农业生产条件改善程度					
	对农业和农村经济发展促进程度					
环境方面	改善农田小气候					
	生态植被改善					
	对水资源可持续利用的影响					
	对土壤水库调蓄能力的影响					
管理方面	工程组织、建设方面					
	工程运行维护方面					
	经营管理方面					

附录2 集雨补灌工程综合效益评价指标体系问卷调查表Ⅱ

尊敬的各位专家：

根据河南豫北核心示范区集雨补灌工程的实际情况，建立了该工程的综合效益指标体系见图5-4。

为确定每个指标的相对权重，特构造两两比较判断矩阵，针对总目标 A，子目标 B_1、B_2、B_3、B_4、B_5 两两比较，哪个重要一些，重要多少。同样，针对每个子目标，它下面的各个指标相比较，哪个重要一些，请按下面的比例标度填写矩阵。该矩阵具有以下特点：①$a_{ij}>0$；②$a_{ij}=1/a_{ji}$；③$a_{ii}=1$。

1~9标度定义说明表：

相对重要程度	定　义	解　释
1	同等重要	目标 i 和 j 同样重要
3	略微重要	目标 i 比 j 略微重要
5	相当重要	目标 i 比 j 重要
7	明显重要	目标 i 比 j 明显重要
9	绝对重要	目标 i 比 j 绝对重要
2,4,6,8	介于两相邻重要程度之间	

注：目标 i 与 j 比较得判断 a_{ij}，则目标 j 与 i 比较的判断 $a_{ji}=1/a_{ij}$。

A—B_1、B_2、B_3、B_4、B_5 对 A 相对重要程度判断矩阵：

A	B_1	B_2	B_3	B_4	B_5
B_1	1				
B_2	X	1			
B_3	X	X	1		
B_4	X	X	X	1	
B_5	X	X	X	X	1

B_1—C_1、C_2、C_3、C_4 对 B_1 相对重要程度判断矩阵：

B_1	C_1	C_2	C_3	C_4
C_1	1			
C_2	X	1		
C_3	X	X	1	
C_4	X	X	X	1

B_2—C_5、C_6、C_7、C_8、C_9 对 B_2 相对重要程度判断矩阵：

B_2	C_5	C_6	C_7	C_8	C_9
C_5	1				
C_6	X	1			
C_7	X	X	1		
C_8	X	X	X	1	
C_9	X	X	X	X	1

B_3—C_{10}、C_{11}、C_{12}、C_{13}、C_{14}对 B_3 相对重要程度判断矩阵：

B_3	C_{10}	C_{11}	C_{12}	C_{13}	C_{14}
C_{10}	1				
C_{11}	X	1			
C_{12}	X	X	1		
C_{13}	X	X	X	1	
C_{14}	X	X	X	X	1

B_4—C_{15}、C_{16}、C_{17}、C_{18}对 B_4 相对重要程度判断矩阵：

B_4	C_{15}	C_{16}	C_{17}	C_{18}
C_{15}	1			
C_{16}	X	1		
C_{17}	X	X	1	
C_{18}	X	X	X	1

B_5—C_{19}、C_{20}、C_{21}对 B_5 相对重要程度判断矩阵：

B_5	C_{19}	C_{20}	C_{21}
C_{19}	1		
C_{20}	X	1	
C_{21}	X	X	1

相对重要程度判断矩阵中标有 X 的方格不必再增写。这是由于主对角线上各方格中的值必为 1,下三角各方格中的值必为相应上三角方格中的倒数。

附录3 集雨补灌工程综合效益评价指标体系问卷调查表Ⅲ

尊敬的各位专家：

图5-4已经列出河南豫北核心示范区集雨补灌工程的综合效益评价指标体系，请结合示范区集雨补灌工程实际，填写下列表格，评判其二级指标属于哪一等级（经济效益已经计算出其具体数值）。

经济方面评价指标：

指 标	等 级				
	很好	好	一般	较差	差
效益费用比＝1.93					
工程投资承受能力（农民只出工）					
投资回收期＝5.6年					
农民人均收入提高＝901.29元					

技术方面评价指标：

指 标	等 级				
	很好	好	一般	较差	差
技术先进性					
技术适应性					
消化吸收水平					
技术创新能力					
技术扩散程度					

社会效益方面评价指标：

指 标	等 级				
	很好	好	一般	较差	差
对就业水平的影响					
对文化水平的影响					
对生活水平的影响					
对农业生产条件改善程度					
对农业和农村经济发展促进程度					

环境方面评价指标：

指　　标	等　　级				
	很好	好	一般	较差	差
改善农田小气候					
生态植被改善					
对水资源可持续利用的影响					
对土壤水库调蓄能力的影响					

管理方面评价指标：

指　　标	等　　级				
	很好	好	一般	较差	差
工程组织、建设方面					
工程运行维护方面					
经营管理方面					

参 考 文 献

1 王树谦,陈南祥．水资源评价与管理[M]．北京:中国水利水电出版社,1996
2 姚鹤岭．GIS在水资源综合开发中的应用[J]．人民黄河,2003(3)
3 Desmer,P.J.J., G..Govers.A GIS Procedure for Automatically Calculating the USLE LS Factor on Topographically Complex Landscape Units.J.Soil and Wate Cons,1996,51(5)
4 Zhou Qiming, et al. Development of a GIS Network Model for Agricultural Water Manage
5 张明泉,曾正中．水资源评价[M]．兰州:兰州大学出版社,1995
6 Ment in a Floodplain Environment [A].Proceedings of International Conference on Modeling Geographical and Environment Systems with Geographical Information Systems[C].Hong Kong: Department of Geography, The Chinese University of Hang Kong,1998.179～189
7 魏文秋,于建营．地理信息系统在水文学和水资源管理中的应用[J]．水科学进展,1997(3)
8 邬伦,刘瑜,张晶,等．地理信息系统——原理方法和应用[M]．北京:科学出版社,2001
9 Maguire D J.An overview and definition of GIS,geographic information system.London:Longman Inc,1991
10 P.A, Burough,Principle of Geographical Information Systems fro Land Resources Assessment Clarendon Press.Oxford,1986
11 Coppock J T,Rhind D W.The history of GIS,geographic information system. London:Longman Inc,1991
12 王宏彦,崔丽洁．GIS技术在水文水资源领域的应用[J]．东北水利水电,2002(10)
13 顾明．软件工程中几种常用软件生命周期模型的简介[J]．计算机时代,2003(1)
14 吴彦春,饶文碧,罗小琴．面向对象原型法在MIS开发中的应用[J]．微机发展,2004(4)
15 吕梦雅,陈晶．面向对象的原型法在需求分析中的应用[J]．河北科学院学报,2002(3)
16 蔡大应．石津灌区水资源管理地理信息系统研究:[硕士学位论文][D]．郑州:华北水利水电学院,2003.6
17 刘卫林．基于GIS的水土保持规划信息管理系统研究:[硕士学位论文][D].郑州:华北水利水电学院,2004.2
18 刘光．地理信息系统二次开发教程——组件篇[M]．北京:清华大学出版社,2003
19 王伟长．地理信息系统控件(ActiveX)——MapObjects培训教程[M]．北京:科学出版社,2000
20 Exploring ArcObjects[M].ESRI,2002
21 ArcObjects Object Model Diagrams[M].ESRI,2002
22 中国通讯——ArcGIS 9 新一代空间服务解决方案巡展专刊[M].ESRI中国(北京)有限公司,2003
23 朱政．ArcGIS Engine的开发与部署[M]．ESRI中国(北京)有限公司,2004
24 李门楼,胡成,陈植华．河北平原区域地下水资源决策支持系统设计与开发[J]．地球科学——中国地质大学学报,2002(2)
25 Albertson P E,Hennington G W.Groundwater analysis using a GIS following finite－difference and finite－element techniques.Engineering Geology,1996,42(2－3): 167～173
26 P.A Burough(1998).Dynamic Modeling and Geo－computation in Environ mental Modeling.In GIS reader.D.karssenberg & P.A.Burrough(eds.) Faculty of Geographical Sciences, Utrecht University, The Netherlands,1998
27 Sage A P.Decision Support System Engineering.A Wiley－Interscience Publication.John Wiley&Sons, Inc,1991

28 Bedient P B, Huber W C. Hydrology and floodplain analysis. Addison – Wesley Publishing. Reading, Massachusetts, 1989
29 刘思峰,郭天榜,党耀国,等．灰色系统理论及其应用[M]．北京:科学出版社,1999
30 张大海,史开泉,江世芳．灰色系统预测的参数修正法[J]．电力系统及其自动化学报,2001(2):20～22
31 王惠文．偏最小二乘回归方法及其应用[M]．北京:国防工业出版社,1999
32 秦蓓蕾,王文圣,丁晶．偏最小二乘回归模型在水文相关分析中的应用[J]．四川大学学报,2003(4):115～118
33 甘伢初．动态数据的统计分析[M]．北京:北京理工大学出版社,1991
34 陈南祥．地下水动态预报模型的精度评价[J]．工程勘察,1999(3):35～38
35 许志芳．节水农业的战略认识和对策[J].中国农村水利水电,1996(1～2)
36 孙景生．康绍忠．我国水资源利用现状与节水灌溉发展对策[J].农业工程学报,2000(2)
37 熊运章,宋松柏,等.计算机在农业水土工程中的应用[M].北京:清华大学出版社,1999
38 徐建新,沈晋.现代科技在节水灌溉领域中的应用[J].科学技术与辩证法,1999(3)
39 黄修桥,李英能,顾宇平,等.节水灌溉的三个体系[J].节水灌溉,1999(1)
40 黄修桥,李英能,顾宇平,等.节水灌溉技术体系与发展对策的研究[J].农业工程学报,1999(1)
41 李亚卿,裴小婉.GIS及其在灌溉管理中的应用[J].节水灌溉,2001(2)
42 范昊明,杨国范,等.GIS技术在灌区用水管理中的应用研究.沈阳农业大学学报,2002(2)
43 王德次.节水灌溉综合评价决策专家系统的研究与应用:[硕士学位论文][D].武汉:武汉水利电力大学,1997.5
44 罗金耀,陈大雕,王富庆,等.节水灌溉综合评价理论与模型研究[J].节水灌溉,1998(4)
45 徐建新,陈南祥,等.区域水资源规划及灌区节水灌溉专家系统研制[R].华北水利水电学院,2000.9
46 徐建新,陈南祥,田峰巍,等.专家系统在灌区节水灌溉技术选择中的应用[J].灌溉排水,1999(3)
47 路振广,杨宝忠,张玉顺,等.农业节水工程技术研究[R].河南省水利科学研究所,2001.11
48 蔡大应.石津灌区水资源管理地理信息系统研究:[硕士学位论文][D].郑州:华北水利水电学院,2003.5
49 高龙华.基于GIS的防汛抗旱信息系统研究:[硕士学位论文][D].南京:河海大学,2003.3
50 薛伟.地理信息系统程序设计[M].北京:国防工业出版社,2004
51 崔远来.非充分灌溉优化配水技术研究综述[J].灌溉排水,2000(1)
52 崔远来,李远华.作物缺水条件下灌溉供水量最优分配[J].水利学报,1997(3)
53 马建琴.陈守煜,邱林,等.作物灌溉制度的模糊优化设计[J].华北水利水电学院学报,2000(4)
54 刘文兆.水源有限条件下作物合理灌溉定额的确定[J].水利学报,1998(9)
55 彭世彰,边立明,朱成立,等.作物水分生产函数的研究与进展[J].水利水电科技进展,2000(1)
56 王金平,孙雪峰.作物水分与产量关系的综合模型[J].灌溉排水,2001(2)
57 徐建新,冯跃志,黄强,等.季节性河道引水灌区优化配水研究[J].灌溉排水,2000(2)
58 张庆华,颜宏亮,宋学东,等.确定农作物经济灌溉制度的方法[J].节水灌溉,1998(6)
59 陈亚新,康绍忠.非充分灌溉原理[M].北京:水利电力出版社,1995
60 李远华.节水灌溉理论与技术[M].武汉:武汉水利电力大学出版社,1999
61 陈玉民,肖俊夫,王宪杰,等.非充分灌溉研究进展及展望[J].灌溉排水,2001(2)
62 陈文伟.决策支持系统及其开发[M].北京:清华大学出版社,南宁:广西科学技术出版社,2000
63 丁志雄.灌区(区域)水资源优化利用与专家决策研究:[硕士学位论文][D].郑州:华北水利水电学院,1999.5

64 Saunders M C, Haessler C W, etc. Grop ES: An Expert Systems for Agricultrue in Pennsylvania, AI Applications, 1998(2):13～19
65 Andre Luize Zambalde, Lidia Micida Segre, etc. Computers on the Farm: Human Resources, Software Development, Software and Hardware Selection. Sixth International Conference on Computers in Agriculture. Cancun, Mexico, June, 1996
66 J P Hansen, T kristensen, etc. Computer Aided Advising on Organic Dairy Farms - needs, Developmental and Experiences. Sixth International Conference on Computers in Agriculture. Cancun, Mexico, June, 1996
67 汪志农,康绍忠,熊运章,等.灌溉预报与节水灌溉决策专家系统研制[J].节水灌溉,2001(1)
68 汪志农.节水灌溉管理决策专家系统研究:[博士学位论文][D].杨陵:西北农林科技大学,2000.6
69 谷红梅.灌区灌水技术选择及优化配水专家系统:[硕士学位论文][D].郑州:华北水利水电学院,1999.6
70 周名耀,蔡勇,顾鹤鸣,等.农田水分管理决策支持系统研究[J].扬州大学学报,2000(4)
71 上官周平,邵明安,薛增召,等.旱地作物需水量预报决策辅助系统[J].农业工程学报,2001(2)
72 田军仓.干旱地区节水灌溉及扬水灌区灌溉调配智能决策支持系统:[博士学位论文][D].武汉:武汉水利电力大学,1998.5
73 刘玉春.农业水资源优化分配决策支持系统的开发应用:[硕士学位论文][D].保定:河北农业大学,1997.5
74 王伟长.地理信息系统控件(Active X)[M].北京:科学出版社,2000
75 Chen Shouyu. Relative Membership Function and New Frame of Fuzzy Sets Theory for Pattern Recognition[J]. The Journal of Fuzzy Mathematics, 1997(2)
76 徐建新,王萍,沈晋,等.信息管理理论与应用研究[J].节水灌溉,2002(6)
77 李英能.作物与水资源利用[M].重庆:重庆出版社,2001
78 Blank H. Optimal irrigation decision with limited water water. Ph D. Dissimition, Civil Enginerring Department, Colorado State University, 1975
79 Hanks R,Hill R. Modelling crop response to irrigation to soil, climate and salnity. Utah State University. 1980
80 Jensen M E,Wright J L. The role of evapotranspiration models in irrigation scheduling. ASAE Vol. 21(1), 1978
81 Mao Z. Forecast of crop evapotranspiration. ICID Bulletin 43(1), 1994
82 Rao N,et al. Real - time adaptive irrigation scheduling under a limited water supply. Agriculture Water Management, Vol.20(4), 1992
83 刘肇祎,郭元裕.灌排工程系统分析[M].北京:水利电力出版社,1988
84 郭元裕,李寿生.灌排工程最优规划与管理[M].北京:水利电力出版社,1988
85 叶秉如,等.水资源系统优化规划和调度[M].北京:中国水利水电出版社,2001
86 肖俊夫,陈玉民,孙景生.利用反推法进行农田灌溉预报的初步研究[J].灌溉排水,1997(1)
87 Liu Y, Pereira L S. Model validation and crop coefficient for irrigation scheduling in the north China plain [J]. Agricultural Water Management, 1998(36): 233～246
88 Allen G, Pereira L S, D Raes, M Smith. Crop evapotranspiration - Guidelines for computing crop water requirements[M]. FAO Irrigation and DRainage Paper 56,1998
89 Doorendos J, pruitt W O. Crop water requirements [M]. FAO Irrigation and Drainage Paper 24,1984
90 武强,徐建芳,董东林,等.基于 GIS 的地质灾害和水资源研究理论与方法[J].北京:地质出版社,

2001
91 孙景生,康绍忠.我国水资源利用现状与节水灌溉发展对策[J].农业工程学报,2000(2)
92 罗金耀.节水灌溉技术指标及综合评价理论及应用研究:[博士学位论文][D].武汉:武汉水利电力大学,1997.12
93 罗金耀,陈大雕,郭元裕,等.节水灌溉工程模糊综合评价研究[J].灌溉排水,1998(2)
94 路振广,曹祥华,等.节水灌溉工程综合评价指标体系与定性指标量化方法[J].灌溉排水,2001(1)
95 路振广,曹祥华,李慎群,等.系统模糊优选熵权模型在节水灌溉项目综合评价中的应用[J].灌溉排水,2001(3)
96 张庆华,白玉慧,倪红珍,等.节水灌溉方式的优化选择[J].水利学报,2002(1)
97 吴普特,黄占斌,高建恩,等.人工汇集雨水利用技术研究[M],郑州:黄河水利出版社,2002
98 水利部农村水利司农水处．雨水积蓄利用技术与实践[M].北京:中国水利水电出版社, 2001
99 水利部农村水利司,中国灌溉排水技术开发培训中心．雨水积蓄工程技术[M].北京:中国水利水电出版社,1999
100 牛文臣,徐建新,何勇前,等.山丘区人畜饮水工程[M].西安:陕西科学技术出版社,2001
101 李勇,王超,戴连栋.雨水集蓄农业利用的环境效应及研究展望[J].农业工程学报,2003(2)
102 陈芸云.项目投资现代管理[M].北京:中国电力出版社,2002
103 常茂德,赵光耀,田杏芳,等.黄河中游多沙粗沙区小流域综合治理模式以及评价.郑州:黄河水利出版社,1997
104 郑爱丽.引进技术的效果评估研究:[硕士学位论文][D].北京:北京航空航天大学,2000.2
105 Dong mei dui, He yong. Design and Implementation of Intelligent Design Support System for Grain Post-production. Transactions of the CSAE, 2001(1),38～43
106 Saunders M C, Haessler C W, etc. Grop ES: An Expert Systems for Agricultrue in Pennsylvania. AI Applications, 1998(2):13～19
107 叶守泽,夏军,郭生练,等.水库水环境模拟预测与评价.北京:中国水利水电出版社,1998
108 陈守煜.工程模糊集理论与应用[M].北京:国防工业出版社,1998
109 Plant RE Looms RS. Model－Based Reasoning for Agriculture Expert Systems. AI Applications,1991(5):17～28
110 Goncalves W M, Zambalde A L, etc. Microcomputers in farm Management: A Demonstrtive Result Model Based on Spreadsheets. Sixth International Conference on Computers in Agriculture. Cancun, Mexico, June, 1996
111 Amsalem michel A, Tech Choice in Developing Countries The MIT Press 1987
112 EVERETI M. ROGERS & THOMAS W VALENTE Tech Transfe in High Tech Industries,1990
113 Peter G, Sassone, William A. Schaffer Cost－Benefit analysis a handbook,1982
114 姜启源．数学模型[M].北京:高等教育出版社,1996
115 李荣钧．模糊多准则决策理论与应用[M].北京:科学出版社,2002
116 贺北方,于章林,刘正才.多级模糊层次综合评价的数学模型及应用[J].系统工程理论与实践,1989(6)
117 吴秉坚．模糊数学及其经济分析[M].北京:中国标准出版社,1994
118 孙桂兰．多层次模糊综合评价法在生态农业评价中的应用[J].农村生态环境,1998(1)